U0932352

Yilin Classics

DANTE ALIGHIERI

经/典/译/林

La Divina Commedia

Inferno

神曲 地狱篇

[意大利] 但丁 著

黄文捷 译

译林出版社

图书在版编目（CIP）数据

神曲．地狱篇／（意）但丁著；黄文捷译．—南京：译林出版社，2019.9（2024.3重印）
（经典译林）
ISBN 978-7-5447-7741-4

Ⅰ.①神… Ⅱ.①但… ②黄… Ⅲ.①诗歌－意大利－中世纪 Ⅳ.①I546.23

中国版本图书馆 CIP 数据核字（2019）第 079123 号

神曲［意大利］但丁 ／ 著 黄文捷 ／ 译

责任编辑 姚 燚 彭 波
校　　对 孙玉兰 王 敏
责任印制 颜 亮

原文出版 La Nuova Italia; Le Monnier
内文插图 ［法国］古斯塔夫·多雷
出版发行 译林出版社
地　　址 南京市湖南路 1 号 A 楼
邮　　箱 yilin@yilin.com
网　　址 www.yilin.com
市场热线 025-86633278
排　　版 南京展望文化发展有限公司
印　　刷 江苏凤凰盐城印刷有限公司
开　　本 880 毫米 × 1240 毫米 1/32
印　　张 39.875（共三册）
插　　页 6
版　　次 2019 年 9 月第 1 版
印　　次 2024 年 3 月第 6 次印刷
书　　号 ISBN 978-7-5447-7741-4
定　　价 （共三册）128.00 元

但丁·阿利基埃里像

序言

吕同六

一

比但丁晚生七十七年,和薄伽丘同时代的作家萨凯蒂,写过一部饶有兴味的《故事三百篇》,内中一则故事写道:某日,主人公走进一家铁匠铺,但见一名铁匠一面抡锤叮叮当当地打铁,一面嘴里抑扬顿挫地吟诗,侧耳细听,铁匠背诵的竟是但丁《神曲》的诗句!

看来,但丁这部史诗面世之后,便在意大利不胫而走,家喻户晓了。

而《神曲》在20世纪初进入中国以来,便立即同文人学士们结下缘分。

近代改革派代表、学者梁启超写过一部历史剧《新罗马传奇》,把但丁作为主人公,讴歌他是革新者的先驱。

鲁迅在但丁身上看到了超越时间和空间的普遍价值,所谓“迨兵刃炮火,无不腐蚀,而但丁之声依然”。

茅盾在抗战期间奉但丁为民族坚毅精神的代表,爱国者的楷模。他把但丁和屈原比较,发现这两大诗人中间,有着“不少有趣味的类似”。

郭沫若对《神曲》另有一种浪漫的感应。他在《漂流三部曲》中信誓旦旦地表示,但丁为贝娅特丽丝写了《神曲》,他定要为自己的心上人写一部长篇小说。

巴金对《神曲》的接受则颇有悲壮色彩。巴老在文化大革命的浩劫中被打入“牛棚”,惨遭迫害。他分明觉得,“牛棚”便是但丁笔下的“地狱”;因此，他时常背吟《神曲·地狱》的诗句，从中汲取同魑魅魍魉抗争的精神力量。

而胡适、苏曼殊、王独清、老舍、何其芳、阮章竟等人，也依据迥异的个人经历、气质和追求，各自不同地表达了对但丁的赞赏和共鸣。

今天，当我们阅读意大利唯美派大家邓南遮根据《神曲·地狱》第五歌再创作的诗剧《里米尼的佛兰切丝卡》，领略其凄清的悲切，奇丽的伤感时；当我们聆听音乐大师柴可夫斯基的幻想曲《里米尼的佛兰切丝卡》，李斯特的交响曲《但丁神曲》，体味一对忠诚于爱情的恋人令人断肠的倾诉，或感受喷涌的浪漫激情和民主精神时；当我们欣赏从中世纪直至今天千百位古今中外艺术家所作的《神曲》插图或以《神曲》为题材进行再创作的杰作，陶醉于这些丹青妙手创造的千姿百态、宏伟壮观的《神曲》艺术世界时，我们岂能抵挡得住《神曲》艺术魅力的诱惑?！我们不由得勃发出一种强烈的冲动，兴味盎然地去阅读或者再阅读博大精深、汪洋恣肆的《神曲》。

二

但丁·阿利基埃里(1265—1321 年)是意大利从中世纪向文艺复兴运动过渡时期最有代表性的作家、诗人，人文主义的先驱者。

但丁于 1265 年 5 月下旬诞生在佛罗伦萨。据他在《神曲》里透露，他是罗马人的后裔，高祖父卡恰圭达是个贵族，曾随神圣罗马帝国皇帝康拉德三世参加第二次十字军东征，立下战功，被封为骑士，战死在圣地。据说他的父亲当过法庭文书。但丁诞生时，家道已经中落，政治上没有什么地位，家庭经济情况恶化，实际上等同于一般市民。

但丁五六岁的时候，母亲贝拉去世；大约十八岁的时候，父亲阿利盖里又病故。但丁孤苦伶仃，便把全部精力倾注于学习。他勤奋攻读，得到著名大学者布鲁内托·拉蒂尼的指导，对拉丁语、修辞学、逻辑学、诗学、伦理学、哲学、神学、历史、天文、地理、音乐、绘画等，无不潜心研究。他阅读荷马、维吉尔、贺拉斯、奥维德的诗卷，接触法国骑士文学和普罗旺斯抒情诗，在智慧的海洋里汲取了丰富的养料。

但丁在修道院里旁听过一些课程。他钟爱的女子贝阿特丽切去世后，为了寻找精神寄托，思考人生，但丁认真研究古典哲学，还广泛涉猎中古神学和经院哲学。除了中世纪必读的《圣经》外，但丁攻读了亚里士多德的哲学、政治学著作，波伊提乌斯的《哲学的慰藉》，西塞罗的《论友谊》，圣托马索的《神学大全》。但丁博览群书，在中古文化的各个领域都获得了精深的造诣，成为一个多才多艺、学识渊博的人，对他后来的政治活动、理论著述和文学创作，提供了有利的条件。

但丁从来不是书斋里的学者。他始终处在时代运动之中。他迎着历史的风暴，站在勃然兴起的市民阶级一边，进行着反对封建贵族阶级的政治斗争；同时，他又用他的笔，描绘出新旧交替时期的现实生活和政治斗争。

当时，佛罗伦萨已是意大利繁荣的金融中心、手工业中心和文化中心，在欧洲经济、文化生活中占有举足轻重的地位。另一方面，意大利在政治上又陷于分裂状态，城邦林立，形成封建割据，战乱频仍。新兴的市民阶级同封建贵族的严重斗争，集中表现为归尔弗党同吉伯林党的对立。

但丁青年时代加入归尔弗党。1289 年 6 月，他参加了同阿雷佐城的吉伯林党作战的康帕迪诺战役。同年 8 月，他又参加了佛罗伦萨攻打吉伯林党盘踞的比萨的战斗。贝阿特丽切逝世以后，但丁有点心灰意冷，一度追求浪漫生活，迷失正路，但不久便正视和克服了自己的迷误，继续积极投身政治活动。

1293 年，归尔弗党战胜吉伯林党之后，在佛罗伦萨建立了行会民主政体，贵族被排除在政权之外。但丁加入医药行会（可能是他从事哲学研究，同医药有点关系），先后当选人民首领特别会议和百人会议的成员。1300 年，他被任命为行政官。但丁的政治生涯达到了顶点。

但丁担任行政官期间，一心建设和捍卫佛罗伦萨共和政权。当时，归尔弗党又分裂为代表贵族利益、支持教皇博尼法丘八世的黑党和代表商人利益的白党。但丁站在白党一边,但在处理黑白两党流血冲突时,他把两党首领都驱逐出境,其中包括他的诗友、白党领袖卡瓦尔坎蒂。他又顶住教会的压力,挫败了教皇干涉佛罗伦萨内政的阴谋,因此得罪了教皇。

1302 年,但丁出使罗马。黑党在教皇和法国瓦洛亚家族查理亲王的支持下,夺取了佛罗伦萨政权,并随即以贪污、反对教皇和查理的罪名,革除但丁的公职,判以巨额罚金,并流放两年。但丁坚贞不屈,拒不认罪,于是同年又被判处终身流放。

为了维护自己的信念和共和国的民主,但丁度过了近二十年漂泊无定的流亡生活。他周游各地,访友,讲学,也曾在维罗纳封建主巴尔托洛梅奥·德拉·斯卡拉和其他一些城邦君主的宫廷中客居。1310 年,神圣罗马帝国皇帝亨利七世到意大利加冕,表示要消弭战乱,实现和平。但丁受到鼓舞,写了致意大利诸侯和人民书,并向亨利七世上书,把祖国和平与统一的希望寄托在他身上。由于教皇和封建割据势力拒不承认亨利七世的权力,亨利七世于 1313 年病死,但丁期待拨乱反正的愿望破灭。

流放期间,但丁亲眼看到祖国壮丽的山河,广泛接触到意大利动乱的现实和平民阶层困苦的生活,丰富了人生体验,开阔了视野,加深了爱国思想。他对意大利面临的社会政治问题,对自己肩负的揭露黑暗、唤醒人心、复兴意大利的历史使命,有了更深切的认识。他断然拒绝佛罗伦萨统治者提出的要他宣誓忏悔以取得赦免重返家园的要求。因此,1315 年,他又被缺席判处死刑。

晚年,但丁定居拉维纳。1321 年 9 月 14 日因病逝世。

但丁十八岁时开始写诗。当时佛罗伦萨是以圭多·圭尼采利和圭多·卡瓦尔坎蒂为代表的"温柔的新体"诗派的中心。青年时代的但丁也属于这个诗派。

温柔的新体诗是对普罗旺斯抒情诗、西西里爱情诗传统的继承和突破。它抒发对崇高的爱情的强烈渴望,对诗人爱恋的女子的热烈赞美,但它不是以封建主和骑士的道德观念、趣味为基础,也不以歌颂对贵妇人的忠诚、献身精神为主题，而是从站在市民阶级营垒里的诗人切身体验的感情出发，予以细致、真切的描写。但丁在总结意大利抒情诗的发展时提出，温柔的新体诗遵循这样的原则进行创作：

当爱情激动我的时候，
我根据它在内心发出的指示写下来。

（《神曲·炼狱》第二十四歌）[①]

《新生》是但丁作为温柔的新体诗人的主要创作成果，也是他抒写对贝阿特丽切爱情的作品。但丁九岁时初次遇见贝阿特丽切，她的美丽、高贵的形象深深铭刻在他的心灵里。九年后，但丁再次见到贝阿特丽切，心中涌起不可遏止的爱情。但丁写了一系列抒情诗来赞美她。1290年，贝阿特丽切染病去世，但丁悲痛万分，又写了一些诗献给心上人，寄托哀思。但丁把这三十一首诗用散文加以连缀，结集为《新生》。

但丁在《新生》中抒发对贝阿特丽切的纯真的爱。在诗人的笔下，贝阿特丽切这位年轻、美丽、高贵的女子，是崇高的道德力量的化身，是上帝派到人世间来拯救他的灵魂的天使。这种爱是理想中的、精神的爱，带有中古时期的神秘色彩，但表达了摆脱中世纪禁欲主义、追求世俗生活、渴望情爱的情怀。但丁在诗中注重刻画人的真实的情感，把内心的感受同哲理的思考结合起来，进而从新的角度阐发爱情的本质、爱情同高贵的关系，使《新生》具有文艺复兴时期以人为本的人文主义思想的若干萌芽。

但丁不满足于中世纪爱情诗矫揉造作的手法和千篇一律的描写，渴求诗的、艺术的形象。他在《新生》中采用朴实、明晰的诗体，流畅、柔美

---

① 序言中引诗均为吕同六译。

的语言，富于想象力的构思，探索人物的内心世界，展示爱情在心灵深处激起的层层波澜，具有自然、清新的诗风。《新生》体现了温柔的新体的最高成就，开文艺复兴抒情诗的先河。

流放初期，但丁写了三部理论著作。《论俗语》(1304—1305年)是最早一部关于语言和诗律的专著，用拉丁文写成。但丁对意大利语言的发展作了精辟的论述，着重批判中世纪推崇拉丁文的偏见。他把意大利的方言按其特点划分为十四种，阐发以佛罗伦萨方言为基础的俗语的优越性。《论俗语》为意大利民族语言和文学语言的发展奠定了理论基础。

但丁还谈及诗的语言、诗的本质、诗的题材等一系列理论问题，指出诗歌应该使用最光辉的语言，诗必须是“写得合乎韵律，讲究修辞的虚构故事”，诗应当反映“最高贵的事物”：安全、爱情、美德。

与《论俗语》几乎同时写作的《筵席》(1304—1307年)，是意大利第一部用俗语写成的学术论著，打破了中世纪学术著作必须使用拉丁文的清规戒律。但丁借诠释自己的诗歌，向读者介绍古今科学文化知识，提供精神食粮，故名《筵席》。他计划写十五篇论文，但只完成了四篇。

《筵席》中最具光彩的部分是关于理性、高贵的观点，但丁没有突破经院哲学的框框，认为信仰高于理性；但他强调，唯有理性，才使人区别于禽兽，唯有理性，才使人高贵，接近上帝。但丁赞颂人的伟大，指出人的高贵不在于血统和门第，而在于人的美德，只要具备人文主义思想，“人的高贵就超过天使的高贵”。这一批判封建等级观念、闪烁着人文主义曙光的观点，在《神曲》中获得了进一步的发挥。

《帝制论》是一部政治论著，作于1310年至1312年间。全书共三卷。第一卷论证建立帝制的必要性。第二卷论证建立帝制的使命历史地归于罗马人。第三卷指出，世间万物中唯独人既具有可消亡的肉体，又具有永恒的灵魂。

《帝制论》的重大意义在于，但丁第一次从理论上阐述了政治和宗教平等、政教分离、反对教会干涉政治的观点，向神权说提出了英勇的挑战。但丁的这一思想，对以后欧洲的宗教改革运动和资产阶级革命，都发生了深远的影响。雪莱曾把但丁尊称为“第一个宗教改革者”。

三

经过长期酝酿和构思，但丁开始创作《神曲》。《神曲》写作的准确年月难以确定，根据文学史家们的考证，大约始于 1307 年前后，《地狱》、《炼狱》大约完成于 1313 年左右，《天堂》在但丁逝世前不久脱稿，全书创作历时十余年。

《神曲》采用中世纪文学特有的幻游形式，但丁以自己为主人公，假想他作为一名活人对冥府——死人的王国进行了一次游历。全诗分《地狱》、《炼狱》、《天堂》三部。

诗中叙述但丁在“人生旅程的中途”，即 1300 年，三十五岁时，迷失于一个黑暗的森林。他竭力寻找走出困境的道路，黎明时分来到一座洒满阳光的小山脚下。这是普照旅途的明灯。他正一步步朝山顶攀登，忽然三只猛兽（分别象征淫欲、强暴、贪婪的豹、狮、狼）迎面扑来。但丁高声呼救。这时，罗马诗人维吉尔出现了，他受贝阿特丽切的嘱托前来帮助但丁走出迷途，并引导他游历地狱和炼狱。

地狱形似一个上宽下窄的漏斗，共九层。第一层是候判所，生于基督之前，未能接受洗礼的古代异教徒，在这里等候上帝的审判。在其余八层，罪人的灵魂按生前所犯的罪孽（贪色、饕餮、贪婪、愤怒、信奉邪教、强暴、欺诈、背叛），分别接受不同的严酷刑罚。

炼狱（又称净界）共七级，加上净界山和地上乐园，共九层。生前犯有罪过，但程度较轻，已经悔悟的灵魂，按人类七大罪过（傲慢、忌妒、忿怒、怠惰、贪财、贪食、贪色)，分别在这里修炼洗过，而后一层层升向光明和天堂。在净界山顶的地上乐园，维吉尔隐退，贝阿特丽切出现。

贝阿特丽切责备但丁迷误在罪恶的森林，希望他忏悔，并让他观看表示教会种种腐败的幻景，饮用忘川水，以遗忘过去的过失，获取新生。随后，贝阿特丽切引导但丁游历天堂九重天。这里是幸福的灵魂的归宿；他们是行善者、虔诚的教士、立功德者、哲学家和神学家、殉教者、正直的君主、修道者、基督和众天使。在九重天之上的天府，但丁得见上帝之面，但上帝的形象如电光之一闪，迅即消失，于是幻象和《神曲》也戛然而止。

《神曲》是一部充满隐喻性、象征性，同时又洋溢着鲜明的现实性、倾向性的作品。但丁借贝阿特丽切对他的谈话表示，他写作《神曲》的主旨，是“为了对万恶的社会有所裨益”，也就是说，《神曲》虽然采用了中世纪特有的幻游文学的形式，其寓意和象征在解释上常常引发颇多争议，但它的思想内涵则是异常明确的，即映照现实，启迪人心，让世人经历考验，摆脱迷误，臻于善和真，使意大利走出苦难，拨乱反正，寻得政治上、道德上复兴的道路。

但丁生活在社会变革的历史时期，作为一位“有强烈倾向的诗人”，他一心想革新政治，实现他的理想与抱负。但他痛苦地看到，他的故乡佛罗伦萨成了分裂与内讧的受害者，“祸起萧墙，戈操同室”，城市陷于党派的仇恨，虚弱无能，日益堕落：

在你所记忆的年月里，
你改变了多少次法律、钱币、官吏、风俗，
更换过多少次市政府的委员！

而意大利动乱的现实，封建主暴虐无能使生灵涂炭的情景，更令他痛心疾首：

鸣呼，奴隶的意大利，
痛苦的温床，
你是暴风雨中失去舵手的孤舟，
你不复是各省的主妇，
却沉沦为娼妓！

因此，但丁比任何时候都更加迫切地希望建立中央集权的君主政体，以约束和驾驭互相敌对的城邦和封建诸侯，保障意大利成为一个统一的、富强的国家，“使世纪获得稳固的和平，使雅努斯的庙门关闭”。

当时，意大利名义上隶属神圣罗马帝国，但帝国的皇帝通常从德意志诸侯中产生，仅仅在名义上行使对意大利的统治。但丁抨击皇帝鲁道夫一世和阿尔伯特一世父子只热衷于在德国扩充势力，不来意大利行使权力，使意大利实际上陷于政治分裂状态，“帝国的花园荒芜了”。

但丁在深刻地描绘了当时的政治和社会现实后，对企图主宰基督教世界的教会，对垄断中世纪全部文化的宗教神学，给予异常严厉的揭露和批判。他进一步发挥在《帝制论》中阐述的政教分离的原则，并针对中世纪神学宣扬的“日月说”，在《神曲》里把自己的政教平等的观点形象地概括为“两个太阳说”：

造福世界的罗马，向来有
两个太阳，分别照明两条路径，
尘世的路径，和上帝的路径。

这个比喻生动地说明，政权和教权是分别照耀尘世生活和精神世界的两个太阳，它们之间应当是独立平等、分工合作的关系，而不是从属、争斗的关系，更不可合而为一。而如今呢？但丁无限感慨地指出：

> 一个太阳把另一个熄灭，
> 宝剑和十字架都拿在一个人的手里。

教权入侵政权的结果，使两者互相制约、监督的职能丧失了，世界由此“遭了殃”，连教会也“跌入泥潭，玷污了自己所承担的责任”。

因此，但丁对教会肆无忌惮地干涉意大利内政，破坏国家的和平与统一的罪恶，对教会僧侣颠倒善恶，犯罪造孽的种种败行劣迹，表示了异常强烈的憎恨。他痛斥教皇、主教、教士“日夜在那里用基督的名义做着买卖”，干着买卖圣职、敲诈勒索、荒淫无度、迫害基督徒等丑恶的行为，“使世界陷入悲惨的境地”；他们沉湎于金钱的淫秽污臭，“到处断绝上帝赐给人民的面包”，树立了导致人民“走上邪路”的“坏榜样”。但丁指出，背弃《圣经》教义的僧侣，把圣保罗、圣彼得抛到九霄云外，把罗马教廷变为“污血的沟，垃圾的堆”，“圣殿变成了兽窟，法衣也变为装满罪恶面粉的麻袋”。

耐人寻味的是，但丁把贪婪的教皇、主教、教士置于地狱第四层接受惩罚，并把当时还在世的镇压佛罗伦萨共和政权，在意大利制造动乱和分裂，企图篡夺世俗权力的教皇博尼法丘八世预先打入地狱第八层，头脚倒栽在深穴里，接受火刑。但丁借用中世纪处置政治谋杀犯的酷刑，严厉惩罚博尼法丘八世，预言式地宣告了正义必将战胜邪恶，教会干涉世俗的局面必将结束的前景。但丁的这种愿望和情感，表达了新兴市民阶级摆脱中世纪教会束缚和宗教神学桎梏的要求。

但丁热情地歌颂现世生活的意义，认为现世生活自有本身的价值。他在《神曲》中强调人拥有“自由意志”，这是“上帝最伟大的主张”，上帝给予人类“最伟大的赠品”。他鼓励世人在现实生活中应该坚定不移地遵循理性：

你随我（按：指象征理性的诗人维吉尔）来，
任人们去议论吧，
要像竖塔一般，
任凭狂风呼啸，
塔顶都永远岿然不动。

诗中热烈歌颂历史上具有伟大理想和坚强意志的英雄豪杰，希望世人以他们为榜样，振奋精神，避开怠惰，战胜一切艰险，去创造自己的命运。在但丁看来，坐在绒垫上或者睡在被子里，是不会成名的；只能是虚度一生。

赞颂理性和自由意志，召唤对现世和斗争的兴趣，追求荣誉的思想，这是但丁作为新时代最初一位诗人的特征之一。这种以人为本、重视现实生活价值的观念，同中世纪一切归于神的思想，同宗教神学宣扬的来世主义，都是针锋相对的。

《神曲》还表露了反对中世纪的蒙昧主义，提倡文化，尊重知识的新思想。但丁称颂人的才能和智慧，对于教会排斥和否定的古典文化，他更是推崇备至。他在诗中奉荷马为“诗人之王”，亚里士多德是“哲学家的大师”，称维吉尔是“智慧的海洋”。他热情洋溢地讴歌荷马史诗中的英雄奥德修斯在求知欲的推动下，离开家庭，抛弃个人幸福，历尽千难万险，扬帆于天涯海角去探险的事迹，并通过奥德修斯指出：

你们生来不是为了走兽一样生活，
而是为着追求美德和知识。

意大利从中世纪向近代社会过渡的历史时期的社会政治变化和精神道德情状，在《神曲》中也获得了真切、广泛的描绘。难能可贵的是，但丁对新兴市民阶级的贪图私利，追逐金钱，高利贷者的重利盘剥，对正在形成中的资本主义关系的罪恶，也有清晰而深刻的认识，并予以严厉的谴责。他指出，市民阶级暴发户充满了“骄狂傲慢和放荡无度之风”，田园式的宁静生活已一去不复返，因为

骄傲、嫉妒和贪婪是三颗星火，
使人心燃烧起来。

但丁是新旧交替时期的伟大诗人。基督教神学观念，中世纪思想的偏见，世界观的种种矛盾，也在《神曲》中得到表现。

《神曲》中处处洋溢着对现世生活的热忱歌颂，但是但丁又把现世生活看作来世永生的准备。他揭发教会和僧侣的败行劣迹，但又不整个地反对宗教神学和教会，甚至还把宗教神学置于哲学之上，把信仰置于理性之上。例如，他把维吉尔选为他幻游地狱和炼狱的向导，隐喻理性和哲学指引人类认识邪恶的途径，而把贝阿特丽切作为游历天堂的向导，说明诗人仍然局限于信仰和神学高踞理性和哲学之上，人类只有依靠信仰和神学，才能达到至善之境的经院哲学观点。

但丁对奥德修斯远航探险的英雄业绩的描绘，是《神曲》中最光彩夺目的诗章之一，奥德修斯召唤世人追求美德和知识的话语，也已成为至理名言传留下来。而另一方面，但丁又借维吉尔之口表明理性的软弱：“谁希望用我们微弱的理性识破无穷的玄梦，那真是非愚即狂。”

《神曲》中抒写的保罗和佛兰切丝卡这对痴情恋人的悲剧性遭遇，凄楚动人，但丁因听到他们的哭诉而极度痛苦，以致昏厥。后世无数的画家、诗人、音乐家以这则故事为素材，创作出许多优秀的艺术作品。但是但丁又根据中世纪的道德标准，把这对青年恋人作为贪色的罪人，放入地狱接受惩

戒。他还把苦行禁欲派始祖圣芳济各置于荣耀的天堂。但丁对中世纪禁欲主义和旧礼教既摒斥又在一定程度上认同的矛盾在这里充分体现了出来。

在对待封建君主的态度上,但丁也常常是矛盾的。他曾义愤填膺地谴责,说意大利没有一块干净的土地,“意大利所有的城市,到处充斥着暴君”。在《神曲》中,他对那不勒斯和西西里王国的国王查理一世以及法国国王腓力普四世的罪行是痛加鞭挞的。但在但丁的政治理想中,皇帝又被视为拯救陷于危难中的意大利的救星。他在《神曲》中时常提到亨利七世,认为只有这位皇帝才是能够使意大利这艘在暴风雨中飘荡的“孤舟”拨正航向,顺流而进的“舵手”,并在《神曲·天堂》里给他预先保留了一个光荣的位置。这正是在特定的历史条件下,弱小的市民阶级的软弱性、妥协性的反映。为了对抗专横恣肆的教会,最初的人文主义者不得不谋求王权的支持和保护。

《神曲》是一部达到很高的艺术境界的作品。但丁描写的地狱、炼狱和天堂,受到古典文学尤其是中世纪梦幻文学的启示和影响,如维吉尔在《埃涅阿斯记》中关于主人公由神巫引导游历阴间的描写,中世纪作家达·维罗纳的《耶路撒冷天国颂》、《巴比仑地狱诗》和德拉·利瓦的《三卷书》对罪孽的灵魂在地狱接受惩戒,天堂光明、幸福的叙述,都给但丁提供了借鉴。但《神曲》不像中世纪文学作品那样粗糙庸俗、虚无缥缈,诗人以丰富的想象力、精深的神学、哲学修养和新颖的构思,为三个境界设计了严密的结构、清晰的层次。他把地狱、炼狱、天堂各分为九层,蕴含着深邃的道德涵义。在描绘不同境界时,他采用不同的色彩。地狱是惩戒罪孽的境界,色调凄幽、阴森;炼狱是悔过和希望的境界,色彩转为恬淡、宁静;天堂是至善至美的境界,笼罩在一片灿烂、辉煌之中。多层次、多色调的形象描绘,表达了诗人精辟而又抽象的哲学、神学观点,又赋予这些境界以巨大的真实性,奇而不诡,精微致深,使人如身临其境。

《神曲》堪称一座多姿多彩、形象鲜活的人物画廊。作为这部史诗的主人翁,但丁本人苦苦求索的品格和丰富复杂的精神世界,刻画得最为细微、饱满。维吉尔和贝阿特丽切这两位向导,虽然具有象征性和寓意性,但仍然各具鲜明的个性。维吉尔是导师,在对但丁的关怀和教诲中,显示出父亲般和蔼、慈祥的性格。贝阿特丽切是恋人,在对诗人的救助和鼓励中,显示出母亲般温柔、庄重的性格。但丁擅长在戏剧性的场面和行动中,以极其准确、简洁的语言,勾勒出人物外形和性格的特征。在哀怨欲绝的悲剧性氛围中,诗人描写保罗与佛兰切丝卡这对恋人对爱情忠贞不渝的品格,在阴暗、愤懑的情境中,诗人勾画教皇博尼法丘八世贪婪、欺诈的性格,无不入木三分。《神曲》中种种惊心动魄和神奇的景象,地狱形形色色的妖魔鬼怪,如吞噬幽灵的三个头的恶犬,飞翔于自杀者树林之上的人面妖鸟,长着三副不同颜色的面孔、三对庞大无比的翅膀的地狱王,满身污血、头上盘着青蛇的复仇女神,在但丁的笔下,寥寥数笔,便形象逼真、栩栩如生地勾画了出来。他们不只是高度写实的艺术形象,而且出色地烘托了地狱各个特定环境的氛围。

但丁在写人绘景时,常常喜欢采用来源于日常生活和自然界的极其通俗的比喻,产生极不寻常的艺术效果。例如,地狱里的幽灵遇见陌生来客维吉尔和但丁,惊奇地盯视着他们,好像老眼昏花的裁缝凝视针眼一样。形容枯瘦的幽灵两眼深陷无神,好像一对宝石脱落的戒指。在魔鬼卡隆的鞭打下,幽灵从岸边跳进地狱界河的小船,好像秋天的树叶一片一片落下。

《神曲》的《地狱》、《炼狱》、《天堂》各有三十三歌,加上长诗的序曲,共一百歌,计一万四千二百三十三行。这三个境界的结构也异常匀称、严谨,共有九层。每部曲的最后一行都以"群星"一词作韵脚,彼此呼应。这种精确的结构和对称的布局,是建立于数字3和10对中世纪文化所具有的神秘的、象征的意义上的。

《神曲》的韵律形式是民间诗歌中流行的一种格律三韵句,即每三行为一节,隔行押韵,连锁循环,贯穿全诗始终。这也显示了诗人深厚的语言功力,使用韵律的技巧很成熟。

但丁摒弃中世纪文学作品习惯运用的拉丁语,采用俗语写作《神曲》,

这对促进意大利民族语言的统一,对丰富意大利文学语言起了重要的作用。

凡此种种都表明但丁摆脱了中世纪文学传统的羁绊,力图用新的艺术形式表现新时代的思想内容,这使但丁成为意大利第一个民族诗人。

《神曲》的伟大历史价值在于,它以极其广阔的画面,通过对诗人幻游过程中遇到的上百个各种类型的人物的描写,反映出意大利从中世纪向近代过渡的转折时期的现实生活和各个领域发生的社会、政治变革,透露了新时代的新思想——人文主义的曙光。《神曲》对中世纪政治、哲学、科学、神学、诗歌、绘画、文化,作了艺术性的阐述和总结。因此,它不仅在思想性、艺术性上达到了时代的先进水平,是一座划时代的里程碑,而且是一部反映社会生活状况、传授知识的百科全书式的鸿篇巨制。

《神曲》原名《喜剧》,薄伽丘在《但丁传》中为了表示对诗人的崇敬,给这部作品冠以“神圣的”称谓。后来的版本便以《神圣的喜剧》为书名。中译本通称《神曲》。

地　狱　篇

CONTENTS · 目录

第　一　首 …………………………………………………………… (1)

第　二　首 …………………………………………………………… (15)

第　三　首 …………………………………………………………… (23)

第　四　首 …………………………………………………………… (34)

第　五　首 …………………………………………………………… (47)

第　六　首 …………………………………………………………… (59)

第　七　首 …………………………………………………………… (68)

第　八　首 …………………………………………………………… (77)

第　九　首 …………………………………………………………… (86)

第　十　首 …………………………………………………………… (97)

第十一首 …………………………………………………………… (108)

第十二首 …………………………………………………………… (118)

第十三首 …………………………………………………………… (130)

第 十 四 首 …………………………………………………………… (140)

第 十 五 首 …………………………………………………………… (150)

第 十 六 首 …………………………………………………………… (160)

第 十 七 首 …………………………………………………………… (168)

第 十 八 首 …………………………………………………………… (179)

第 十 九 首 …………………………………………………………… (189)

第 二 十 首 …………………………………………………………… (200)

第二十一首 …………………………………………………………… (210)

第二十二首 …………………………………………………………… (219)

第二十三首 …………………………………………………………… (228)

第二十四首 …………………………………………………………… (240)

第二十五首 …………………………………………………………… (250)

第二十六首 …………………………………………………………… (260)

第二十七首 …………………………………………………………… (271)

第二十八首 …………………………………………………………… (281)

第二十九首 …………………………………………………………… (293)

第 三 十 首 …………………………………………………………… (303)

第三十一首 …………………………………………………………… (314)

第三十二首 …………………………………………………………… (326)

第三十三首 ………………………………………………………… (338)

第三十四首 ………………………………………………………… (350)

我走过我们人生的一半旅程，却又步入一片幽暗的森林，这是因为我迷失了正确的路径。（第一首第1—3行）

第一首[1]

森林(1—12)
阳光照耀下的山丘(13—30)
三头猛兽(31—60)
维吉尔(61—99)
猎犬(100—111)
冥界之行(112—136)

森林

我走过我们人生的一半旅程[2]，
却又步入一片幽暗的森林[3]，
这是因为我迷失了正确的路径。
啊！这森林是多么原始,多么险恶,多么举步维艰！
道出这景象又是多么困难！
现在想起也仍会毛骨悚然，
尽管这痛苦的煎熬不如丧命那么悲惨；
但是要谈到我在那里如何逢凶化吉而脱险[4]，
我还要说一说我在那里对其他事物的亲眼所见。
我无法说明我是如何步入其中，
我当时是那样睡眼朦胧，

看！几乎在山丘开始陡起之处，一头身躯轻巧、矫健异常的豹子蓦地蹿出，它浑身上下，被五彩斑斓的毛皮裹住。（第一首第31—33行）

竟然抛弃正路，不知何去何从。

阳光照耀下的山丘

我随后来到一个山丘脚下[5]，
那森林所在的山谷曾令我心惊胆怕，
这时山谷却已邻近边崖；
我举目向上一望，
山脊已披上那星球射出的万道霞光[6]，
正是那星球把行人送上大道康庄。
这时我的恐惧才稍稍平静下来，
而在我战战兢兢地度过的那一夜，
这恐惧则一直搅得我心潮澎湃。
犹如一个人吁吁气喘，
逃出大海，游到岸边，
掉过头去，凝视那巨浪冲天[7]，
我也正是这样惊魂未定，
我转过身去，回顾那关隘似的森林，
正是这关隘从未让人从那里逃生。
随后我稍微休息一下疲惫的身体，
重新上路，攀登那荒凉的山脊，
而立得最稳的脚总是放得最低的那一只[8]。

三头猛兽

看！几乎在山丘开始陡起之处，
一头身躯轻巧、矫健异常的豹子蓦地蹿出[9]，
它浑身上下，被五彩斑斓的毛皮裹住。
它在我面前不肯离去，
甚而想把我的去路拦阻，
我多次扭转身躯，想走回头路。
这时正是早晨的开始[10]，

这狮子似乎要向我进攻,它昂着头,饿得发疯。(第一首第 46、47 行)

太阳正与众星辰冉冉升起[11]，
从神灵的爱最初推动这些美丽的东西运转时起，
这群星就与太阳寸步不离；
这拂晓的时光，这温和的节气[12]，
令我心中充满希冀，
对这头皮色斑斓的猛兽也望而不惧；
但是，我又看到有一头狮子向我走来，
这却不能不令我感到惊骇。
这狮子似乎要向我进攻，
它昂着头，饿得发疯，
空气也仿佛吓得索索抖动。
接着又来了一头母狼，
它瘦骨嶙峋，像是满抱种种贪婪欲望，
它曾使多少人遭受祸殃[13]，
一见它，我就不禁心惊胆寒，
像是有一块重石压在心田，
登上山峰的希望也随之烟消云散。
犹如一个一心只图赢钱的赌徒，
时运不济，却使他一输再输，
他心中悲苦万分，不住流涕痛哭[14]；
这猛兽也同样令我忐忑不宁，
它一步一步地向我逼近，
把我逼回到森林，那里连太阳也变得悄然无声[15]。

维吉尔

我又陷入那低洼的地方，
这时有一个人在定睛向我张望[16]，
他仿佛经过长久的缄默，几乎发不出声响[17]。
我见他伫立在荒凉的山地，
便向他叫道："你是真人还是鬼魑？

不管你是什么,请可怜可怜我[18]!”
他答道:“我不是活人,但过去是,
我的父母祖籍伦巴第[19],
他们俩都以曼图亚为出生地。
我出生在凯撒时代,可惜我生得太迟[20];
明君奥古斯都当政时,我在罗马度日[21],
那个时代正充斥着冒牌、伪装的神祇[22]。
我是个诗人,我曾把一位义士歌颂,
他是安奇塞斯的儿子,只因雄伟的伊利昂城被焚,
他才逃离了特洛伊城[23]。
但是,你又为何返回这痛苦的深渊,
为何不攀登那明媚的高山[24]?
而这高山正是一切幸福的来由和开端。”
“那么你就是那位维吉尔,
那涌现出滔滔不绝的动人诗句的泉源?”
我向他答道,不禁满面羞惭。
“啊!众诗人的光荣和明灯啊!
我曾长期拜读你的诗作,
对你的无限爱戴也曾使我遍寻你的著说。
你是我的恩师,我的楷模,
我从你那里学到那优美的风格,
它使我得以声名显赫。
你看那头猛兽,它迫使我退后,
著名的智者啊!请救我逃出它那血盆大口,
它使我的血管和脉搏都在不断颤抖。”
“倘若你想从这蛮荒的地界脱身,
你就该另寻其他路径,”
他答道,他看出我泪珠滚滚;
“这头野兽曾吓得你大声呼救,
它不会让任何行人从它眼前溜走,

你看那头猛兽,它迫使我退后,著名的智者啊!请救我逃出它那血盆大口。(第一首第88、89 行)

它要阻挡他的去路，甚而把他吞入血盆大口。
它本性就是如此凶恶，如此狠毒，
它的贪婪欲望从来不会得到满足，
它在饱餐后会感到比在饱餐前更加饥肠辘辘。

猎犬

许多动物都与它为婚，这情况将来会更甚[25]，
但是猎犬终会来临[26]，
会叫它痛苦万分，丧失性命。
这猎犬食用的不是土地和钱财，
它据以为生的是：智慧、美德和仁爱，
它的诞生地在菲尔特罗与菲尔特罗之间的那片地带[27]。
它会拯救那不幸的意大利，
圣女卡米拉、欧吕阿鲁斯、图尔努斯和尼苏斯[28]，
都曾为这片衰败的国土而负伤捐躯。
猎犬会把母狼从一座座城市中赶出，
直到把它赶回阴曹地府，
原先把这畜牲放出地府的正是嫉妒[29]。

冥界之行

因此，我为你的安全着想，
我认为你最好跟随我，我来做你的导向，
我把你带出此地，前往永恒之邦[30]。
你在那里将会听到绝望的惨叫，
将会看到远古的幽灵在受煎熬[31]，
他们都在为要求第二次死而不断呼号[32]；
你还会看到有些鬼魂甘愿在火中受苦[33]，
因为他们希望有朝一日
前往与享受天国之福的灵魂为伍。
倘若你有心升上天去瞻望这些灵魂，

有一个魂灵则在这方面比我更能胜任[34]，
届时我将离去，让你与她同行；
因为坐镇天府的那位皇帝[35]
不愿让我进入他统治的福地，
这正是由于我生前曾违抗过他的法律[36]。
他威震寰宇，统辖天国；
天国正是他的都城，有他那崇高的宝座：
啊！能被擢升到天国的人真是幸福难得！”
于是，我对他说：“诗人啊！我请求你，
以你不曾见识过的上帝名义，
帮我逃出这是非和受苦之地[37]，
把我带到你方才所说的那个地方去，
让我能目睹圣彼得之门[38]，
看一看你所说的如此悲惨的幽魂。”
于是他起步动身，我则在他身后紧跟。

注释

①《神曲》全诗共分三部诗篇（Cantica），即《地狱篇》、《炼狱篇》和《天堂篇》。《地狱篇》有诗歌（Canto）三十四首，其他两篇各有三十三首，全诗总计一百首。《地狱篇》的第一首诗歌，实际上是全诗的“序诗”，该篇本身的真正“序诗”，是第二首。

②人生的“一半旅程”系指三十五岁。其依据是《旧约·诗篇》第九十节第十句，其中说上帝“赐给人七十年的寿命”。但丁在其另一部著作《筵席》（*Convivo*）第四篇第二十三节第六至十句段中曾写道：“尘世上人的生命可以比作一扇拱门，许多人认为，拱门的顶端相当于三十岁至三十四岁之间，但我认为，把这顶端看成三十五岁则更理所当然。”但丁的这句诗，写他即将开始遨游地狱，可能受到《旧约·以赛亚书》第三十八章第十句（即：“我正当盛年，竟然快要离开人世。”）的启发。一般注释家认为，但丁大约生于1265年，其地狱之行可能是在1300年，亦即正当他三十五岁的时候；日期约是在“神圣的星期五”（即复活节前的星期五，亦即耶稣受难日）的晚上，即4月8日的晚上，或是按传统说法，集亚当的创造、耶稣被孕育和耶稣受难于一日的3月25日的晚上。

③“幽暗的森林”据一般注释家分析，有双重含义：一是象征人世间的错误和歧途，二是隐喻当时意大利社会的混乱状态，而这种状态主要是教会的腐败堕落和皇权的软弱无力造成的，这正反映了但丁的政治观点。

④“逢凶化吉而脱险”指但丁陷入歧途之后,得到上天派遣的罗马诗人维吉尔(Virgilio,公元前70—前19)的救援。“其他事物”指下面但丁路遇三头猛兽威胁。维吉尔对但丁在文学上的成长,特别是对《神曲》的撰写,影响很大;《神曲》大量引用了维吉尔的名著《埃涅阿斯记》(*Eneide*)的内容。

⑤“山丘”与“森林”相对,指在上天保佑下走向幸福之途。

⑥“星球”指太阳。依据中世纪盛行的托勒密天文体系(Sistema tolemaico),太阳是围绕地球而转动的;这里则隐喻上帝。

⑦这是《神曲》中第一个用生活细节的描绘形容诗中情景的比喻。

⑧此句寓意费解,古今注释家争议颇多。从字面上看,是描述登山的步伐:即当向上迈出一只脚时,总要把立在下面的另一只脚放稳。十四世纪的薄伽丘(Boccaccio,1313—1375)和本维努托(Benvenuto)都持这种看法,本维努托说:“当一个人登山时,那只放在下面的脚总是要承受登山人的全部体重。”但十三世纪的大阿尔贝托(Alberto Magno,1193—1280)则认为,“立得最稳”的脚应是“左脚”,“左脚”代表着尘世间的七情六欲,它干扰着“登山者”的行为,不能配合象征理性的右脚。当代注释家萨佩纽(Sapegno)认为,此句说明但丁行路还是不轻便,不稳定的,隐喻他“对达到实现美德的境地还把握不大”。译者认为,萨佩纽的看法有一定道理,但丁运用左右两脚在登山时轮番地放低、立稳、承受体重作用的运动规律,说明寻求天国幸福不像平地行走那样容易,即通往天国之路不是坦途。

⑨“豹子”隐喻肉欲,与随后出现的“狮子”和“母狼”一起象征着三重障碍和三种罪恶(“狮子”象征狂傲,“母狼”象征贪婪)。近代评论家也有把豹子解释为象征嫉妒的。据1285年一份文献记载,当时佛罗伦萨市政府曾有一个关闭一头豹子的笼子,但丁可能看到过。有关三头猛兽的想法可能出自《旧约·耶利米书》第五章第六句:“有狮子要从森林出来杀害他们,豺狼从荒野出来毁灭他们,豹子也虎视眈眈,瞪着他们的城邑,无论谁从城中出来,都要被撕裂。”

⑩中世纪计算白昼时间系从日出算起(早六时许),直至日落(约十八时),然后则开始计算夜晚时间。因此,豹子出现的时间约在凌晨。

⑪古代,特别是中世纪,一般认为,上帝造物是在春季,而且首先是创造星辰;这时,太阳位于黄道星座的白羊宫,恰值春分。

⑫但丁之行始自春分,又在凌晨,因此,但丁认为,时间和节气都对他十分有利。

⑬如前所注,母狼象征贪婪,在但丁看来,这是最危险的。此说来自《新约·提摩太前书》第六章第十句,即圣保罗说:“贪财乃是万恶之根。”当代注释家雷吉奥(Reggio)分析说,但丁认为,“贪婪是佛罗伦萨和意大利的一切祸害的根源,是教会腐败的起因,是妨碍世间伸张正义的障碍”,而正因为当时缺少“一位能约束和制止贪欲的皇帝”,“才无法实现和平和伸张正义”。但丁的这一政治思想在他的著作《帝制论》(*De Monarchia*)中曾有明确阐述。

⑭萨佩纽认为,这并不是一个“真正的比喻”,“倒莫如说,它是间接描述人物的心态,即他一心

指望能爬到 altezza(山峰),后来则发现自己的希望归于泯灭,因而失望得垂头丧气”。

⑮这是从声音的角度来描绘太阳,注释家雷吉奥说,这是一个“大胆的比喻”,“把视觉和听觉加以调换”,其含义显然是指森林中看不到太阳。

⑯此人为维吉尔,实际上为维吉尔的鬼魂,在诗中象征理性和哲学,负有上天赋予他指引但丁遨游地狱和炼狱、走向尘世幸福的使命,其寓意是:人要依靠理性和哲学,才能克服自身的错误和罪恶,走上自新之路。

⑰此处原文为 fioco,即指声音喑哑,几乎发不出声。但古今注释家对该词的真正含义有不同的解释,主要有如下几种:一是说维吉尔沉默太久,以致连话都说不出来了;二是说森林中光线很暗,维吉尔轮廓不清;三是说维吉尔长期沉默不语,因而其形象在世人的心目中变得模糊了,即有被人淡忘之意(当代注释家帕利亚罗 Paliaro);四是说维吉尔作为理性的化身,其“理性的呼声在有罪过的人的心灵中曾长期缄默,这时才开始重新苏醒,要以建议拯救对方,但仍难以令对方听到”(萨佩纽)。

⑱“可怜”一词的原文为拉丁文 miserere,是礼拜仪式的习惯用语。

⑲“伦巴第”(形容词 lombardo 或名词 Lombardia),为中世纪说法,出自“隆哥巴迪”(Longobardi)一词,指居住在意大利北部波河流域一带的日耳曼居民;但丁时代,则是指意大利北部接近今伦巴第大区(Lombardia)、亦即包括部分威尼托大区(Veneto)和部分艾米利亚大区(Emilia)一带地方的居民,往往也指“意大利人”,特别是阿尔卑斯山以北的意大利人。今天的伦巴第大区,在维吉尔时代,属阿尔卑斯山内高卢地区(Gallia Cisalpina);雷吉奥指出,维吉尔用了这个与其时代不合的词,是《神曲》中一个“著名的与年代不符的写法”。

⑳维吉尔出生在安德斯镇(Andes),即今皮埃托莱镇(Pietole),年代为公元前 70 年。“在凯撒时代”原文用拉丁文 sub Julio;Julio 即 Giulio,为凯撒的名字(有的版本把 Julio 印成 Iulio)。维吉尔诞生时,朱利奥·凯撒(Giulio Cesare,公元前 100—前 44)尚未成就大业;凯撒于公元前 44 年遇刺身亡时,维吉尔才二十六岁,也未来得及得到凯撒生前赏识,故有“余生也晚”之叹。

㉑“奥古斯都”(Augusto,公元前 63—14),为罗马帝国第一位皇帝,全名为奥古斯都·卡尤·凯撒·屋大维(Augusto Caio Cesare Ottaviano),“奥古斯都”系元老院和罗马人民因其功勋卓著、人品高尚而献给他的称号,意谓神圣、崇高。为凯撒的姐姐的外孙,被凯撒立为继承人。凯撒死后,完成帝业,文治武功卓著,对维吉尔甚为器重。

㉒指当时尚无基督教,因而异教盛行(维吉尔死于公元前 19 年,耶稣尚未诞生)。

㉓“安奇塞斯的儿子”指埃涅阿斯(Enea),维吉尔于《埃涅阿斯记》中记载了他的传说。埃涅阿斯原系希腊神话中的一个英雄人物,是特洛伊(Troia)人安奇塞斯(Anchise)与爱神维纳斯(Venere)所生的儿子。特洛伊城被攻陷后,他背负着老父,手携幼子阿斯卡尼奥斯(Ascanio,或名“尤路斯”Julo),偕同妻子克雷乌萨(Creusa)逃出城来,当夜,与妻子失散。他与老父、幼子乘舟前往厄皮鲁斯(Epiro,即今阿尔巴尼亚南部同名地区),遇暴风,被吹至西西里岛,老

父丧命。埃涅阿斯又前往迦太基(Cartagine),爱上迦太基女王狄多(Didone)。随后又赴意大利中部的拉齐奥(Lazio),为劳连托(Laurento)国王拉蒂努斯(Latino)所看重,并将公主拉维尼亚(Lavinia)许配给他。埃涅阿斯先后战胜了鲁图利斯(Rutuli)国王图尔努斯(Turno)和沃尔斯克(Volsci)国王之女卡密拉(Cammilla)等拉齐奥地区的部族。后在与埃特鲁斯(Etruschi)国王梅森齐奥斯(Mesenzio)作战时,忽然狂风一阵,埃涅阿斯升了天。维吉尔在《埃涅阿斯记》中称他为未来罗马帝国的最早奠基人,其子阿斯卡尼奥斯为凯撒和屋大维的祖先。诗中的“伊利昂城”(Ilion)的说法出自《埃涅阿斯记》,即指特洛伊城。

㉔“明媚的高山”与“幽暗的森林”恰成对比,象征尘世幸福。

㉕此句的“动物”形容人,全句的意思即是染上贪婪恶习的人很多,将来会更多。“与贪婪为婚”的说法曾被但丁在其《书信集》(*Epistole*)第十一章第七节第十四句段中写出过:即“每个人都与贪婪为婚”。

㉖“猎犬”(Veltro)是全诗中著名的“谜”。至今有如下几种猜测:一是根据但丁的政治观点,认为这是影射但丁所拥戴的亨利七世(Enrigo VII),即但丁希望亨利七世来拯救为贪污腐败的教会所造成的混乱的意大利;二是认为这是指但丁受迫害流亡期间,曾给予他恩惠、接纳他的坎格兰德·德拉·斯卡拉(Can Grande della Scala)或乌古丘内·德拉·法乔拉(Uguccione della Faggiola),此二人均为反教皇的吉伯林派,前者为维罗纳(Verona)僭主,后者为卢卡(Lucca)僭主;三是认为但丁当时政治思想尚未定型,属“温和的归尔弗派”,尚指望教会内部有人能出来改革教会弊端,因而说这是指教皇贝内代托十一世(Benedetto XI)。总之,诗中的“猎犬”主要是指救世主。

㉗又是一个令人难以猜测的谜。对“菲尔特罗”(Feltro)一词大致有如下几种说法:一是十四世纪的薄伽丘、班巴利奥利(Bambaglioli,1291—1343)、《最佳评注》(十四世纪《神曲最佳评注》*L'Ottimo commento della Divina Commedia*,简称《最佳评注》L'Ottimo)认为,“菲尔特罗”是一种用作圣方济各会僧侣的袈裟的粗布,因而但丁意在说明:“猎犬”是从圣方济各会僧侣中选出的;二是另有一些古代注释家认为,“菲尔特罗与菲尔特罗之间”是指“天与天之间”;三是过去有人还认为,这是指威尼托地区的菲尔特罗与罗马涅(Romagna)地区的蒙泰菲尔特罗(Montefeltro)之间的那片地带,从而认为,作为“救星”的“猎犬”是指前注的维罗纳僭主坎格兰德·德拉·斯卡拉,因为他的领地恰好在包括维罗纳、维钦察(Vicenza)、帕多瓦(Padova)、贝鲁诺(Belluno)和菲尔特罗在内的一带地方;四是近代注释家则认为,“菲尔特罗”是用来制选票箱的布,因而猜测“猎犬”是经选举产生的。

㉘四人都是《埃涅阿斯记》中的人物,分别属埃涅阿斯率特洛伊人为夺取拉齐奥而进行的战争的作战双方:卡米拉参见注㉓,她在与埃涅阿斯作战中阵亡;欧吕阿鲁斯(Eurialo)和尼苏斯(Niso)是亲密的战友,偕同埃涅阿斯作战,二人在一次夜袭图尔努斯的鲁图利斯军时牺牲;图尔努斯曾企图占有劳连托公主拉维尼亚,后在战争中与埃阿涅斯决斗被杀。但丁提及这次战争的用意在于:拉齐奥是罗马所属地区,恰好代表意大利。

㉙据萨佩纽、雷吉奥的注释，这是指魔鬼卢齐菲罗（Lucifero）由于嫉妒世人，把贪婪（即母狼）从地府中放出，从而给人世带来危害，如今则要依靠“猎犬”，把母狼赶回地府。

㉚“永恒之邦”指地狱。

㉛按萨佩纽的解释，“远古的幽灵”是指在“人类历史早期”下地狱的幽灵。

㉜“第二次死”系指经上帝最后审判后的灵魂死亡，“第一次死”则是指肉体死亡。

㉝“甘愿在火中受苦”指宁可经受炼狱磨难，以求在消除罪恶后进入天堂。

㉞这里指但丁一生倾心爱慕的意中人贝阿特丽切·波尔蒂纳里（Beatrice Portinari，1266—1290），出身名门，父名佛尔科（Folco）。据说，但丁初见她时才九岁，便一见钟情。九年后，但丁又与她相见；1286年，她嫁给骑士西莫内·迪·杰里·德·巴尔迪（Simone di Geri de Bardi），1290年逝世时才二十四岁。但丁在她生前，始终未向她吐露对她的恋情；她死后，但丁在他的第一部文学著作《新生》（*Vita Nova*）中抒发了对她的爱情和哀思（该著作约完成于1292—1293年）。在《神曲》中，贝阿特丽切象征信仰和神学，在中世纪传统观念中，要比维吉尔所象征的理性和哲学高一筹，故贝阿特丽切能引导但丁上天堂，而维吉尔则不能。

㉟这里的“皇帝”指上帝。

㊱维吉尔生前，尚无基督教，他只能是异教徒，故不能上天堂。

㊲“是非和受苦之地”分别影射三头猛兽挡路和魂灵进入地狱。

㊳“圣彼得之门”有两种解释：一是指炼狱之门，一是指天堂之门。持第一种说法的注释家较多，因为《炼狱篇》第九首第127句和第二十一首第54句都曾提及，炼狱之门系由一位天使亦即“彼得的代理人”（Vicario di Pietro）看管。雷吉奥还说，但丁笔下的天堂并没有门。萨佩纽的看法与他相左。萨佩纽认为，“但丁可能首先想到的是此行的最后目的地”，因此，说门是天堂之门是“更加自然”的。

白昼在离去。(第二首第1行)

第二首

但丁的困惑与恐惧（1—42）
维吉尔的慰藉与贝阿特丽切的救援（43—126）
但丁恢复坦然的心情（127—142）

但丁的困惑与恐惧

白昼在离去，昏暗的天色
在使大地上一切生物从疲劳中解脱，
3 只有我独自一人[1]
在努力承受这艰巨的历程
和随之而来的怜悯之情的折磨，
6 我记忆犹新的脑海将追述事情的经过。
啊！诗神缪斯！啊！崇高的才华！现在请来帮助我[2]；
我的脑海啊！请写下我目睹的一切，
9 这样，大家将会看出你的高贵品德。
我开言道："指引我的诗人啊！
在你让我从事这次艰险的旅行之前，
12 请看一看我的能力是否足够强大。
你说过，西尔维乌斯的父亲还活着时[3]，
也曾去过那永恒的世界，

尽管他依然带有肉体的感觉。
但如果说万恶之敌[4]
因为想到埃涅阿斯所必然产生的深远影响,
而对他相待以礼,
不论他的后代是谁,又有什么德能,也都似乎不会有违明智者的心意[5];
正是在净火天里[6],
他被选定为圣城罗马和罗马帝国之父:
这帝国和圣城——倘若想说实情——
也都曾被奠定为圣地,
被奠定为大彼得的后继者的府邸[7]。
通过你所吟诵的那次冥界之行,
埃涅阿斯听到了一些事情,
得知他何以会取胜,教皇的法衣又何以会应运而生[8]。
后来,'神选的器皿'去到那里[9],
为信仰带来了鼓励,
而信仰正是走上获救之途的凭依。
但是,我为何要到那里去?又是谁容许我这样做?
我不是埃涅阿斯,我也不是保罗;
我自己和旁人都不会相信我有这样的资格。
因此,如果说我听任自己前往,
我却担心此行是否发狂。
你是明智的;你必能更好地理解我说的理由。"
正如一个人放弃了原先的念头,
由于有了新的想法,改变了主意,
把已经开始做的事全部抛弃,
我在这昏暗的山地所做的也正是这样,
我原来的行为实在莽撞,
经过再三考虑,我才舍弃了这大胆的设想。

维吉尔的慰藉与贝阿特丽切的救援

“倘若你说的话我没有听错，”
这个伟大的灵魂回答我，
45 “伤害你的心灵的是怯懦；
这怯懦曾不止一次起阻碍作用，
它阻挡人们去采取光荣的行动，
48 正如马匹看到虚假的现象而受惊。
为了消除你心中的惊恐，
我要告诉你我此来的原因，
51 我还要告诉你我何以从一开始便对你抱有怜惜之情。
我是悬在半空中的幽魂中间的一个[10]，
那位享有天国之福的美丽圣女召唤我[11]，
54 而我自己也欢迎她对我发号施令。
她那一双明眸闪闪发光，胜过点点繁星[12]；
她开始用柔和而平静的、天使般的声音，
57 向我倾诉她的心情：
‘啊！曼图亚的温文尔雅的魂灵！
你的声誉至今仍在世上传颂，
60 并将和世界一样万古长存，
我的朋友——但他并不走运——
正在那荒凉的山地中途受阻，
63 他受到惊吓，正在转身走回头路；
我担心他已经迷失路途，
我又不能及时赶去救助，
66 尽管我在天府听到他陷于危难之中。
如今请你立即行动，
用你那华美的言辞和一切必要的手段救他一命，
69 你能助他一臂之力，也便令我感到心里轻松。
我是贝阿特丽切，是我请你去的；
我来自那个地方，我还要回到那里去[13]，是爱推动我这样做,是爱叫我对你说。
当我回到我的上帝面前时,
我一定要经常向他赞扬你。'
这时,她不再言语,
我随即说道:'啊!贤德的圣女!
只是依靠你的贤德,人类才能超越
存在于天上最小圆环之下的一切生灵[14],
你的命令使我感到喜悦欢欣,
即使我立即从命,似乎也嫌太迟;
你不必再多费心思,只须向我吐露你的心事。
不过,请告诉我:你为何不怕
从那辽阔的空间下降到这地球的中心[15],
而你还要再返回原来的仙境。'
她答道:'既然你心中是如此渴望知道其中原因,
我就简略地向你说明究竟,
说明我何以不怕到此一行。
人们只须害怕某些事情:
这些事情有能力去伤害别人;
对其他事情就无须顾忌,因为这些事情并不骇人听闻[16]。
感谢上帝使我得以享有天国之福,
你们的不幸不会令我心动,
地狱酷刑的火焰也不会给我造成伤痛。
天上的慈悲女神怜悯此人面临危境[17],
命我来请你前往援救,使他绝处逢生,
因而她打破了上天所作的严厉决定。
这位女神把露齐亚召到她的面前[18],
她说:——如今你的忠实信徒需要你,
我也就把他托付给你——
露齐亚对任何残暴行为都深恶痛绝,
她立即动身,前来找我,

我正和古代的拉结一起，结伴同坐[19]，
她说：——贝阿特丽切，上帝真正赞美的女神！
你为何不去搭救如此爱你的人？
他曾为你脱离了世上庸俗的人群。
难道你不曾听见他痛苦的哭泣？
难道你不曾看见威胁着他的死神？
那死神就伏在那大海也难以匹敌的波涛汹涌的江河[20]！——
世上没有任何人会像我，
在听罢这番话之后立即迅速动作，
力图寻求安全，逃避灾祸，
我就这样离开我的天国福地，降落到这里，
我相信你的诚恳话语，
这话语使你自己和闻听此言的人都感到光荣无比。'
她向我讲述一番之后，
就转动着她那晶莹的泪眼，
暗示我尽快前来营救。
我如她所愿来到你的身边；
我要救你从这猛兽面前脱险，
这猛兽竟敢阻挡你径直登上那壮丽的高山。
那么，你这是怎么了？为何，为何你又踟蹰不前？
为何你心中仍让那怯懦的情绪纠缠？
为何你仍无胆量，仍不坦然？
既然有那三位上天降福的女神，
在天上的法庭保佑你安全脱身[21]，
我自己也对你作了如此诚挚的应允？"

但丁恢复坦然的心情

正如低垂、闭拢的小花，在阳光照耀下，
摆脱了夜间的寒霜，
挺直了茎秆，竞相怒放[22]，

我也就是这样重新振作精神，
鼓起我胸中的坚强勇气，
开始成为一个心胸坦荡的人：
“啊！那位大慈大悲、救我活命的女神！
还有你，如此温文尔雅的灵魂！
对她向你说的那些真情实话，你是那样立即听从！
你的一番叮咛，慰藉了我的心灵，
使我甘心情愿与你同行，
我回心转意，恢复我原来的决定。
现在，走罢！我们二人是同一条心：
你是恩师，你是救主，你是引路人。”
我对他这样说；他随即起步动身，
我于是走上这条坎坷、蛮荒的路径㉓。

注释

①此句意谓但丁是唯一的活人，因为维吉尔是鬼魂，对他来说，此行不会像对活人那样“艰巨”。

②这里的“崇高的才华”是指但丁的才华，但也有注释家（如法国的佩扎尔 Pézard）认为是指诗神缪斯，即但丁希望得到诗神“才华”的启发。雷吉奥认为，此说不妥。

③“西尔维乌斯的父亲”即埃涅阿斯。《埃涅阿斯记》第六卷记载了埃涅阿斯肉身游地府。西尔维乌斯（Silvio）为埃涅阿斯与拉维尼亚所生，为阿斯卡尼奥斯的异母兄弟，后成为阿斯卡尼奥斯所奠立的阿尔巴·隆加（Alba Lunga，罗马帝国的前身）之王。

④“万恶之敌”指上帝。

⑤此句含义模糊，萨佩纽认为，可有两种解释：一是指埃涅阿斯的影响，指他为建立罗马帝国和教会作出贡献，或则指他的后代（如凯撒、屋大维）及其功德；一是指埃涅阿斯本人的人品和高贵出身，指他与克雷乌萨、狄多和拉维尼亚等王族的联姻（《帝制论》第二卷第三节第八至十七句段有这方面的叙述）。雷吉奥完全排除第二种解释，但条件是须更动版本的标点符号：即要用句号把全句句断，而不像萨佩纽注释本，在“哪一位和何种人”（'l chi e 'l quale）后面用逗号逗开，使之成为一句插话。

⑥“净火天”指上帝所在的“第十重天”，或曰“天府”。据萨佩纽注释，净火天是不动的，其周围有九重天在运行，即：月球天，水星天，金星天，日球天，火星天，木星天，土星天，恒星天，水晶天（或称原动天）；但丁在《筵席》第二卷第三节第八至十一句和《书信集》第十三节第六十七、六十八句中都曾提及。但此说似与托勒密天文体系的说法有出入：托勒密体系认为，九

重天是围绕地球运行的，而地球是不动的。但丁显然是从神学角度看待此问题的。

⑦“大彼得”指耶稣收下的第一个门徒圣彼得，他曾被耶稣指定为继承人和代理人，曾亲眼得见耶稣变容，并参加最后的晚餐。他取道叙利亚来到罗马，成为罗马首任主教，亦即首任教皇。后与圣保罗一道被捕，被钉死在十字架上。诗中所提他的“后继者”即指历届教皇。近代注释家（如费雷蒂 G. Ferretti）曾根据但丁的这句诗，推断《神曲》是分“两个阶段”写成的，因为他们认为，诗句中对教皇的看法与但丁在《帝制论》和《新生》中的思想观点相矛盾，即有“明显的（亲教皇）归尔弗主义”，并说，但丁后来对此做了纠正。萨佩纽倾向于这种说法，认为但丁在撰写《神曲》的“这一阶段”，“思想上是有某种不确定和摇摆不定的成分”。雷吉奥则不同意这种说法，认为但丁的思想是“牢固而已经成型”的，并指出《筵席》第四篇和《神曲》前几首诗歌都证实了这一点。

⑧指前述《埃涅阿斯记》第六卷关于埃涅阿斯游地府的传说：埃涅阿斯在地狱中见到父亲安奇塞斯的亡魂，安奇塞斯向他预示：他将战胜鲁图利斯国王图尔努斯等部族，并称，埃涅阿斯在称雄意大利建立罗马帝国之后，教皇的权威也将随之奠立。这里的“法衣”（ammanto）即指“权威”。

⑨“神选的器皿”的说法来自《新约・使徒行传》第九章第十五句。这里指圣保罗。《新约・哥林多后书》第十二章第二至四句中提及，圣保罗被“提到第三层天上去，这是肉身上的经验呢？抑或是心灵里的经验呢？我都不知道，只有上帝知道”。但丁在《书信集》致坎格兰德的信（第十三章第七十九句段）中也提到这一点。

⑩“悬在半空中的幽魂”指不必下地狱受苦、又不能上天堂享福、只能待在地狱第一层“林勃”（Limbo）的那些魂灵，其中有在耶稣降生前曾有功德和业绩的人物（如维吉尔），也有未受洗礼而夭折的儿童；因他们生前无罪，不必在地狱中受酷刑折磨，但也因他们未能信仰基督教或未受洗礼，不能升入天堂，只能“悬在半空中”。有人将“林勃”译为“候判所”，似不妥，其本意有“边缘地带”之含义。

⑪指贝阿特丽切。

⑫这里的原文用单数 stella（一颗星），据注释家认为，实际上有复数 stelle 的作用，即“繁星”（既然形容“明眸”，想必至少有两颗星），但丁在《新生》第二十三节第二十四段（全诗第五十句）中也曾有同样的用法。有的注释家则诠释为 stella diana 即启明星。

⑬指天堂。

⑭“天上最小的圆环之下”指“月球天之下”，因月球天位置最低，运转的圆周也最小。萨佩纽解释说，“处于月球之下的一切东西都是会死的，而在月球之上的则都是不死的”；雷吉奥说得更简明：此句即是指“地球上的一切东西”。

⑮“地球的中心”指地狱，因为地狱位于地球的中心，而地球又位于宇宙的中心。（雷吉奥）

⑯这段话引自亚里士多德的《尼各马可伦理学》（*Etica a Nicomaco*，尼各马可为亚里士多德之子）。据说，但丁不懂希腊文，许多希腊古典名著的引言都是依靠拉丁文版本间接借用的；此

段引文便是从圣托马索(S. Tommaso)的有关评论中读到的。

⑰“慈悲的女神”指圣母玛利亚。下文第124句“三位上天降福的女神”即是指圣母、露齐亚和贝阿特丽切。早期注释家(如圭多·达·比萨〈Guido da Pisa〉)认为,这三位女神分管预赐恩泽、启蒙世人、鼓动共济的职能,也有认为,她们分别代表慈悲、希望和信仰。

⑱露齐亚是四世纪的圣女,据说于公元303年殉道,当时被世人看成类似我国“眼光娘娘”的司明女神;但丁对她十分崇敬,在《筵席》第三篇第九节第十五、十六句段中曾提及他患有严重眼疾,因而自称是她的“忠实信徒”;可能是希望得到她的保佑。

⑲拉结,据《旧约·创世记》第二十九至三十五章说,是拉班的次女,她与姐姐利亚同嫁雅各。按圣经布道传统说法,拉结象征“冥想生活”(Vita contemplativa),亦即代表“出世”,其姊利亚象征“行动生活”(Vita attiva),亦即代表“入世”。拉结死于难产,葬于伯利恒,雅各为她树立的墓碑,据说至今仍在。

⑳“波涛汹涌的江河”象征“罪恶渊薮”,意谓世人堕落到极其危险的境地。但也有人把它说成是地狱里的阿凯隆特河(Acheronte),甚至是佛罗伦萨的阿尔诺河(Arno)。

㉑指三位女神将在神灵的法庭上为但丁辩护。

㉒注释家一致认为,这是一个“极为美妙的脍炙人口的比喻”,继但丁后的一些名家,如薄伽丘、十五世纪名诗人波利齐亚诺(Poliziano)、十六世纪名诗人塔索(Tasso)乃至十九世纪名诗人兼小说家曼佐尼(Manzoni)等,都曾效仿过但丁的这一笔法。

㉓指地狱之行开始。

第三首[1]

地狱之门(1—21)
无所作为者(22—69)
阿凯隆特河与卡隆(70—129)
地震与但丁的昏厥(130—136)

地狱之门

“通过我,进入痛苦之城,
通过我,进入永世凄苦之深坑,
通过我,进入万劫不复之人群。
正义促动我那崇高的造物主;
神灵的威力、最高的智慧和无上的慈爱,
这三位一体把我塑造出来[2]。
在我之前,创造出的东西没有别的,只有万古不朽之物,
而我也同样是万古不朽,与世长存[3],
抛弃一切希望吧,你们这些由此进入的人。”
我看到这些文字色彩如此黝暗,
阴森森地写在一扇城门的上边;
我于是说:“老师啊! 这些文字的意思令我毛骨悚然[4]。”
他像一个熟谙此情的人对我说:

“抛弃一切希望吧，你们这些由此进入的人。”（第三首第9行）

“来到这里就该丢掉一切疑惧；
在这里必须消除任何怯懦情绪。
我们已来到我曾对你说过的那个地方，
在这里你将看到一些鬼魂在哀恸凄伤，
因为他们已丧失了心智之善[5]。”
他随即用他的手拉起我的手，
和颜悦色，带我去看人世间所见不到的秘密，
我立即感到无限慰藉。

无所作为者

这里到处都是叹息、哭泣和凄厉的叫苦声，
这些声音响彻那无星的夜空，
因此，我乍闻此声，不由得满面泪痕。
不同的语言，可怕的呼嚎，
惨痛的叫喊，愤怒的咆哮，
有的声高，有的声低，还有手掌拍打声与叫声混在一起，
一直回荡在这昼夜不分的昏天黑地，
犹如旋风卷起黄沙，把太阳遮蔽。
我的头脑被惊恐所缠绕，
我不禁开言道：“老师，我听到的是什么呼叫？
这些是什么人的幽魂？他们似乎已被痛苦所压倒！”
老师对我说：“这凄惨的呼声
发自那些悲哀的灵魂，
他们生前不曾受到称赞，也未留下骂名[6]。
混杂在这可鄙的合唱当中，还有一些天使[7]，
他们曾不忠于上帝，但也不反叛上帝，
他们一心考虑的只有自己。
上天把他们驱逐出去，以免上天失去美丽，
而万丈深渊的地狱也不愿收留他们，
因为那些罪恶的天使会觉得自己比他们还多少有些光荣[8]。”

我说:“他们究竟有多大的痛苦,
以致发出如此强烈的哀号?”
老师答道:“我会十分简略地让你知道。
这些灵魂无望求得彻底的死[9],
他们的黯淡一生又是那么一文不值,
因而他们才对任何其他鬼魂的命运羡慕不止[10]。
世上对他们的名声不能容忍;
慈悲和正义对他们也不闻不问:
我们不要再谈论他们,你走过去,看看吧。”
我于是注目观看,我看到有一面旗帜
在飞速地绕着圈子奔驰,
我觉得,它似乎片刻也不能停下;
在那旗帜后面,有一大群人排成长龙,
我简直不敢相信,
死神竟毁掉这么多人的生命。
接着,我从中认出几个幽魂。
我看出、并且也认得那个人的魂灵,
他就是那曾出于怯懦而放弃重要权位的人[11]。
我立即恍然大悟,并且确信:
这是一群胸无大志的懦弱之徒,
他们得不到上帝以及上帝的敌人的欢心。
这些倒霉鬼生前一直庸庸碌碌,
如今则是露体赤身,
在这里被毒蝇和黄蜂狠狠叮螫[12]。
他们一个个血流满面,
而血又和泪掺和在一起,流到脚上,
被那令人厌恶的蛆虫吮吸饱尝。

阿凯隆特河与卡隆

随后我又举目远望,

这时,一个老人年逾古稀,须发皆白,驾着一叶扁舟迎面驶来,他叫道:“你们该倒霉了,可恶的灵魂!”(第三首第82—84行)

我看到一些人聚集在一条大河的岸上;
于是我说:“老师,现在请让我知道,
这是些什么人,是什么本能
使他们显得急不可待地渴望渡河,
这是我借着这微弱的光线所看到的。”
他对我说:“当我们停下脚步,
去到那凄惨的阿凯隆特河上时[13],
你便会了解所有这些事。”
我听罢当即垂下羞愧的眼帘,
唯恐他会恼怒我的失言,
我只好默默不语,径直来到河边。
这时,一个老人年逾古稀,须发皆白[14],
驾着一叶扁舟迎面驶来,
他叫道:“你们该倒霉了,可恶的灵魂!
你们永远不要希望能见苍天:
我此来便是要把你们渡到河的另一边,
叫你们去受火烧冰冻之苦,永陷黑暗深渊[15]。
嗨,你这个人,是个活的灵魂,
你快离开那些死的灵魂。”
但是,他见我没有离去,
便说:“你该走另一条路,到另一些港口[16],
运载你的该是一条更轻便的小舟,
那时你将会达到对岸,而不该由此经过。”
我的导师对他说:“卡隆!不要发火:
是那能够做到随心所欲的地方愿意安排此行[17],
你就不必多问!”
那个在这灰黑的泥沼中划船的船夫有一张毛茸茸的脸,
这时他那脸上立即消退了怒容,
尽管眼圈仍被怒火染得通红。
但是,那些赤条条、神色凄惨的鬼魂

听到这些话语如此凶狠，
102 立即面色大变，牙齿也不住打战。
他们诅咒上帝，诅咒他们的爹娘，
诅咒人类，诅咒祖先对他们的孕育和生养，
105 还诅咒孕育和生养他们的时间和地方[18]。
所有这些鬼魂随即聚拢在一起，
在那险恶的河岸上号啕大哭，呼天抢地，
108 而那河岸正等待着每个不怕上帝降罪的人上船。
魔鬼卡隆，双眼红如火炭，
他示意他们一个接一个下岸登船；
111 只要有人延迟一步，他就用船桨把那人打得叫苦连天。
犹如秋天的树叶随风飞扬，
一片接一片，飘然而起，
114 直到树枝眼见自己的所有衣裳都被吹落在地[19]。
亚当的这些不肖子孙正是这样，
他们一个接一个地纷纷下岸登船，
117 如同驯鸟应主人召唤而归巢一般。
这样，这些鬼魂就漂游在黝黑的河浪上面，
而他们尚未抵达对岸，
120 就又有一批新的亡魂集聚到这边。
“我的孩子”，那位热心的老师说，
“所有那些触怒上帝而死亡的人，
123 都要从四面八方到这里来集合；
他们都争先恐后地渡河，
因为有神灵的正义在驱赶，
126 这就使他们从畏惧变成自愿。
这里从来没有善良的灵魂经过；
但是，倘若卡隆对你口出怨言，
129 你如今就可以明白：他为何对你这样说。”

魔鬼卡隆，双眼红如火炭，他示意他们一个接一个下岸登船；只要有人延迟一步，他就用船桨把那人打得叫苦连天。（第三首第109—111行）

地震与但丁的昏厥

话刚说完，黑暗的荒郊突然地动山摇，
这把我吓得魂不附体，
至今一想起，我仍然大汗淋漓。
泪水浸透的大地刮起狂风，
血红色的电光闪过夜空，
霎时间，我丧失了一切知觉；
我猝然倒下，犹如一个人昏然入梦。

注释

①这一首的主要构思源自《埃涅阿斯记》第六卷对埃涅阿斯游地府的描述，但是，但丁也以其天才的幻想，进一步丰富有关内容，特别表现在他对无所作为者的刻画，这是维吉尔的诗作中所没有的。

②但丁在《筵席》第二篇第五节和第三篇第十二节第十二句段中都曾提及所谓“三位一体”，即“圣父的最大威力，圣子的最高智慧和圣灵的极为热烈的慈爱”。萨佩纽解释说，这是指“地狱不仅是上帝的威力造成的结果，而且也是上帝据以规范宇宙和谐有序的智慧以及他表现为惩罚得当的正义的慈爱造成的结果”。

③这里是说：上帝在创造地狱之前，先创造了天使、包括九重天在内的天体，以及包含古希腊哲学所说的气水土火四大要素在内的原质，这些都是“万古不朽”的，后来，以卢齐菲罗为首的一批罪恶天使反叛上帝，被上帝逐出天国，打入地狱，地狱才由此产生，同样也是“万古不朽”的；在这之后，上帝才创造出地形、动植物和人类等非“万古不朽”的东西。

④此句有两种解释：一是按词句本意，将前句中的“文字”即 parole 的 di colore oscuro 释为“含义晦涩”，将后句中的 duro 相应地释为“难懂”；一是根据上下文的连贯意义，作如译文中所采用的诠释。

⑤“心智之善”指上帝、最高真理。但丁此说，取自亚里士多德《伦理学》第六章；但丁在《筵席》第二篇第十三节第六句段就曾这样写道：“……特殊真理是我们的至善，正如这位哲学家（即亚里士多德）在《伦理学》第六章中所说的，他说：真理即心智之善。”诗中以此指上帝所代表的最高真理，萨佩纽解释说：“见到上帝，心智也便得到满足。”

⑥这些鬼魂生前胸无大志，无所作为，死后亦为上帝乃至地狱所唾弃。

⑦这些是所谓“中立”的天使，不见经传，只流传于民间传说。但丁可能受《新约·启示录》第三章第六句的启发，但这却是中世纪民间传说对《圣经》的有关章节的误解。《启示录》谈及老底嘉城（Laodicea）教会天使时曾写道：“……你却是不冷不热，像温水一样，我就要将你从我口中吐出去！”

⑧因为“罪恶的天使”自觉尚有胆量反叛上帝,比那些“中立”的天使浑浑噩噩,要胜强一些。

⑨指“第二次死”,即灵魂的灭亡。

⑩指这些鬼魂甚至羡慕那些在地狱中受酷刑折磨的鬼魂。

⑪对此人有多种猜测,但多数注释家认为,这是指让出教皇权位的切列斯蒂诺五世(Celestino V)。此人生于1210年左右,原名皮埃尔·达·莫罗内(Pier da Morrone),出身寒微,长期隐修。1292年4月,教皇尼可洛四世(Nicolò IV)逝世,佩鲁贾(Perugia)枢机主教秘密会议选他为教皇。他经过一番犹疑之后终于接受任命,1294年8月正式加冕为教皇,但他始终定居那不勒斯,未赴罗马。据说,他出任教皇曾是受那不勒斯国王安茹的查理二世(Carlo II d'Angio)施加压力促成的。他很快感到无力对付周围争权夺利的政治环境,不顾查理二世的反对,决定辞职;据说,他的辞职也曾受到枢机主教卡埃塔尼(Caetani)的怂恿。1294年12月,即在他就位不满四个月之后,他就放弃教皇之位,同月,卡埃塔尼出任教皇,即博尼法丘八世(Bonifacio VIII)。退位后,切列斯蒂诺原想恢复隐修生活,不想被阴险的博尼法丘八世下令幽禁在福莫内城堡(Fumone)内;1296年5月瘐死。但丁认为,博尼法丘八世是导致佛罗伦萨陷于内乱并迫害但丁本人的罪魁祸首,切列斯蒂诺五世逊位为他上台执政铺平道路,因而把切列斯蒂诺五世列入胸无大志、无所作为的鬼魂之中。其实,据史书记载,切列斯蒂诺五世德高望重,并于1313年被封谥为圣徒。有些注释家出于对但丁谴责切列斯蒂诺五世的态度不解,也猜测此处可能影射别人,如推卸处死耶稣责任的总督彼拉多(Pilato)、统治罗马帝国二十年后主动让位的狄奥克列齐亚诺(Diocleziano)、《旧约·创世记》中出卖长子身份的以扫(Esau)。

⑫这是但丁幻想出的地狱和炼狱中的刑罚,即所谓“报复刑”(contrapasso)有因果报应之意;生前犯的什么罪,死后也相应受到“一报还一报”的惩罚。无所作为者生前懵懂过活,死后就被迫不断奔跑,并受毒虫叮螫;“中立”的天使不分善恶曲直,采取“骑墙”态度,也同样受这类刑罚的折磨。

⑬阿凯隆特河系希腊神话和民间传说中冥界的一条河流。阿凯隆特(Acheronte)相传为太阳与大地之子,因他曾为反抗天神宙斯的巨人们提供用水,被宙斯打入地狱,变为河流。

⑭此老人为负责运载鬼魂渡河的卡隆。他是幽冥之神埃雷勃(Erebo)与夜神(Notte)之子。据说,他只引渡那些死后入土埋葬的鬼魂,并索取一个奥勃洛(obolo,古希腊硬币)作为摆渡费。

⑮指鬼魂在地狱根据所犯罪行,受火烧或冰冻之苦。

⑯指但丁应像可得救的鬼魂那样,不必经过阿凯隆特河,而应聚集在台伯河(Tevere)河口,乘轻舟,前往炼狱之岛(《炼狱篇》第二首第101句和第二十五首第86—87句有详细描述)。

⑰指待在净火天的全能上帝。

⑱这些诅咒大抵取自《圣经》,如《旧约·约伯记》第三章第三句:“愿我出生的那一天受到咒诅,让我母亲怀我的那夜也是这样……”;《耶利米书》第二十章第十四句:“愿我出生的那天成为可咒可诅的一天,愿我母亲生我的那天不蒙祝福……”等。

⑲这一比喻是但丁直接效仿维吉尔《埃涅阿斯记》第六卷 309—312 句的写法。但维吉尔用以描绘在河岸请求上船的鬼魂数目之多，而但丁则侧重细节的刻画，因而显得更为生动。

第四首[1]

林勃(1—63)

古代名诗人(64—105)

伟大灵魂的城堡(106—151)

林勃

一声低闷的巨响冲破我头脑中的沉沉睡意，
我倏然从昏厥中苏醒，
犹如一个人猛然从睡梦中震惊。
我睁开眼睛，四下环视了一番，
我站起身来，定睛观看，
想弄清自己究竟来到什么地带。
我果真是来到了岸边，
但那是痛苦深渊的山谷边缘，
那深渊收拢着响声震天的无穷抱怨。
这山谷是如此黑暗，如此深沉，如此雾气腾腾，
尽管我注目凝望那谷底，
却什么东西也看不清。
“现在，让我们下到那里沉沉的世界，”
诗人的脸色顿时变得煞白，

他说，“我在前面走，你跟在后面。”
我一眼看出他面色骤变，
便说：“你总是给我的恐惧以慰藉，
既然你也害怕，我又怎能前去？”
于是他对我说：“是待在下面的那些人受苦受刑，
令我的面容显出恻隐之情，
而你却把这心情当成惊恐。
我们走罢，因为漫长的道路不容我们稍停。”
这样，他开始动身，并让我跟着走进
那环绕深渊的第一层。
这里，从送入耳际的声音来看，
没有别的，只有长吁短叹，
这叹声使流动在这永劫之地的空气也不住抖颤。
这声音发自那些并未受到酷刑折磨的人的痛苦[2]，
他们人数众多，排成一行行队伍，
其中有男人，也有妇孺。
和善的老师对我说：“你不曾询问：
你看到的这些是什么样的鬼魂？
现在我想让你在走开之前得知：
他们并无罪过；但即使他们有功德也无济于事，
因为他们不曾受过洗礼，
而洗礼正是你所虔信的那个宗教的入门[3]。
因为他们先于基督教而出生，
他们无法对上帝做应有的崇敬，
我本人也归属到这些人当中。
正因为这些缺陷，而并非由于其他罪孽，
我们才遭劫，也仅仅为此而遭惩处，
这使我们生活在无望之中，心愿永远得不到满足。”
我听他这样说，心中感到一阵巨大痛楚，
因此，我知道：在这林勃之中，

“我们才遭劫,也仅仅为此而遭惩处,这使我们生活在无望之中,心愿永远得不到满足。”(第四首第41、42行)

也有一些功德无量的人悬在半空。
“请告诉我,我的老师,请告诉我,救主,”
我开言道,为的是希望确信:
我的这个信念不致有任何错误。
“难道就不曾有人离开这里,
去享天国之福,不论是靠自己、还是靠别人的功绩?”
老师明白我的暧昧话语,
就答道:“过去,我新到此地[4],
曾看到有一个威力无比的人光临这里,
像是有一顶胜利的王冠戴在他的头顶[5]。
他从这里救出了许多人的亡魂:
其中有:第一个为父之人,他的儿子亚伯[6],
挪亚和摩西——这位服从上帝意旨的立法者[7];
族长亚伯兰和国王大卫[8],
以色列及其父,还有他的儿子们[9],
以及拉结——他为她曾效劳多年[10];
还有许许多多其他人,这个威力无比的人都让他们得福升天。
我想让你知道:在他们之前,
人类的灵魂无一得到幸免。”

古代名诗人

我们一直不曾停步,因为他仍在讲述,
但我们还是穿过这森林
——我说的是:那密密层层宛如森林的一群鬼魂。
从这第一圈的边沿到顶端,
我们要走的路并不算长,我这时看见:
有一片火光照亮了周围地带的一半黑暗。
我们距离那火光仍有些远,
但是已相当邻近,以致我多少能发现:
有一些相貌可敬的人站在那边。

“啊！你这位为科学和艺术增光的大师啊！
这些如此荣耀光彩的人究竟是谁？
他们竟享有与其他人不同的地位！”
大师对我说：“他们的显赫声名
曾在你的生活中四下传播，
因而也得到上天赋予的恩泽。”
这时，我听到有一个声音[11]：
“大家来向这位至高无上的诗人致敬：
他的灵魂曾离开此地，如今又回到这里。”
接着，这声音停下不响，带来一片寂静，
我看见有四个伟大的灵魂向我们走来：
他们的面容既不欢喜也不悲哀。
好心的老师开言道：
“你瞧那个掌剑在手的人，
他走在其他三人前面，像位陛下，
他就是诗人之王荷马[12]；
另一位随之而来的是讽刺诗人贺拉斯[13]，
第三位是奥维德，最后一位则是卢卡努斯[14]。
因为他们与我一样都有诗人的称号，
只须有一个声音就足以呼出众人的头衔，
他们做得真好，这令我感到光彩体面。”
这样，我看到这位唱出无限崇高的诗歌的诗王
荟集了一批美好的精英，
而他则超越众人，宛如雄鹰凌空。
他们聚在一起，畅谈良久，
然后转过身来向我致意颔首，
我的老师也微笑频频：
这使我感到更加光荣，
因为他们把我也纳入他们行列当中，
我竟成为这些如此名震遐迩的智者中的第六名。

这样，我看到这位唱出无限崇高的诗歌的诗王荟集了一批美好的精英，而他则超越众人，宛如雄鹰凌空。（第四首第 94—96 行）

这样，我们一直走到火光闪烁之处，
一边谈论着现在最好不必细谈的事情，
因为这些事情该在适合谈论的地方谈论。

伟大灵魂的城堡

我们来到一座高贵的城堡脚下[15]，
有七层高墙把它环绕，
周围还有美丽的护城小河一道。
我们越过这道护城小河如履平地；
我随同这几位智者通过七道城门进到城里：
我们来到一片嫩绿的草地。
那里有一些人目光庄重而舒缓，
相貌堂堂，神色威严，
声音温和，甚少言谈。
我们站到一个角落，
那个地方居高临下，明亮而开阔，
从那里可以把所有的人都尽收眼底。
我挺直身子，立在那里，
眼见那些伟大的灵魂聚集在碧绿的草地，
我为能目睹这些伟人而激动不已。
我看到厄列克特拉与许多同伴在一起[16]，
其中我认出了赫克托尔和埃涅阿斯[17]，
还认出那全副武装、生就一双鹰眼的凯撒[18]，
我看到卡密拉和潘塔希莱亚[19]，
在另一边，我看到国王拉蒂努斯，
他正与他的女儿拉维尼亚坐在一起[20]。
我看到那赶走塔尔昆纽斯的布鲁图斯[21]，
看到路克蕾齐亚，朱丽亚，玛尔齐亚和科尔尼丽亚[22]，
我看到萨拉丁独自一人，待在一旁[23]。
接着我稍微抬起眼眉仰望，

我看见了那位大师[24]，
他正与弟子们在哲学大家庭中端坐。
大家都对他十分仰慕，敬重备至，
在这里，我见到苏格拉底和柏拉图[25]，
他们两位比其他人更靠近这位大师；
我看见德谟克里特——他曾认为世界产生于偶然[26]，
我看见狄奥格尼斯，阿那克萨哥拉和泰利斯[27]，
恩佩多克勒斯，赫拉克利特和芝诺[28]；
我还看见那位出色的药草采集者
——我说的是狄奥斯科利德[29]；
我看到奥尔甫斯，图留斯，黎努斯和道德学家塞内加[30]，
我看到几何学家欧几里得，还有托勒密[31]，
希波克拉底，阿维森纳和嘉伦[32]，
以及做过伟大评注的阿威罗伊斯[33]。
我无法把他们一一列举，
因为我急于要谈的问题是那么繁多，
我往往不得不长话短说。
这时六位哲人分为两批：
明智的引路人把我带上另一条路径，
走出那静谧的氛围，进入那颤抖的空气，
我来到一个地方，那里看不见一线光明。

注释

①自本首起，但丁开始对地狱的具体描述。但丁把地狱想象为一个位于北半球的漏斗形圆形地带，上宽下窄，也与我国传说的地狱分为十八层相类似，把地狱分为九层，每层称为“环”或“圈”（cerchio），又根据不同情况或罪孽，进一步分为若干层次；层层地狱如古希腊圆形剧场或罗马圆形竞技场的看台那样向下逐步倾斜，直至地心，即地狱之王卢齐菲罗所在地。本首所写的是第一层，即所谓“林勃”（Limbo），该词本意有“边缘”之意，意谓离地心最远的一层，译为“候判所”似不妥，故采用音译的做法。

②在“林勃”中的鬼魂分两种：一是生前有功德的人，但在基督教诞生前出生，属异教徒；二是未受洗礼的儿童。因为他们身无过犯，不必在地狱中受苦，但也不能进天堂。

③洗礼在基督教七大圣事(洗礼、圣餐、坚信、忏悔、临终涂油、圣职、结婚)中占第一位,故曰"入门"。

④维吉尔死于公元前19年,在耶稣逝世(三十四岁)前五十三年,而但丁地狱之行(1300年)距耶稣逝世则过了一千二百六十六年。

⑤"威力无比的人"即耶稣,《神曲》中从不直接提他的名字。但丁大抵是从中世纪宗教画中所绘的基督神像来描述耶稣的:头上带光圈,光圈内有十字架标记,或手持一面十字架旌旗,十字架即象征胜利。

⑥"第一个为父之人"即亚当。亚伯(Abel)为亚当的次子,是牧羊人,其兄该隐(Caino)是农夫。兄弟二人各以自己的产品向上帝献祭,但上帝却只喜欢亚伯的祭品。该隐出于嫉恨,将亚伯杀死(详见《旧约·创世记》第四章第一至八句)。因此,在《神曲》中,亚伯被耶稣救出地狱,而该隐则被打入地狱第九层,该层并称"该隐环"。

⑦挪亚(Noè)为亚当第三子塞特(Seth)的后代,是个"正直的人"和"完全无可指责的人",上帝因见世人罪恶滔天,十分愤怒,欲使洪水泛滥,毁灭世界,事先则命挪亚造方舟,使其全家幸免于难(《旧约·创世记》第五至十章)。

摩西(Moisè)因埃及王迫害以色列人,率领以色列人逃离埃及,定居迦南,传说他在西奈山上从上帝受十戒并订立了神的种种典章法律,从而为犹太教奠立了基础(详见《旧约·出埃及记》)。《旧约·约书亚记》(第一章第一句)称他为"上帝的仆人"。

⑧亚伯兰(Abraam)为挪亚的长子闪(Sem)的后代,后上帝赐名亚伯拉罕(Abraham):《旧约·创世记》第十一至十七章有详细叙述,其中说:"主向他(亚伯兰)显现说:……以后你的名字不再叫亚伯兰,要改为亚伯拉罕,因为我要立你为许多民族的始祖。"(第十七章第五句)

大卫(David,公元前十一世纪—十世纪),以色列和犹大国王。公元前1033年继扫罗(Saul)任以色列王(扫罗曾多次企图谋害他)。他是伯利恒的耶西(Isci或Jesse)七个儿子中最小的。在与非利士人(Filistei)作战中,杀死巨人歌利亚(Golia)。占领耶路撒冷后,立该城为国都,当政四十年。据传,他曾改进竖琴,并使音乐成为祭祀的主要内容;《旧约·诗篇》一百五十篇也传为他所作(详见《旧约·撒母耳记》上下)。

⑨以色列即"雅各"(Giacobbe),是亚伯拉罕的儿子以撒(Isacco)所生的双胞胎之一,兄为以扫。雅各遵照上帝旨意,带着妻儿回乡,途中与一天使角力,雅各获胜,迫使天使为他祝福,天使说:"你以后不要再叫雅各了,你要叫以色列,因为你跟上帝和人的角力都得胜了。"此处指雅各及其父以撒以及他的十二个儿子(详见《旧约·创世记》第二十五、三十一、三十二、三十五章)。

⑩拉结(参见第二首注释⑲),为雅各的舅父拉班(Laban)的次女。雅各遵父命,到舅父家选妻。途遇拉结,一见钟情。拉班应雅各要求,同意雅各为他家工作七年之后把拉结许配给他。因而雅各为娶拉结曾辛苦工作七年。但七年后,拉班以妹不能先姊而嫁为由,把拉结之姊利亚(参见第二首注释⑲)嫁与雅各,并称,雅各必须再为他干活七年,他才同意在雅各与利亚结

婚七天后再把拉结配与雅各。七天之后，拉结虽与雅各成婚，但雅各仍须为拉班再干七年。故先后雅各为要拉结共干活十四年（详见《旧约·创世记》第二十八、二十九章）。

⑪诗中未说明是谁的声音。注释家一般认为，是下文中的荷马的声音，因为他是众诗人之首，代表他们讲话。

⑫荷马（公元前十世纪—前九世纪），古希腊最伟大的诗人，有名著《伊利亚特》（*Iliade*）和《奥德赛》（*Odissea*）两部史诗等。据说，他是个双目失明的乞丐。有人曾怀疑他的存在，认为上述两部史诗是把当时散布于民间的叙事诗（rapsodi）收集而成的。但丁不懂希腊文，他对荷马的了解据注释家分析，主要是通过贺拉斯、西塞罗等人的著作；他在《新生》、《筵席》、《帝制论》等著作中也曾从亚里士多德、贺拉斯的文章中借用其中援引的荷马原诗段落。但丁对荷马极为崇敬，称他是众诗人中"最伟大的诗人"。诗中形容荷马"掌剑在手"，是指荷马擅长写战事诗。

⑬贺拉斯（公元前65—8），全名为昆托·贺拉斯·弗拉科（Quinto Orazio Flacco），是罗马最伟大的诗人之一。曾赴希腊求学。参加过屋大维与安东尼（Antonio）战胜布鲁都（Bruto）和卡修斯（Casio）的腓力比（Filippi）战役。与维吉尔十分友善。著有《讽刺诗》（*Satire*）二卷，《书简》（*Epistole*）二卷等。

⑭奥维德（Ovidio，公元前43—公元16），原名普勃利奥·纳索内（Publio Nasone），为罗马著名多产诗人。公元9年，不知身犯何罪，被屋大维放逐黑海岸边的佛米（Fomi），直到逝世。著有《变形记》（*Metamorfosi*）等。

卢卡努斯（Lucano，38—65），原名阿内奥·马可（Anneo Marco），罗马名诗人，哲学家塞内加之侄。著有记录凯撒与庞培大战法尔萨卢斯的《法尔萨利亚》（*Farsalia*）十卷。二十七岁时，被暴君尼禄（Nerone）指控谋反，被迫自杀。但丁在《论俗语》（*De vulgari eloquentia*）中称他与奥维德在文风上为典范，并在《筵席》中称他为"大诗人"（分别见上述著作第二卷第四节第七句段和第四篇第二十八节第十三句段）。

⑮注释家一般认为，诗中所描绘的"高贵的城堡"，把一些伟大的灵魂与林勃中的一般鬼魂区别开来，是但丁的一大独特创造，有的甚至说，是但丁的"前人文主义"（Preumanesimo）的一大表现。但对于城堡的寓意，则始终各有各的说法：有的认为，城堡象征科学，七道城墙和城门则象征"七艺"（或称七种自由艺术）：即指前三艺（trivio）：语法、修辞、逻辑；后四艺（quadrivio）：算术、几何、天文、音乐。有的则把城墙和城门分开，认为：前者象征七德，即道德上的谨慎、公正、坚忍、节制和思辨上的聪明、学问、明智；后者则象征七艺；有的还认为，城堡象征哲学，城墙（或包括城门在内）象征哲学的七个部分，即物理、形而上学、伦理学、政治、经济、数学、辩证法；持这种看法的有但丁之子彼特罗（Pietro）。雷吉奥认为，城堡象征"人的高贵品质"，并指出，但丁在《筵席》第四章第十九节第五句段中即说过："凡美德之所在即是高贵"；因而他认为，把城墙比作七德是"可取"的，这种诠释也是萨佩纽等近代注释家的共识。关于"护城小河"，一般认为，它象征一种"障碍物"，即要获得人的内在高贵品质（进入

城堡),就必须克服这种障碍物,亦即人的“俗念和恶习”;持这种看法的有但丁的另一个儿子雅可波(Jacopo)。

⑯厄列克特拉(Elettra),为特洛伊城奠基人、特洛伊人祖先达达努斯(Dardano)的母亲。“许多同伴”指她的诸如赫克托尔(Ettore)、埃涅阿斯等后代。

⑰赫克托尔,为特洛伊城的最伟大英雄,曾在特洛伊战争中令希腊军闻风丧胆。后被阿奇琉斯(Achille)所杀。

⑱“鹰眼”指凯撒的目光锐利,炯炯有神,宛如猛禽兀鹰之眼。

⑲卡密拉,参见第一首注释㉓。

潘塔希莱亚(Pantasilea),为阿玛松(Amazzoni)女儿国的女王。曾营救被围困的特洛伊城,被阿奇琉斯所杀。

⑳拉蒂努斯和拉维尼亚,参见第一首注释㉓。

㉑布鲁图斯(Bruto),全名为布鲁图斯·卢丘斯·优纽斯(Bruto Lucio Giunio),为古代罗马国王塔尔昆纽斯(Tarquinio)之甥。因好友科拉蒂努斯(Collatino)之妻路克蕾齐亚(Lucrezia)被塔尔昆纽斯之子塞克斯图斯(Sesto)所奸污,路克蕾齐亚在丈夫面前用匕首自刎,死前要求丈夫为她报仇(公元前510年),布鲁图斯与科拉蒂努斯率领罗马人民起义,赶走塔尔昆纽斯,推翻王政,成立贵族共和国,布、科二人成为共和国最早的两位执政官。他曾大义灭亲,处死两个密谋恢复王政的亲生子。后与塔尔昆纽斯之子阿隆特斯(Arunte)交战,相互杀死(公元前508年)。

㉒路克蕾齐亚见上注。

优丽亚(Julia或Giulia,公元前82—前55),凯撒之女,与前夫离异后改嫁庞培。

玛尔齐亚(Marzia),罗马护民官卡托(Catone,公元前96—前45或前46)之妻,后被卡托让与奥尔腾西奥斯(Ortensio),奥死后,又复归卡托。但丁赞扬她对第一个丈夫的忠诚和热爱,在《筵席》第四篇第二十八节第十三至十九句段中称她的“复归”如“灵魂在生命垂危之际复归上帝”。

科尔尼丽亚(Corniglia),罗马典型的贤妻良母和才女。为在第二次布匿战争中战胜汉尼拔的名将“阿非利加征服者”斯基比奥(Scipione Africano,公元前三世纪)之女,执政官格拉古斯(Gracco)之妻。她操守严谨,才华出众,教子有方。所生二子:蒂贝里奥斯(Tiberio)和盖约斯(Gaio),均为护民官,主张实行有利于平民的土地分配改革制度,遭贵族反对,改革失败后,先后于公元前133年和前121年被害。二子死后,她致力于希腊罗马文学研究。据说,她新寡不久,埃及王托勒密(Tolomeo)前来求婚,被她拒绝;一次,一位贵妇人向她炫耀珠宝,她毫不在意,指着二子说:“这就是我的珠宝和首饰。”罗马人民敬仰她的高贵人品,曾为她立碑,上写:“格拉古斯兄弟的母亲科尔尼丽亚。”近代注释家根据古籍(其中包括卢卡努斯的《法尔萨利亚》)认为,这里是指庞培的第二个妻子,但雷吉奥不以为然。

㉓萨拉丁(Saladino,1137—1193),埃及名君。1173年任埃及苏丹,征服叙利亚、美索不达米亚、

巴勒斯坦。1187年占领耶路撒冷;十字军二次东征时,曾与腓特烈一世、狮王理查和法王腓力浦二世交战。文治武功显赫。吸收不少基督教文明,西方对他也十分崇敬。薄伽丘的《十日谈》(第一天第三故事和第十天第九故事)和但丁的《筵席》(第四篇第十一节第十四句段)都曾给他以好评,但丁并把他列为"慷慨大度"的君主。因他属伊斯兰教,故但丁使他"独自一人,待在一旁"。

㉔指亚里士多德(公元前384—前322)。在但丁眼中,哲学家、科学家要比政治家胜强一筹,故把他们放在政治家之上,须"抬起眼眉仰望"。但丁对亚里士多德推崇备至,曾称他为"哲学家之大师"(《筵席》第四篇第八节第十五句段),"智慧之大师"(《论俗语》第二卷第十节第一句段),"人类理智之师"(《筵席》第三篇第五节第七句段)等,并说,亚里士多德"极其值得信赖和服从","他的话语享有最高权威"(《筵席》第四篇第六节第五、六句段)。

㉕苏格拉底(Socrate,公元前469—前399),古希腊最著名的哲学家之一。

柏拉图(Platone,公元前427—前347),古希腊著名哲学家,苏格拉底的最出色弟子,亚里士多德的老师。

但丁把他二人看成道德哲学的创始人,亚里士多德又进一步完善了这一哲学(《筵席》第四篇第六节第十三至十六句段)。

㉖德谟克里特(Democrito,公元前约460—前370),古希腊哲学家,倡导"原子哲学"(filosofia atomistica),认为宇宙系由依照机械规律落入空间、偶然聚合而成的原子构成。

㉗狄奥格尼斯(Diogenes),雷吉奥认为,可能是犬儒学派创始人狄奥格尼斯(公元前413—前323)或爱奥尼亚学派(filosofia ionica)的同名哲学家(公元前五世纪),称"阿波罗尼亚的狄奥格尼斯"(Diogene d'Apollonia)。萨佩纽倾向于前者,但雷吉奥则由于亚里士多德曾多次提及后者,圣托马索又像诗中那样,常将他与阿那克萨哥拉(Anassagora)和泰利斯(Talete)等相提并论,似乎更倾向于后者。

阿那克萨哥拉(公元前约500—前428),古希腊哲学家。据说,他是第一位将哲学输入雅典的哲学家。他的基本理论是认为:现实由无数相似的分子(即种子)的组合与分裂构成。因他否认太阳和月亮为神,被诬"渎神",遭流放。

泰利斯(公元前七至六世纪),爱奥尼亚学派创始人,认为水为万物之源,并曾研究日月蚀原因。

㉘恩佩多克勒斯(Empedocle,公元前496—前424),古希腊哲学家,认为宇宙系由火、气、水、土四要素构成,而四要素又受相对立的原则即"爱"与"恨"所起作用实行聚合或分离,从而造成万物之不同与变化。他还是位诗人,他的诗曾与荷马等的诗一起,在奥林匹克运动会上朗诵过。据传,他在埃特纳火山(Etna)一次爆发中自杀身亡。

赫拉克利特(Eraclito,公元前六世纪),古希腊哲学家,认为:由于现实所固有的一种"神的永恒性促动",一切都在"流动",变化。他与恩佩多克勒斯都是苏格拉底前的哲学家。

芝诺(Zenone),注释家一般弄不清究竟是古希腊斯多噶学派的芝诺(公元前334—前

262)，抑或是埃利亚(Eleate)学派的芝诺(公元前五世纪)。雷吉奥和萨佩纽认为，但丁对古希腊哲学家的了解都是通过亚里士多德的著作，因而是间接的，可能把两人混为一谈；《筵席》中曾转述亚里士多德对古希腊哲学家的看法，该书第四篇第六节第九句段还曾提及斯多噶学派哲学家芝诺，并称他为“远古哲学家”中的“第一人和鼻祖”。

㉙狄奥斯科利德(Dioscoride 或 Diascoride，公元一世纪)，古希腊名医，博物学家，著有研究药草特性和功能的书籍。

㉚奥尔甫斯(Orfeo)，希腊神话的诗人和音乐家，传说他的优美动人的诗歌能使野兽驯服，河水停流，顽石向他靠拢。

图留斯(Tulio)即西塞罗(公元前 106—前 43)，全名为马可 · 图留斯 · 西塞罗(Marco Tullio Cicerone)，此处着重指出他的“哲学家”身份。

黎努斯(Lino)，希腊神话的又一名诗人，据传是图留斯的老师，音韵和旋律的发明人。

塞内加(Seneca，4—65)，全名为卢契奥 · 阿内奥 · 塞内加(Lucio Anneo Seneca)，罗马著名演说家、哲学家和诗人。曾为暴君尼禄的老师，后被尼禄怀疑参与谋反，被迫自杀。生前研究斯多噶派哲学，还写过九部悲剧。

㉛欧几里得(Euclide，公元前 306—前 283)，古希腊最伟大的数学家，为几何学的创始人。

托勒密(Tolomeo，100—178)，古希腊著名数学家、物理学家、天文学家。创立地球宇宙中心论，为中世纪天文学的基础，直到十六世纪才被哥白尼所推翻。

㉜希波克拉底(Ipocrate 或 Ippocrate，公元前 460—前 377)，古希腊名医，为古代医学始祖，被誉为“医学之父”。著有《格言集》(*Aforismo*)、《传染病学》(*Epidemie*)、《古代医学》(*Antica medicina*)等。

阿维森纳(Avicenna，890—1037)，阿拉伯名为阿布 · 阿里 · 伊本 · 西拿(Abú Ali Ibn Siná)，阿拉伯名医，哲学家，为穆斯林文化最杰出的代表之一，号称“医中之王”。曾诠释亚里士多德和新柏拉图主义的著作，对十三世纪哲学思想影响极大。著有《医疗学》(*La Guarigione*)、《医学规范》(*Canone medico*)等。

嘉伦(Galieno 或 Galeno，129—201)，希腊名医。精于解剖学，认为：解剖学为医学之基础。其理论对医学界的影响一直延续达一千二百年之久。

㉝阿威罗伊斯(Averois 或 Averroè，1126—1198)，阿拉伯名为伊本 · 罗什德(Ibn-Roscd)，阿拉伯名医，哲学家。对亚里士多德研究极深，被称为亚里士多德和“逍遥学派”(Peripatetici)著作的非基督教“出色评论家”。其理论为腓特烈二世所赏识，在意大利广为传播，对西方哲学影响很大，至今仍为哲学界讨论研究的专门话题。他否认上帝造物，灵魂不死，神灵降福，理智与宗教可以调和。

第五首

第二环，弥诺斯（1—24）
淫欲者（25—72）
佛兰切丝卡·达·里米尼（73—142）

第二环，弥诺斯

我就是这样从第一环下到第二环[1]，
但第二环所占的地方要比第一环小，
而它所包含的痛苦却大得多，到处都是凄声惨叫。
坐镇那里的是弥诺斯，他狰狞可怖，切齿咆哮[2]，
他在进口处审查鬼魂们的罪行；
逐个作出判决，依照尾巴缠绕身上的圈数来遣送鬼魂[3]。
我要说的是：一个生来不幸的亡魂[4]，
一旦来到他跟前，就须向他交待自己的全部罪行：
他对亡魂在人世所犯罪孽了解之后，
就考虑该把亡魂打入地狱的哪一层；
他把尾巴绕上若干圈，
这就表明他要把亡魂放到哪一环。
他面前总是站立着许多亡魂，
每个亡魂都要轮流受他审问，

坐镇那里的是弥诺斯，他狰狞可怖，切齿咆哮，他在进口处审查鬼魂们的罪行；逐个作出判决，依照尾巴缠绕身上的圈数来遣送鬼魂。（第五首第4—6行）

他们交待罪行，听候审判，然后下到若干层。
“啊！你这个来到受苦之地的人，”
弥诺斯一见我就开言道，
他把如此重要的职务暂搁一边，
“你瞧瞧，你是怎样进来的，你信任的是什么人，
你不要以为进口处如此宽阔，可以随便出进[5]！”
我的老师于是对他说：“你为何叫个不停？
不准你阻挡上天安排他到此一行：
是那能够做到随心所欲的地方作出这个决定，
你不可再多问。”

淫欲者

这时，我开始听到那些惨痛的呼声；
这时，我来到哭声震天之境，
这哭声令我心酸难忍。
我来到连光线也变得喑哑的地方[6]，
那里传出阵阵轰隆浪涛声，仿佛大海在暴风雨中，
吹打这大海的正是那逆向的顶头风。
地狱里的狂飙始终吹个不停，
它那狂暴的力量把鬼魂吹得东飘西荡；
鬼魂随风上下旋转，左右翻腾，苦不堪言[7]。
他们被吹撞到断壁残岩[8]，
他们惨叫，哀号，怨声不断；
他们在这里诅咒神明的威力。
我恍然大悟：正是那些肉欲横流的幽灵
在此经受如此痛苦的酷刑，
因为他们放纵情欲，丧失理性。
正像紫翅椋鸟的双翼
把它们一群群带入寒风冷气，
那狂风也同样使这些邪恶的阴魂

上下左右不住翻滚；
他们永远不能抱有任何希望：
哪怕只是希望少受痛苦折腾，而不是停下不飞。
正像空中排成长列的大雁，
不住发出凄惨的悲鸣，
我所目睹的这些凄厉叫苦的幽魂
也同样被那狂风吹个不停；
因此，我说道：“老师，这些是什么人？
他们被那昏暗的气流折腾得如此惨痛！”
“你想知道这些人的情况，”
我的老师于是对我说，
“其中第一个就是那位统治多国人民的女皇[9]。
她是如此糜烂荒淫，
甚至她的法律也定得投其所好，
以免世人唾骂她的秽行。
她就是塞米拉密斯，观看史书，
可知她是尼诺之妻，还继承了他的王位，
她当时掌管的疆土就是苏丹今天统辖的国度[10]。
另一个女人是为爱情而自寻短见，
她毁弃了忠于希凯斯骨灰的誓言[11]；
接踵而来的则是淫妇克丽奥帕特拉[12]。
你看，那是海伦，为了她[13]，
多少悲惨的岁月流逝过去；你再看那伟大的阿奇琉斯[14]，
为了爱，他一直战斗到死。
你看，那是帕里斯，还有特里斯丹[15]；”
老师向我指点一千多个阴魂，一一叫出他们的姓氏，
正是爱情使他们离开了人世。
由于我听到我的老师说出
这些古代贵妇和骑士的姓名，
怜悯之情顿时抓住我的心灵，

"诗人！我真想跟那一对比翼双飞的人谈一谈，他们随风飘荡，似乎身轻如燕。"（第五首第73—75行）

佛兰切丝卡·达·里米尼

我几乎晕倒过去，开始说："诗人！
我真想跟那一对比翼双飞的人谈一谈[16]，
他们随风飘荡，似乎身轻如燕。"
他于是告诉我："你可以看一看，
他们何时靠我们更近，你就以支配他们行动的爱情名义，
请求他们，他们一定会飞过来的。"
当大风把他们吹到我们身边时，
我立即喊道："啊！备受折磨的幽魂啊！
倘若别人不反对，请到我们这边来叙谈一下[17]！"
犹如两只被情欲召来的鸽子，
心甘情愿地展翅翱翔天际，
随后飞回到甜蜜的窝里；
这一对脱离了狄多所在的那个行列[18]，
透过那黝暗的气流飞到我们面前，
随之而来的一声呼叫是如此响亮而亲切。
"啊！慈悲而和善的灵魂！
你在这昏天黑地中游荡，
来拜访我们这用鲜血染红世界的一双，
如果宇宙之王对你友好[19]，
我们愿求他保佑你平安无恙，
因为你对我们的邪恶之罪抱有恻隐心肠。
你们喜欢听什么，谈什么，
只要狂风像现在这样减弱，
我们都会与你们攀谈，向你们诉说。
我诞生的那片土地坐落在海滨，
波河及其支流倾泻入海，
随即变得波平如镜。
是爱迅速启示我那高贵的心灵[20]，

使我得知他爱上我那美丽的身躯，
但这身躯却被人无情夺去，至今我为此仍不胜欷歔。
是爱不能原谅被爱的人不以爱相报[21]，
他的英俊令我神魂颠倒，
你可以看出，至今这爱仍未把我轻抛。
是爱使我们双双丧命。
该隐环正在等待那杀害我们的人[22]。"
他们把这些话语讲给我们听。
听罢这双受害幽魂的诉说，
我不由得把头低低垂落，
这时，诗人对我说："你在想什么？"
我答道："唉！多么缠绵的情思，
多么炽烈的欲火，
这使他们犯下惨痛的罪过！"
接着我又转向他们，开言道：
"佛兰切丝卡，你的不幸遭遇
令我伤心怜惜，泪流如注。
但是，请告诉我：当初发出甜蜜的叹息时，
爱是用什么办法，又是以怎样的方式，
使你们洞悉那难以捉摸的情欲？"
她于是对我说："没有比在凄惨的境遇之中
回忆幸福的时光更大的痛苦；
你的老师对此是一清二楚。
但是，既然你如此热切地想知道
我们相爱的最初根苗，
我就说出来，那个正在哭泣的人儿也会直言奉告。
有一天，我们一道阅读朗斯洛消遣[23]，
我们看到他如何被爱所纠缠；
当时只有我们二人，而我们也并无任何疑虑之感[24]。
我们一起阅读这部著作，

“那一天，我们再也读不下去了。”（第五首第138行）

这使我们情不自禁多次含情相望,面容也为之失色;
132 但是,其中只有一段令我们无法解脱。
就在我们阅读时,那被他渴求的、嫣然含笑的嘴唇
终于得到这如此难得的情人的亲吻,
135 正是此人,我与他永远不会离分,
他的嘴亲吻我,浑身抖个不停。
这本书和书的作者就是加列奥托[25]:
138 那一天,我们再也读不下去了。"
一个幽魂在陈述这爱情经历,
另一个幽魂则在不住哀啼;这使我不胜怜惜,
141 我蓦地不省人事,如同突然断气。
我晕倒在地,好像一具倒下的尸体。

注释

①"第二环"是惩罚生前犯淫欲罪的鬼魂。如前所注,地狱呈上宽下窄的漏斗形。因此,第二环比第一环(即林勃)要窄小,但鬼魂所犯罪孽则大,并且要受苦:林勃的鬼魂只是长吁短叹,这里的鬼魂则是哀号惨叫。

②弥诺斯(Minòs),希腊神话中克里特岛(Creta)国王,为宙斯与欧罗巴(Europa)女神所生之子,以公正严明著称。早在荷马的诗篇中就把他写成审判鬼魂的地狱之王。维吉尔在《埃涅阿斯记》中把他作为地狱中的判官(第六卷第432—433句),但丁在这里沿袭了维吉尔的写法,但又有所创造,把他描绘成既骇人又滑稽的长着尾巴的魔鬼。波斯科-雷吉奥注释本说,弥诺斯之所以坐镇第二环入口,因为林勃的鬼魂无罪孽,不受他的审判。

③指用尾巴缠绕身子的圈数来决定打发鬼魂下到地狱的层数(以下诗句有详细的叙述)。萨佩纽说,这并不意味着弥诺斯的尾巴长得出奇,因为他只须用尾巴在身上绕上几次,就可决定地狱的层数。他还说,这种诠释最早是十九世纪注释家布兰克(Blanc,1781—1866)提出来的。

④"生来不幸"一语出自《新约·马太福音》耶稣说起犹大叛主的话(第二十六章第二十三句):"那出卖我的人有祸了,他不生在这个世上还好!"意谓若不生在世上,死后亦不致受地狱之苦。

⑤此句用典出自《新约·马太福音》第七章第十三句:耶稣说,"你们要进窄的门,因为通往灭亡的门阔大,路宽敞,走这条路的人也多……"

⑥但丁又一次运用以听觉("喑哑")形容视觉("光线")的手法(第一次运用此手法见第一首

第60句)。

⑦这里表示犯淫欲罪的鬼魂所遭受的"报复刑",即被象征情欲的狂飙永无休止地吹来吹去。

⑧这里的"断壁残岩"原文为ruina(废墟)。波斯科-雷吉奥的注释本和萨佩纽的注释本都把它解释为耶稣死后发生地震,造成地狱的塌方断层,但古今注释家也有把它解释为"刮出狂飙的风口"的。(关于耶稣死后地震一事,参见《新约·马太福音》第二十七章第五十至五十二句:"耶稣又大喊了一声,就断了气……只见地动山摇,岩石崩飞,坟墓也震开了……")

⑨指塞米拉密斯(Semiramide,公元前1356—前1314),亚述王国(Assiria)开国君主尼诺(Nino)之妻,曾暗杀尼诺继承其王位。尼诺在位时,曾与她共图征服全亚细亚。但丁根据公元五世纪西班牙神学家和史学家奥洛席乌斯(Orosio)《反异教徒史》(*Historias adversus paganos*)第一卷所载的史料,在《帝制论》第二卷第八节中谈及她的事迹。据称,她荒淫无度,嗜杀成性,曾将所有情夫一一处决,并与其子乱伦通奸,最后被其子杀害。她曾颁布法律,凡人均可为所欲为,父母与子女通奸亦不论罪,从而为自己开脱。

⑩但丁时期,苏丹系指埃及王,其疆土扩及亚洲西部,但并不相当于塞米拉密斯所统治的地域。因而萨佩纽认为,此处的"疆土"可能是指"城市",即介乎亚述王朝首都巴比伦(Babilonia)与开罗所在的埃及之间的那片地区。雷吉奥也说,这里是指埃及巴比伦的苏丹,但丁可能把埃及巴比伦与亚述王朝的美索不达米亚巴比伦混为一谈。也有人认为,此处是指埃及全境。

⑪这里指的是狄多,参见第一首注释㉓。狄多为提罗斯(Tiro)国王贝洛斯(Belo)之女,腓尼基国王希凯斯(Sicheo)之妻。希凯斯死后,她曾立下永远忠于希凯斯的誓言。她逃往非洲,成立了迦太基王国(公元前880年)。后因爱上了埃涅阿斯,背弃了忠于亡夫的誓言。埃涅阿斯奉神的旨意,离开她前往意大利,她于绝望中自杀。维吉尔在《埃涅阿斯记》第六卷中叙述了这段情节,但丁几乎完全借用了维吉尔的有关描述,他在《筵席》和《韵律集》(*Rime*)中也都提及此传说。

⑫克丽奥帕特拉(Cleopatra,公元前69—前30),为埃及国王托勒密·奥列特斯(Tolomeo Aulete)之女,艳丽非凡,聪颖绝顶,据说通晓二十国语言。先为凯撒所恋,被立为埃及女王,生一子,名凯撒里奥尼斯(Cesarione)。凯撒遇刺后,又为罗马执政官、后三巨头之一安东尼(Antonio)所恋。她与安东尼策划脱离罗马独立;安东尼与屋大维大战阿克兴海湾(Azio)——史称"阿克兴海战",战败自刎(公元前31年)。她在敌军围困下用杵蛇(aspide)啮咬的办法自尽。

⑬海伦(Elena),西方古代传说中的绝代美人,相传为宙斯与斯巴达王后莱达(Leda)所生之女。雅典王特修斯(Teseo)慕其姿色,将其掳走,被卡斯托雷斯(Castore)和波卢克斯(Polluce)兄弟夺回。嫁与斯巴达王墨涅劳斯(Menelao),但被特洛伊国王普里阿莫斯(Priamo)之子帕里斯(Paris或Paride)掠至特洛伊城,从而导致旷日持久的特洛伊战争。帕里斯死后,她嫁与德佛勃斯(Deifobo)。特洛伊城陷落后,德佛勃斯将她献回墨涅劳斯。墨涅劳斯死后,有关她的下落有几种说法:一是说她幸福地终老于斯巴达;一是说她被逐出斯巴达,逃往罗得岛(Rodi),投靠亲戚帕利索(Palisso),反被帕利索下令绞死;一是说她被一希腊妇女为报夫仇而杀害。诗中说“多少悲惨的岁月流逝过去”即是指为海伦而爆发的长达十年之久的特洛伊战争。

⑭阿奇琉斯(Achille),希腊神话中最著名、最骁勇善战的英雄人物。据说为米尔米多尼斯(Mirmidoni)国王珀琉斯(Peleo)与海神特蒂斯(Teti)所生。特蒂斯为使他变得刀枪不入,所向无敌,曾手提其脚踝,将他淹入地狱中的斯提克斯河(Stige),因此,他只有脚踝才能被兵器所伤。据传,他所用的投枪,若刺伤对方,可用枪锈来治愈。他曾前往特洛伊城为希腊大军助战,杀死特洛伊主将赫克托尔,并将其尸体拖拉绕城三次,显示战功。后他爱上特洛伊王普里阿莫斯之女波利克塞娜(Polissena),欲与之成婚,不料在举行婚礼时,被埋伏在神庙中的帕里斯用希腊著名英雄海格立斯(Ercole)之毒箭射中脚踝而死。关于他因爱情而战斗致死的传说,奥维德的《变形记》第十三章有记载。

⑮帕里斯,参见注⑬、⑭。荷马把他描绘成具有女性美而作战欠英勇的美男子。据说,宙斯曾让他在宙斯之妻尤诺(Giunone)、文艺和战神密涅瓦(Minerva,亦即女神雅典娜)、爱神维纳斯(Venere)三位女神当中判断哪位最美。他指出最美的是维纳斯,后来,正是在维纳斯的帮助下,他掠走了海伦。关于他的死,有两种说法:一是说他被阿奇琉斯之子皮罗斯(Pirro)所杀;一是说他因爱恋海伦,遗弃了懂得医术的妻子,后在特洛伊战争中,他中了菲洛克特特(Filottete)所射的毒箭,他求其妻为他治伤,遭拒绝,最后毒发而亡。

特里斯丹(Tristano),十二世纪英国亚瑟王(Artù 或 Arturo)的圆桌骑士之一。据高卢僧侣蒙穆特(G. de Monmouth)的《圆桌骑士传奇》(*Romanzi della tavola rotonda*),又名《亚瑟王传奇》(*Ciclo d'Artu*)中的《特里斯丹与伊瑟》(“Tristano e Isotta”)记载,特里斯丹奉其叔王马可·迪·科诺瓦利亚(Marco di Cornovaglia)之命,前往邻国迎娶公主伊瑟(Isotta)。途中,误饮为新婚夫妇准备的药酒,使他对伊瑟产生了永生不忘的爱情。后被马可发现,一对情人被逐出王宫。最后,马可赦免了伊瑟,但用毒箭射死了特里斯丹。薄伽丘在注释《神曲》时还说,在特里斯丹垂危之际,伊瑟来探视,二人一见即紧紧相互拥抱,但因用力过猛,把彼此的心都挤裂了,于是双双死去。

⑯指佛兰切丝卡·达·里米尼(Francesca da Rimini)及其小叔保罗·马拉泰斯塔(Paolo Malatesta)。佛兰切丝卡为拉维纳(Ravenna)僭主老圭多·达·波连塔(Guido da Polenta il Vecchio)之女。1275 年后,嫁与里米尼僭主马拉泰斯塔·达·维鲁基奥(Malatesta da Verruchio)之子贾恩乔托·马拉泰斯塔(Gianciotto Malatesta)。贾恩乔托是一个跛子,相貌丑陋,这实际上是一桩政治婚姻,目的在于结束拉维纳和里米尼两大家族的长期争夺。贾恩乔托之弟保罗相貌英俊,与佛兰切丝卡相互爱慕并私通。后被贾恩乔托发觉;1282—1283 年(当时,保罗在佛罗伦萨任护民官)或 1285 年间(当时,贾恩乔托任佩萨罗 Pesaro 僭主),贾恩乔托将二人一并杀害。史料对此无记载,只有民间流传;据薄伽丘和十四世纪的佛罗伦萨无名氏(Anonimo fiorentino)等一些古代注释家称,保罗原是代替其兄与佛兰切丝卡完婚的,因而佛兰切丝

卡以为自己嫁的是美貌的保罗,而不是丑陋的贾恩乔托。

⑰“别人”指上帝。

⑱狄多,参见注⑪。

⑲“宇宙之王”指上帝。

⑳这是诗中极其有名的连续三段以“爱”开头的三行韵诗(terzina),体现了十三、十四世纪盛行的以圭多·圭尼采利(Guido Guinizelli,1230?—1276)、但丁等为代表的“新体诗”(Stil Novo)或“甜美新体诗”(Dolce Stil Novo)的主要特点,即把爱看成提高思想境界的源泉。尤其是第一句,把“爱”与“高贵的心灵”直接联系起来,这恰恰是圭尼采利的名诗标题《爱总是躲入高贵的心灵》(*A cor gentil ripara sempre Amore*)和但丁的一首十四行诗“爱与高贵的心灵是同样的东西”的寓意和主旨。不过,但丁在这里也进一步发展了这一观念,即认为,爱不仅能提高思想境界,而且也会导致犯罪。

㉑此句用典出自安德烈·卡佩拉诺(Andrea Cappellano,十二至十三世纪)的《论爱情》(*De amore*)。该书关于爱的论述在中世纪十分流行,对普罗旺斯宫廷抒情诗(Lirica cortese)和意大利“新诗体”都有深刻影响。萨佩诺还说,诗中的这一思想甚至为一些宗教作家所采用,即对上帝的爱也必须如此。

㉒“该隐环”(Caina),为地狱的最后一层,即第九环的最底层:那里的鬼魂罪孽最大,受苦也最大。关于该隐,参见第四首注释⑥。贾恩乔托·马拉泰斯塔死于1304年,故但丁游地狱时,他尚在人世,诗中才用“等待”一词。

㉓朗斯洛(Lancialotto),全名为朗斯洛·德尔·拉哥(Lancialotto del Lago),即“湖上的朗斯洛”,事迹见上述《圆桌骑士传奇》,因他原是布列塔尼(Bretagna)国王之子,被“湖上夫人”窃走,养大成人后被夫人送给亚瑟王,成为亚瑟王御前十二名圆桌骑士中的第一名,“湖上的朗斯洛”之名亦由此而起。据说,他偷偷爱上了亚瑟王之妻吉妮维尔(Ginevra)。

㉔这里有两种解释:一是如译文所取,指双方爱情极深,以致毫不疑虑对方的感情;一是指毫不顾忌被别人发现。

㉕加列奥托(Galeotto),在故事中为宫廷总管,是他鼓励和唆使胆怯的朗斯洛向王后吉妮维尔表示爱情。但书中是王后作为骑士的被保护人,按惯例亲吻骑士的,而不是相反。正是由于此故事影响深远,中世纪就把加列奥托作为牵红线乃至拉皮条的专用术语。萨佩纽说,但丁在诗中写成由骑士来吻王后,“可能是有意使小说的这一情节与他所要讲的故事相适应”。

第六首[1]

贪食者与刻尔勃路斯（1—33）
恰科及其预言（34—93）
最后审判后的受苦亡魂（94—115）

贪食者与刻尔勃路斯

我已经恢复了神志，
这神志在我因为怜悯那一对叔嫂
而伤心过度时，曾一度丧失。
此刻，我移动、翻转我的身躯，
朝四下凝眸环顾，
我看到新的苦刑在折磨，新的一批人在受苦。
我来到了第三环[2]，
那该诅咒的永恒的苦雨冷凄凄，
不停地下，又下得那么急，那么密，
大块的冰雹，深黑的冷雨，还有纷飞的雪花，
在浓黑的空气中倾盆泼下，
泼在那大地上，恶臭到处散发。
刻尔勃路斯，那凶残而怪异的猛兽[3]，
它有三个咽喉，

朝着那些沉沦此地的人狗吠似的狂吼。
它有血红的眼睛,油污而黝黑的胡须,
肚皮很大,手上长着尖锐的指甲;
他猛抓住那些鬼魂,剥他们的皮,把他们撕碎。
雨雪也使鬼魂们如狗一般嚎叫不止。
这些悲惨的受苦亡魂不断地转来转去,
用这边的身躯遮蔽那边的身躯。
刻尔勃路斯这条大蛆虫,一见我们
便大张三张血口,向我们龇出他那满嘴獠牙;
他那四肢无一能够停下。
我的老师伸出他的双手,
抓起泥土,满把攥成泥球,
投入那些贪婪的大口。
如同一条饿狗狂吠不停,
只是在咬住食物时才变得安静,
因为它要使出力气,把食物一口吞进,
魔鬼刻尔勃路斯的三副丑恶嘴脸,此刻也是这样平静下来,
但他仍在朝着鬼魂们吼叫不止,
闹得鬼魂们真想变成聋子。

恰科及其预言

我们从这凄风苦雨击打着的幽魂中通过,
用脚践踏着他们的身体,
而这些身体却空荡飘渺,形同虚设。
幽魂全都在地上躺倒,
除了有一个,一见我们从他面前走过[4],
就迅速直起身来,席地而坐。
"啊! 你这个人被领到地狱一行,"
他对我说:"认一认我吧,如果你能:
你是在我去世之前降生。"

我的老师伸出他的双手，抓起泥土，满把攥成泥球，投入那些贪婪的大口。（第六首第25—27行）

我随即对他讲:"你如今遭受苦刑,
这也许令我的头脑无法将你记清,
我似乎从未见过你的形影。
不过,请告诉我你是何人,
竟落到如此痛苦的田地,受此苦刑,
哪怕其他苦刑比这更甚,也绝不会令人如此伤情。"
他对我说:"你的城市遍地都是嫉妒[5],
在我活在那明朗的人世时,
它就已经是恶贯满盈。
你们的市民都曾叫我恰科:
因为我犯下贪图美食之罪,十恶不赦,
正如你所看到的,我如今受尽雨雪折磨。
像我这样悲惨的灵魂,并非只有一个,
因为所有的灵魂犯下类似的罪过,
都要受同样的酷刑折磨。"别的话他不再多说。
我回答他:"恰科,你所受的煎熬令我心疼,
我泪流如雨,情不自禁,
不过,请告诉我,如果你能,
这灾难深重的城市的市民,将会落到怎样的光景;
那里是否还有正直的人;请告诉我原因:
为何这个城市被如此严重的不和所围困。"
他回答我:"经过长期紧张对立之后,
将会发生流血争斗[6],
那村野的一方将会驱逐另一方,并使它屈辱蒙羞[7]。
然后,再过三载,
那村野的一方也要倒台,
另一方则会借助那个左右逢源的人之力上台[8]。
它将长期称霸这个城市,
使另一方备受欺凌压迫,
尽管另一方为此而怨言载道,怒不可遏。

有两位为人公正，却无人听从他们[9]；
嫉妒、贪婪、骄横，
75 正是燃烧人们心灵的三个火星[10]。”
说到这里，他中止了那如泣如诉的声音。
我于是对他说：“我还想向你求教，
78 请再费心向我多谈一些事情。
法里纳塔和泰加尤，这两位曾是如此尊贵的人[11]，
雅科波·鲁斯蒂库齐、阿里哥和莫斯卡[12]，
81 以及其他那些把才能用于善行的人，
请告诉我他们现在哪里，请让我见一见他们；
因为我抱有炽烈的渴望，想知道：
84 他们是得到上天之福，还是遭受地狱之苦。”
他答道：“他们是属于罪孽更重的鬼魂当中；
不同的罪过把他们打入底层：
87 你若能下到很深的地方，你就可以见到他们。
但是，等你将来回到那甜美的世界里[13]，
请你把我送入众人的脑际，
90 我现在不再跟你多说，我也不再答复你。”
这时，他把一双直视我的眼睛斜了过去，
他注视了我一会儿，随即低下头去，
93 像其他双目失明的鬼魂一样倒下，连头带身躯[14]。

最后审判后的受苦亡魂

我的老师对我说：“他不会再苏醒，
除非传来天使的号角声[15]，
96 那时节，众鬼魂敌视的权威将会驾临[16]；
每个鬼魂将会重见自己的悲惨墓地，
重拾自己的肉身和形影，
99 将会聆听那永远震荡寰宇的判决声[17]。”
我们通过那鬼魂和雨雪混在一起的地面，

迈着缓缓的步伐,
102 一边在略略谈及来世的生涯;
于是我说:“老师,在那伟大的判决之后,
这些苦刑将会增加还是减少,
105 还是跟现在一样难熬?”
老师回答我:“你可以再读一读你的学说[18],
你的学说认为:事物越是完美,
108 就越会感到快乐和伤悲。
尽管这些该诅咒的人,
永远不会达到真正的完美,
111 但他们在最后审判后要比在最后审判前更指望完美。”
我团团绕着这条道路行走,
谈论着许多问题,我现在不再多说;
114 我们来到那向下倾斜的陡坡:
正是在这里,我们遇到人类之大敌——普鲁托[19]。

注释

①这一首是《神曲》中篇幅最短的诗歌之一。《神曲》全诗一百首,每首句数大抵相等,不满一百三十句的只有三首,一百六十句的只一首。

②第三环是专用来惩罚生前犯贪食罪的鬼魂之所。

③刻尔勃路斯(Cerbero),希腊神话中看守地狱之门的三首怪犬。为巨人蒂弗斯(Tifeo)与半人半蛇女妖埃基德纳斯(Echidna)所生。维吉尔、奥维德等古代诗人曾把它描绘成三首、蛇尾、蛇鬃的怪兽。但丁在这一基础上发挥其独特想象力,对它又作了更为细致而生动的刻画。

④此人系恰科(Ciacco),十四世纪《神曲》注释家布蒂(Buti)说,“恰科”是“猪的名字”,“该人因贪食而被人如此称呼”。此人史料无记载,据说为佛罗伦萨人。有人根据古诗,说他是诗人恰科·德·安圭拉亚(Ciacco dell'Anguillaia),还有人说,他是个银行家,因吃喝过度,把眼睛都弄坏了,为人所不齿;佛罗伦萨无名氏则认为,他是个“交际家,寄生虫”,但薄伽丘则不同意此看法,说他钱财不多,但有“口腹之癖”,善言谈,性随和,与上层人士交往甚密,每有吃喝机会,或应邀而至,或不请自来,因而在当时佛罗伦萨人眼中,是个知名人士。甚至有人把他与但丁和诗人佛雷塞·多纳蒂(Forese Donati)并提为“吃喝玩乐的三巨头”。萨佩纽强调,但丁在诗中对他“并无任何轻视之意,反而还抱有一定的同情”。

⑤指佛罗伦萨争权夺利的派系斗争源出于嫉妒,而揭露和谴责佛市内部纷争也正是《神曲》全

诗的主题之一（此处是全诗第一次触及此主题）。佛市党派纷争由来已久，主要表现为十二至十四世纪分裂意大利的两大派系归尔弗派（Guelfi）和吉伯林派（Ghibellini）之间的斗争。两派原产生于德国法兰克王朝（Franconia）最后一个皇帝亨利五世死后（1125 年）。归尔弗派支持亨利五世后裔撒克逊公爵洛塔里奥·迪·苏普林堡（Lotario di Supplimburgo），吉伯林派则支持反对苏普林堡的施瓦本公爵腓特烈·迪·霍亨斯陶芬（Federico di Hohenstaufen）；罗马教皇站在归尔弗派一边。经过旷日持久的斗争，两派政治立场逐渐演变为支持市镇共和与教皇的一派（归尔弗派）和支持国王与诸侯的另一派（吉伯林派），并进一步又分化为市镇之间的斗争（如佛罗伦萨以归尔弗派占优势，米兰则为吉伯林派所统治）；后市镇内部不仅有两派对立（佛罗伦萨自 1215 年起即分为归、吉两派），而且一派内部又分裂为对立的两派，这主要表现在十三世纪末和十四世纪初佛罗伦萨当权者归尔弗派分化为黑白两党：黑党以科尔索·多纳蒂（Corso Donati）为首，白党以维埃里·德·切尔基（Vieri de Cerchi）为首。黑党较激进，白党较温和。但丁即属白党。

⑥这里是指 1300 年 5 月在佛罗伦萨圣三位一体广场上发生的一起黑白两党流血冲突：多纳蒂和切尔基两大家族的一些青年在佛罗伦萨春节（Calendimaggio）集会上相互斗殴，切尔基家族一青年被打伤，从而使两党的争权斗争进一步加剧。十四世纪两部史料：贡帕尼（Compagni）的《当代大事记》（*Cronaca delle cose correnti nei tempi suoi*）和维拉尼（Villani）的《佛罗伦萨编年史》（*Cronache fiorentine*）对此都有记载，贡帕尼（但丁的好友，亦属白党）甚至说，该事件导致了佛市的“毁灭”。

⑦“村野的一方”指切尔基派，即白党。因他们来自农村。贡帕尼在《当代大事记》第 1 卷中指出，他们“社会出身低微，但却是豪富巨贾”。薄伽丘则说，他们不仅“骄横傲慢”，而且“习俗粗野”。另一方指黑党，即多纳蒂派。1300 年 5 月流血事件后，佛市执政官（但丁当时为其中之一）于同年 6 月，将斗殴双方一些重要肇事者驱逐出境，随后又因黑党密谋政变，于次年 6 月，将黑党所有领导人全部驱逐出境。黑党当时不仅被放逐，而且被罚大笔款项。

⑧指白党于 1302 年 1 月底失势。从诗中虚构恰科的预言到白党失势，恰好是三年时间。“左右逢源的人”大多注释家均认为是指但丁的死敌教皇博尼法丘八世，但也有人认为是指法国伯爵查理·迪·瓦卢瓦（Carlo di Valois）；萨佩纽和雷吉奥都不同意后一看法，说查理当时正在弗朗德勒（Fiandre，旧译法兰德尔或法兰德斯），忙于战事，并未插手佛罗伦萨事务。薄伽丘和贡帕尼指出，博尼法丘八世当时对黑白两党都表示“同样的好感”，但他的“全部心灵”则是“拥护黑党一方”的；他“一方面（对白党）说着甜言蜜语，另一方面则在我们（指白党）头上安插一个僭主”。据说，博尼法丘为了实现自己控制佛市统治的野心，在 1301 年 11 月 1 日万圣节之际，派查理·迪·瓦卢瓦赴佛市，名义上是调解黑白两党纠纷，实际上则是支持黑党上台。黑党上台后，即对白党大肆迫害。但丁本人亦在此期间被判流放三年，罚款五千弗洛林（1302 年 1 月）。因他未出席受审，同年 6 月，又判他终身流放，家产全部没收。

⑨两个“公正”的人，但丁未说明是谁。现代注释家德尔·隆哥（Del Longo）认为，“二”是不定

数,只是表示为数寥寥。但有人则说,这是指但丁和史学家贡帕尼,或但丁及其诗友圭多·卡瓦尔坎蒂(Guido Cavalcanti)等。当代注释家马佐尼(Mazzoni)则根据圣托马索评论亚里士多德《伦理学》的说法,认为,“有两种公正形式:一是自然法、不成文法,另一则是法律所确认的法,而这两种法在佛罗伦萨均未被人‘听从’……总之,在佛罗伦萨,任何公正当时都是没有的”。萨佩纽认为,但丁在这里把自己也包括在“公正”的人之内,这“虽不可思议,但却很有可能”。

⑩这是但丁认为佛罗伦萨之所以衰败没落的三点主要原因。在他看来,党派之争、目空一切以及大人物乃至平民百姓企图高踞人上的野心,都是使佛市陷于水深火热之祸根。萨佩纽认为,但丁之所以对佛市历史抱有如此消极的看法,主要是由于他对意大利乃至欧洲的历史演变的观点闭塞,估计脱离实际,加之他个人的痛苦遭遇,这些都促成了他的消极立场。

⑪法里纳塔(Farinata),为马南泰·迪·雅科波·德利·乌贝尔蒂(Manente di Iacopo degli Uberti)的绰号。1239年起任佛罗伦萨吉伯林派首领。1248年曾将归尔弗派逐出佛市,但1251年,归尔弗派趁支持吉伯林派的腓特烈二世(Federico II)逝世(1250年)之机,又返回佛市,得势后于1258年又将包括乌贝尔蒂家族在内的大部分吉伯林派家族逐出佛市。法里纳塔逃往锡耶纳,在西西里国王曼弗雷迪(Manfredi)帮助下,重整旗鼓;1260年,吉伯林派在蒙塔佩尔蒂(Montaperti)战役战胜归尔弗派,他重返佛市执政。当时,吉伯林派有人建议摧毁佛市,他独自一人挺身而出,制止这一行动。他死于1264年,归尔弗派随即东山再起,把他判为异端罪;《地狱篇》第十首写他因犯异端罪被打入第六环。

泰加尤(Tegghiaio),全名为泰加尤·阿尔多布兰迪·德利·阿迪马里(Tegghiaio Aldobrandi degli Adimari),为佛罗伦萨归尔弗派代表人物。1238年曾任圣吉米尼亚诺(San Gimignano)执政官;1256年又任阿雷佐(Arezzo)执政官。1260年任归派军队统帅之一。他曾出面调解圣吉米尼亚诺与沃尔泰拉(Volterra)两市的纠纷。1266年以前去世。《地狱篇》第十六首写他犯鸡奸罪,被打入第七环第三层受苦。

⑫雅科波·鲁斯蒂库齐(Iacopo Rusticucci),1235年至1254年史料记载,他曾是佛罗伦萨富豪,属归尔弗派卡瓦尔坎蒂集团,1254年任佛市特别行政长官。曾与泰加尤一起,调解沃尔泰拉与圣吉米尼亚诺两市争端,并促成佛市与托斯卡纳大区其他一些城市的媾和与结盟。《地狱篇》写他与泰加尤都犯有鸡奸罪,被打入第七环第三层。

阿里哥(Arrigo),具体情况不详,但据一些古代注释家分析,因他在诗中与莫斯卡(Mosca)并提,猜测他属菲凡蒂(Fifanti)家族,曾参与1215年杀害彭代尔蒙泰(Buondelmonte)事件。有人则认为,他就是阿里哥·迪·卡夏(Arrigo di Cascia):此人曾与泰加尤、鲁斯蒂库齐一道促成沃尔泰拉与圣吉米尼亚诺两市媾和,且在诗中又与此二人并提。

莫斯卡,属佛罗伦萨吉伯林派兰贝尔蒂(Lamberti)家族。十二世纪末出生。在佛市历任要职,并任维泰博(Viterbo)和托迪(Todi)两市执政官(时间分别为1220年和1228年)。1229—1235年佛市与锡耶纳战争期间,任佛市统帅。1242年任雷焦(Reggio)执政官,次年死于该市。因他曾挑唆杀害彭代尔蒙泰，导致佛市归、吉两派最早分裂和长期不和，在诗中被写成犯有挑拨离间罪，被打入第八环第五层受苦。

⑬指人世。

⑭因恰科一直直视但丁，这时，他重新倒下去，但仍想保持原来的视线，因而不得不把眼睛“斜了过去”。

⑮指天使在吹起最后审判的号角时，躺在地上的亡魂才会苏醒和站立起来。

⑯“众鬼魂敌视的权威”指耶稣基督。

⑰指最后审判所作的永恒的最后判决。

⑱指亚里士多德的学说。马佐尼说，但丁此处所援引的是圣托马索评亚里士多德《论灵魂》（*De anima*）的有关段落，其中说：事物越是完美，就越能感到乐与苦。萨佩纽解释说，诗中的寓意是：在最后审判后，由于人在灵魂与肉体的结合方面恢复完美，受苦者的苦刑会加剧，圣洁者的幸福则会增强。

⑲普鲁托（Pluto），希腊神话中的财神（拉丁文为Plutus，意大利文为Pluto）。也有人认为是希腊神话中的地狱之王普鲁托（拉丁文为Pluto，意大利文则为Plutone）。但丁之子彼特罗曾提及：西塞罗认为，普鲁托与地狱之王狄斯（Dite）是一神两名，而这两个名字在拉丁文和希腊文中都有“财富”之意。在《神曲》中，但丁已把卢齐菲罗作为地狱之王（而不是狄斯），故普鲁托应为财神，统管地狱第四环惩罚贪图和浪费财富的鬼魂之处。诗中提到普鲁托为“人类之大敌”，也正反映了但丁的“贪图财富乃人类之死敌”的思想（雷吉奥），而这一思想可追溯到《新约·提摩太前书》第六章第十句：“贪财乃是万恶之根。”

第七首

普鲁托(1—15)
贪财者与挥霍者(16—66)
幸运女神(67—99)
斯提克斯沼泽:易怒者(100—130)

普鲁托

“帕佩　撒旦,帕佩　撒旦　阿莱佩![1]”
普鲁托用他那嘶哑刺耳的声音开言道;
那位高贵的哲人——他无事不晓——[2]
为了给我壮胆,说道:
“但愿你的恐惧不要把你压倒;
不论他威力多大,也无法阻挡我们下到这断岩残崖。”
接着,他转身面向那怒气冲冲的嘴脸,
说道:“住口,你这该死的恶狼;
把你的怒火咽进你的胸膛。
来到这地狱深层不是没有原因:
是上天愿意这样决定,
因为米迦勒要惩办这嚣张的叛逆罪行[3]。”
正如那鼓胀的船帆被风卷起,

“住口,你这该死的恶狼;把你的怒火咽进你的胸膛。”(第七首第8、9行)

随桅杆断裂而倒落下去，
15 这残暴的猛兽也正是这样扑倒在地。

贪财者与挥霍者

我们就这样下到第四个坑谷，
沿着那地狱的陡坡往下行进，
18 这里包拢了整个宇宙的恶行。
唉！上帝的正义啊！我看到
他聚拢的新的折磨和苦刑有多少？
21 为何我们的罪过竟使我们受到如此煎熬？
正如卡里迪漩涡区的浪潮
与另一股浪潮相遇，撞击在一起[4]，
24 这里的人也不得不像这两股浪潮一样，绕着圆圈，撞来撞去。
我看见这里的人数比别的地方更多，
他们从一个方向和另一个方向大声吆喝，
27 用前胸的力量滚动着重物[5]。
他们相互碰撞在一处，
就在那里，每个人又掉过头去，往回走，一面呼叫：
30 “你为何抱着不放？”“你为何任意乱抛？”
他们就是这样，绕着那幽暗的第四圈，
从这一边转到那一边，
33 再次相互叫骂着无穷尽的秽语脏言；
然后，他们又各自转回去，绕个半圈，
决斗在相反的地点。
36 我见此光景，几乎感到于心不忍，
我说：“我的老师，现在请指教我：
这些人是何许人，我们左边的这些削发者[6]
39 是否都是神职人员。”
他对我说：“所有这些鬼魂
生前都是缺乏头脑的人，

“这是因为不论是过去还是现在，月天之下的所有黄金都会使这些疲惫的魂灵无一能得到安宁。”（第七首第64—66行）

他们不懂得适度地花销钱财。
每逢他们来到第四环的两个相撞地点，
他们那狗吠似的叫骂声就足以把问题说明，
因为在那里他们相互责骂的正是相反的罪行。
这些鬼魂没有头发遮盖头顶，
他们都是神职人员，有教皇和枢机主教，
他们爱财如命达到无以复加之境。”
我于是说：“老师，在这些人当中，
我想必能认出几个人，
他们曾犯下贪财挥霍的罪行。”
他回答我：“你的想法是枉费心机：
他们生前不分善恶，这曾使他们沾满罪恶泥污，
现在也使他们面貌全非，令人辨认不出。
他们永远要来到这两个相遇点碰撞，
他们从坟墓中冒出：这边的人是紧握拳头，
那边的人则是毛发皆光[7]。
挥霍无度和一毛不拔使他们不能荣升天堂，
他们总是要相互较量，
我不想用什么美好的言辞来描述他们如何对抗。
现在，孩子，你可以看出钱财对人们的短暂愚弄，
因为钱财是掌握在幸运女神手中，
而人们为获得钱财仍在疲于奔命；
这是因为不论是过去还是现在，
月天之下的所有黄金
都会使这些疲惫的魂灵无一能得到安宁[8]。”

幸运女神

“老师，”我对他说，“现在，请再告诉我：
你向我提到的那位幸运女神，
她究竟是什么神，何以会把天下的钱财都抓在手中？”

他回答我："啊！愚蠢的生灵们，
你们受到多大的无知的伤损！
我现在希望像喂孩子吃食那样，让你记住我的说明。
智慧超越一切者创造了天体多重[9]
并指派了天使操纵各重天体的运行，
使每个部分都能各自发光，
把光芒分配均匀，普照四方：
同样，他也命令一位总管天神[10]
掌管世间的荣华富贵，
要她及时把这富贵虚荣
从这个人转到那个人，从一个血统转到另一个血统，
而人类的智慧却无力与之抗争；
因此，一国人民耀武扬威，另一国人民则没落衰颓，
一切都要听从她的判断，
而她则像隐伏草中的蛇，人所不能见。
你们的智慧无法与她抗衡：
她安排一切，判决一切，自行其事，
正如其他天神也各尽其职。
她转移世间荣华富贵的工作永无休止；
而遵照上帝意旨的必要性也令她从速而行；
因此，世人的处境也便经常变化不定。
正是她遭到一些人的百般咒骂，
而这些人本该极口赞扬她[11]，
他们把她错怪，使她留下骂名；
但是，她却自得其乐，对此充耳不闻[12]：
她与其他最早的创造物一起[13]，
愉快地转动自己的轮盘，幸福地自享乐趣[14]。
现在，让我们下到更加悲惨的地方[15]；
我动身时正在升起的众星辰，此刻都已在下降[16]，
我们逗留的时间不可过长。"

斯提克斯沼泽:易怒者

我们穿过第四圈,到达彼岸,
靠近一条沸腾、倾泻的水泉,
顺沿着被这泉水冲成的沟壑。
这水与其说是黝黑,莫如说是混浊;
而我们,在这灰黑色的水浪伴随下,
沿着一条陡峭的道路进入下层断崖。
这条惨淡的水道流入一个沼泽地,
它的名字叫斯提克斯[17],
那黑水往下流淌,流到昏暗而险峻的断崖脚下。
我这时注目观定,
看到浸泡在泥沼中满身泥污的人[18],
他们都赤身露体,满面怒容。
他们不仅用手相打,
而且还用头相撞,用脚相踢,用胸相碰。
他们用牙齿把彼此的肉一块块咬下,咬得遍体伤痕。
善良的老师说道:“孩子,现在你可以看到
那些被怒火战胜的人的魂灵;
我还想让你确信:
在这水下还有一些哀叹之人[19],
他们使这水面咕噜咕噜地冒着气泡,
正如你的眼睛不论转到何处,都会告诉你这般情景。
他们没入这泥泞当中,
言道:‘我们在那阳光普照的温和空气里,
曾是那么抑郁寡欢,因为我们把郁怒的烟雾带到里面:
现在,我们就该在这黑水污泥当中自艾自怨。’
他们的喉咙里咕哝着这赞歌似的怨言。
因为他们无法把话讲清说全。”
我们就这样沿着这污泥浊水绕行,

在那干燥的堤岸和泥塘之间走了一段路程，
眼睛则一直盯视着那些身陷污泥的人：
我们终于来到一座塔楼的墙根。

注释

①原文是：Papé Sàtin，papé Sàtin aleppe。近代注释家认为，此句为“魔鬼语言”，无任何意义，萨佩纽注释本则说，其中有些语汇属中世纪，且古代注释家曾有基本一致的解释：“帕佩”（papé）相当于希腊文“帕拜”（papai），是表示惊讶的感叹词；但对“阿列佩”（aleppe）的解释则有差异：有的说是表示“痛苦”（《最佳评注》），有的则认为是指“上帝”，但一致认为，相当于希伯来文第一个字母“Aleph”，表示痛苦的感叹，如《旧约·耶利米书》第一章第六句耶利米的话第一个词即是此词：“主我的上帝啊”。但丁之子彼特罗的看法也与此相同，他并把全句诠释为：“啊撒旦，啊撒旦，魔鬼之首和魔鬼之王，我们看见的是什么啊！”

②“高贵的哲人”指维吉尔。

③指在天国，天使长米迦勒要惩办以卢齐菲罗为首的叛逆天使。

④指在意大利南部墨西拿（Messina）海峡的两个漩涡区卡里迪（Cariddi）和希拉（Scilla）之间，爱奥尼亚海（Ionio）的海浪与第勒尼安海（Tirreno）的海浪相遇，冲撞到一起。

⑤指贪财者和挥霍者在第四环受苦，因他们生前所犯罪行恰好各走极端，故在地狱中服刑时，分成左右两队，推着重物，绕圈迎面而行，行至半圈之处，相撞、相骂，然后又掉头回走，行至另一半圈之处，又一次相撞、相骂，如此周而复始，永无休止。

⑥“我们左边”指贪财者一边，“削发者”指教会神职人员。

⑦这里描述了贪财者和挥霍者的各自特点：前者“紧握拳头”，表示一毛不拔；后者“毛发皆光”，表示倾家荡产。

⑧“月天之下的所有黄金”指世间财富，全句的意思是：过去和现在的世间财富都不能使任何一个鬼魂感到满足，只要他们活在世上，就会渴望得到它，享受它。但波斯科-雷吉奥注释本则倾向于另一种解释，即：世上的所有黄金都不足以使任何一个鬼魂片刻不受苦刑折磨。近代注释家巴尔比（Barbi）和萨佩纽注释本都持前一种解释，其根据是但丁在《筵席》第四卷第十二节第三至十句段中曾指出：“世上的财富既令人得意，又令人失望，使人总是不能满足，另一方面，也使个人和国家的安宁总是受到威胁。”但丁的这一思想源自六世纪罗马哲学家波伊提乌斯（Boezio）的《哲学的慰藉》（*Consolazione della filosofia*）。

“月天”是九重天中离地球最近的天体，所以这里用它来隐喻人世。

⑨指上帝创造了九重天。

⑩指幸运女神。

⑪此句意谓：有些人若被幸运女神抛弃，他们就可不受希望与失望的摆布，因而本该赞扬而不是咒骂幸运女神。这里再次反映出但丁受波伊提乌斯的思想影响：波伊提乌斯在《哲学的慰

藉》第二卷中曾说："现在使你感到如此伤心的那个原因,本该是使你感到安心的原因。她(幸运女神)确实已经把你抛弃了,而任何人都永远不会确信自己是会被她抛弃的。"

⑫这里,但丁又一次接受了波伊提乌斯的思想:波伊提乌斯在《哲学的慰藉》第二卷中曾把幸运女神写成"任性而无情的神","她不肯倾听不幸者的哭诉,不关心他们的泪水,嘲笑由她残酷地引起的抱怨,她就是这样运用和试验自己的力量"。

⑬指司管各重天体的天使:上帝在造物初期,在创造各重天体的同时,也创造了天使。

⑭民间流传的幸运女神形象是一个站在轮盘之上的蒙住双眼的女神,轮盘按人间兴衰荣辱富贫等不同境遇分成八个部分,幸运女神即用转动轮盘的方法来决定世人的遭遇。幸运女神的最著名画像在维罗纳圣泽诺主教堂(Basilica di S. Zeno di Verona)内,这对但丁可能有所启发,但在诗中,幸运女神执行其职务并非"盲目",而是遵从上帝意旨。

⑮指惩罚易怒者魂灵的第五环。

⑯这里指的是维吉尔"动身"去营救但丁,不是指开始地狱之行。萨佩纽根据星辰绕地球一周运行二十四小时(东升西降各为十二小时)推算,此时距维吉尔"动身"已逾十二小时,从第二首开始(日落时分)到第十一首 113—114 句(距凌晨约二小时)估算,当约为 3 月 25 日至 26 日之间的午夜时分。雷吉奥的分析接近这一说法,但他强调,诗中的时间是诗人虚构的,旨在使读者对地狱之行有真实感,若斤斤计较则是"徒劳"的。

⑰斯提克斯(Stige),希腊神话中的地狱河流。

⑱诗中把易怒者分为暴怒者(iracondi)和郁怒者(accidiosi)两种(萨佩纽),此处指前者。按基督教教义,愤怒乃人生七大罪过(骄傲、贪婪、色欲、愤怒、贪食、嫉妒和懒惰)之一;1994 年逝世的当代注释家波斯科(Bosco)分析说,圣托马索评注亚里士多德《伦理学》时,曾把易怒者分为三类:即"爆发怒气者"(pronti all'ira)(这种怒气"不会持续很久")、"郁结怒气者"(amari)(这种怒气会持续很久,"要在报复所受伤害后平息或随时间慢慢平息")、"难消怒气者"(difficili)(这种怒气"只有在报复后才能消失");后两种属怀恨在心,并会越积越深,因而比"爆发怒气者"更危险,所受苦刑也更重,但他们的表现则是不能有所行动,是一种怠惰(accidia)。此处说明但丁受到亚里士多德有关思想的一定影响。

⑲指郁怒者;按此词即 accidioso 系名词 accidia 的形容词,亦可译为"怠惰者"。萨佩纽认为,但丁用以说明这类罪人的罪过的说法"不易解释"。他还认为,但丁之子彼特罗的解释是值得"认真考虑"的,即:易怒者、郁怒者、狂傲者(suberbi)和嫉妒者(invidiosi)都是在第五环中受惩:易怒者和狂傲者在沼泽地的表面,分在不同区域,郁怒者和嫉妒者则在下面,尽管后者未被明显提及,因此,七大罪过都在地狱的头几环找到了各自受惩的位置。

第八首

渡斯提克斯沼泽:弗列居阿斯(1—30)

腓力普·阿尔詹蒂(31—63)

狄斯城(64—81)

魔鬼的抗拒与维吉尔的失意(82—130)

渡斯提克斯沼泽:弗列居阿斯

我现在继续往下说[1]:
早在我们到达那高耸的塔楼脚下之前,
我们的眼睛就仰视到那塔顶,
我们看到那里有两束火光通明[2],
另有一束火光与之遥相呼应,
但那束火光距离太远,眼睛勉强才能把它看清。
我转身朝向那一切智慧之海[3],
说道:"这是何意?那另一束火光在作何反应?
那些打火光的究竟是何人?"
他对我说:"倘若泥潭的雾气不曾把你的视线遮拢,
你就可以从那污浊的水浪上,
看出他们所期待的是什么人。"
弓弦从不会这样把箭矢发出:

让它凌空飞驰如此神速，
我看到一条小船
顺水迎面驶来，恰如那箭矢离弦。
只有一个船夫在驾驶，
他叫道："可恶的鬼魂，你到底来了！"
"弗列居阿斯！弗列居阿斯！你在空喊一气[4]，"
我的救主说，"这一次，你只能在渡河时把我们控制在手，
你控制的时间不会比这更久。"
正如一个人发觉受骗，上了大当，
随后感到十分沮丧，
弗列居阿斯这时也只好把怒火压在胸膛。
我的老师下到船里，
然后叫我也随他进去，
而只是在我上船之后，那船才仿佛装载了东西[5]。
老师和我方才在船上坐定，
那古老的船首便破浪而行，
那船也比素常运载亡灵时吃水更深[6]。

腓力普·阿尔詹蒂

我们正在那一潭死水中行进，
忽然在我面前出现一个满身泥污的人，
他说："你这提前到来的究竟是谁[7]？"
我对他说："我确是来了，但我不会在此停留；
可你又是谁，弄得浑身如此龌龊？"
他答道："你可以看出，我是个受苦啼哭的人[8]。"
我于是对他说："该诅咒的鬼魂！
你会永远这样啼哭、受苦下去；
我认得出你，尽管你浑身都是污泥。"
这时他把双手朝小船伸了过来；
机智的老师立即把他推开，

那古老的船首便破浪而行，那船也比素常运载亡灵时吃水更深。（第八首第29、30行）

一边说道："快跟其他的狗一起滚开！"
老师接着用双臂搂住我的脖颈；
他亲吻我的面孔，并说："义愤填膺的魂灵！
生养你的那位，真好福分[9]！
那人在世曾是个目空一切的人；
他未给世人留下美名：
正因如此，他的亡魂才在此怒气冲冲。
多少人眼下在世间享有显赫名声，
将来到这里则会像污泥中的猪群，
身后也留下可憎的臭名！"
我于是说："老师，我多么渴望，
在我们离开这水潭之前，
看到他淹没泥塘。"
他对我说："在你看到彼岸之前，
你就会心满意足：
因为理应让你满足心愿。"
片刻之后，我就看见
那些满身泥污的人把那人撕裂，
我再次赞美上帝，感谢他使我的义愤得以发泄。
大家都在喊叫："痛打腓力普·阿尔詹蒂！"
而那狂怒的佛罗伦萨人的亡魂
则气得用牙齿痛咬自身。

狄斯城

我们离开了这里，详情我不想多叙；
但这时一片惨叫声震动了我的耳鼓，
于是我注目向前望去。
慈祥的老师说："现在，孩子，
那座城池正在临近，它名叫狄斯[10]，
那里有受重刑折磨的人，还有一列大军[11]。"

我说："老师，我已经从这山谷中看出，
那城池的塔楼一座座十分清楚[12]，
它们是那样红如赤铁，仿佛才从烈火中烘出。"
他对我说："那永生的烈火把它们烧灼，
烧得它们遍体通红，
正如你在这地狱低处所看到的情景。"
我们径自来到那深深的沟渠，
那沟渠把这凄惨的城池团团围拢：
我觉得那城墙仿佛是用铁铸成。
我们事先不得不绕行一大段河沟，
最后才来到一个地方，
那船夫厉声喝道："下船去！这就是入口！"

魔鬼的抗拒与维吉尔的失意

我看到那些城门之上，
有一千多个从天上坠落的魔鬼[13]，
他们气势汹汹地说："那人是谁？
他尚未死去却来到这死人的都城！"
我那博闻广识的老师做了一个手势，
表示要私下与他们交谈。
这时，那些魔鬼的巨大怒气稍见收敛，
说道："你自己过来，叫那人走开，
他竟如此大胆，擅闯这冥界。
让他独自返回他胆大包天走过的路径，
让他试上一试，倘若他能；
你则必须留下，既然你把他带进这黑暗地带。"
读者啊！请想一想，
听到这该死的话语，我是多么胆战心慌，
因为我绝不相信我能回到世上。
"啊！我亲爱的恩师啊！

每逢我遇到严重危险，
99 你都令我鼓起勇气，化险为夷，达七次以上[14]。
不要撇下我，”我说，“让我无路可投，
如果他们不准我们再往前走，
102 我们就赶快一起按原路回去。”
那位把我领到此地的老师对我说：
“不要畏惧；谁都不能截断我们的去路：
105 因为这是那一位的叮嘱[15]。
但是，你且在此等候，
振作起颓丧的精神，抱起美好的希冀，
108 我是不会把你撇在这阴曹地府的。”
那位温和的父亲就这样走了过去，
他把我留在原地，
111 我一直忐忑不安，“成”与“不成”在我脑海中交战。
我听不到他向那些魔鬼讲的话语，
但他也不曾与他们长久地待在一起，
114 因为城里的那些魔鬼都争先恐后地退了回去。
我们的这些对头把城门朝我的老师迎面关闭，
老师于是只能待在城门之外，
117 他迈着缓慢的步伐，转身向我走来。
他眼望着地，眉宇之间没有丝毫怡然自得之气，
他唉声叹气地说道：
120 “这帮人竟然不让我进入这痛苦之城！”
他对我说：“你不可泄气，尽管我气恼万分，
我必将赢得这场斗争，
123 不论城里怎样拼命抵御，不让我们进城。
他们如此气焰嚣张，这并不新鲜：
他们早已在那道不如这里秘密的城门就干过这种勾当[16]，
126 而那道城门至今还未被门闩关上。
你曾在那道城门上方看过那阴森的字句，

我听不到他向那些魔鬼讲的话语，但他也不曾与他们长久地待在一起，因为城里的那些魔鬼都争先恐后地退了回去。（第八首第112—114行）

现在已经有一位正顺着陡坡，从那道城门下到这里，
他经过一环又一环，无须护卫，
而这座城池的大门正是要由这一位来为我们开启⑰。”

注释

①本首的开头写法一反常规，引起古今注释家的猜测。十四、十五世纪的本维努托、卡斯泰尔维特罗（Castelvetro）解释说，这是诗人要把上一首未交待完的情节讲下去。薄伽丘、佛罗伦萨无名氏以及本维努托对本首与其他七首开头写法的不同解释为：但丁在撰写过程中曾一度中断，现又重新续写；这种解释造成注释界有关《神曲》著述“两个阶段”论的说法。据薄伽丘等说，前七首是但丁被放逐之前写成的，后连同别的东西一起散失，数年之后，诗稿失而复得，这时，但丁已寄居隆尼加纳（Lunigiana）贵族马拉斯皮纳（Malaspina）府中（1306 年），于是着手续写。萨佩纽认为，此说法不无根据，诗稿在续写时曾有多处修改，况且从艺术质量上看，除有关佛兰切丝卡一节外，前七首均不如第八首。但雷吉奥认为，薄伽丘的说法是“虚构”的，尽管近代注释家接受此论断，但仍“不大可信”。

②“火光”系指中世纪城堡上用来通风报信的烽火。

③“一切智慧之海”指维吉尔。

④弗列居阿斯（Flegias），希腊神话人物。战神马尔斯（Marte）与克丽丝（Crise）所生之子。因太阳神阿波罗（Apollo）诱奸其女科洛尼德斯（Colonide），愤而焚烧了德尔斐（Delfi）的阿波罗神庙。维吉尔的《埃涅阿斯记》和斯塔提乌斯（Stazio，45—96）的《特拜战记》（*Tebaide*）都对此有记载。但丁在诗中则把他写成看守第五环的魔鬼，象征愤怒，其任务似是运载斯提克斯河岸的鬼魂，行至中途，把鬼魂投入泥沼之中受苦。

⑤但丁是活人，有重量，因而船“仿佛装载了东西”。

⑥船既装载了东西，吃水也必然比运送无体重的鬼魂要深。

⑦“提前到来”是指但丁是“活着”来到地狱。

⑧此人为腓力普·阿尔詹蒂（Filippo Argenti），据薄伽丘说，他是佛罗伦萨归尔弗派阿迪马里（Adimari）家族的一支，属黑党，为但丁的政敌（但丁属白党）；其姓为德·卡维丘利（de Cavicciuli），家财豪富，本人为骑士，曾命为其坐骑钉银掌，故有“阿尔詹蒂”即“银”（argente）之绰号。据说，此人魁梧健壮，孔武有力，性格暴躁易怒。薄伽丘的《十日谈》第九日故事八和萨凯蒂（Sacchetti，1330—1400）的《故事集》（*Novelle*，二百二十三篇）第一百一十四篇中都曾提到他。据有些古代注释家说，他作为但丁的政敌，曾打过但丁一记耳光，但丁得罪阿迪马里整个家族，其中一人曾侵吞但丁财产，并将他放逐。

⑨此句出自《新约·路加福音》第十一章第二十七句。

⑩狄斯（Dite），地狱之王，又名普鲁托（参阅第六首注⑲）。“狄斯城”即地狱，维吉尔的《埃涅阿斯记》和奥维德的《变形记》中都有这种写法，但丁则把地狱之王写成为卢齐菲罗，而不是

狄斯。

⑪“大军”是魔鬼组成的大军。

⑫这里的塔楼原文为 moschite，即清真寺。狄斯城是魔鬼据守的，出于宗教偏见，但丁即借用此阿拉伯语汇来形容塔楼。“山谷”指第五环的地形宛如山谷，自上而下、由外向内倾斜，直通第六环。

⑬指叛逆的天使。

⑭“七次”为不定数，意谓多次。

⑮“那一位”指上帝。

⑯“不如这里秘密的城门”指但丁最初经过的第一道城门，即外城（参阅第三首第 1—11 句）。“早已……干过的勾当”指耶稣基督下到林勃拯救一些灵魂时亦曾遭到魔鬼阻挠（参阅第四首第 52—55 句）。自耶稣基督破门而入以来，那第一道城门就一直未用“门闩关上”。

⑰这里诗人给读者留下一个悬念：“有一位”究竟是谁？从最后一句维吉尔的预示，可以料到将是但丁的“救星”，因他将把城门“开启”。

第九首

但丁的恐惧与维吉尔的安慰(1—33)
复仇女神(34—60)
天国使者(61—105)
但丁和维吉尔进入第六环(106—133)

但丁的恐惧与维吉尔的安慰

一见我的老师掉头返回,我心中顿感惊骇,
这惊骇使我的面色变得一片煞白,
老师立即克制住他那惶惑神色,镇静下来。
他止住脚步,像倾听什么似的仔细谛听,
因为天色黑暗,雾气又浓,
视线无法把远处看清。
“不论如何,我们总要战胜拦阻,”
他开言道,“除非……不过,那一位也曾慨然相助[1]。
啊! 我奇怪来人何以到得如此迟延!”
我清楚地看出,他用后来说的话
掩盖开头说的话,
而后几句话与前几句话则又相差很大;
但他的说法毕竟令我感到害怕,

因为我发现,那中断了的话语
也许有更为不祥的含意。
“在这地狱深坑的底部,
难道第一环的人从不曾下来过?
而第一环的苦刑无非是使希望永得不到满足[2]!”
我提出了这个问题,老师就此答道:
“曾走过我所走的路的人
在我们当中为数寥寥。
我诚然有一次下到这里,
是受那残暴的厄里克托魔法的驱使[3],
她能召唤魂灵复归死者的身躯。
当时我的肉体刚刚死去,
她便差我进入这城墙之中,
为的是从犹大环带出一个魂灵[4]。
那一环地势最低,也最黑暗,
距离那环绕一切而转动的天也最远[5]:
这条道路我很熟悉,因此,你尽可把心放宽。
这沼泽散发着恶臭,
它把那痛苦之城团团围住,
如今若不通过抗争,我们就无法进入。”

复仇女神

他还说了别的,但是我已记不甚清;
因为我的视线已经转向
那高耸塔楼的火红塔顶,
那里霎时间突然出现三个地狱复仇女神[6],
她们浑身上下,鲜血淋淋,
她们的四肢和模样则酷似女性;
一条条青绿色的水蛇把她们的腰部缠紧,
她们的头发也由一条条小蛇和有角蛇构成,

这些蛇把她们那狰狞可怖的双鬓盘定。
对那永恒悲泣之国的王后的女仆[7]，
老师了解得一清二楚，
“看啊！”他对我说，“那是三个凶恶的厄里尼厄斯[8]。
左边这个是梅盖拉；
右边哭泣的那个是阿列克托；
中间的是提希丰涅。”说罢，他便沉默不语。
她们用指甲划破各自的前胸；
用手掌击打着自己，并且高声喊叫，
吓得我向诗人紧紧靠拢。
“叫梅杜萨来！我们要把他变成石头[9]，”
她们三个齐声这样说，一边往下瞅；
“我们不曾对特修斯的攻击进行报复，这是错打念头[10]。”
“你快转过身去，闭上眼睛，
因为果尔冈一旦出现，你若看她们一眼[11]，
你就再也无法返回人间。”
老师这样说道，并且亲自掉转我的身躯，
他不让我自己动手，
却用他的手捂住我的眼睛。

天国使者

啊！你们这些思维健全的人啊！
请注意发现那奇特的诗句
纱幕隐蔽下的教益[12]。
这时从那混浊的波浪上，
发出惊天动地的一声巨响，
骇得人失魂丧胆，震得两岸索索发颤，
这无异于冷热两股对立气流相撞，
促使一阵狂风倏起[13]，
扫荡森林，所向披靡，

"左边这个是梅盖拉;右边哭泣的那个是阿列克托;中间的是提希丰涅。"(第九首第
6—48 行)

把树枝吹断，刮落，席卷而去；
眼前是一片飞沙走石，
惊得走兽和牧人四下逃避。
他把双手从我的眼睛上移开，
说道："现在你可以仔细看一看
那泡沫翻腾的古老河面，雾气更浓的那一边。"
正如青蛙遇上它的死对头——长虫，
吓得纷纷没入水中，
各自蜷缩成团，与泥土混同。
我目睹一千多个受苦亡魂，
也与青蛙一样吓得四处逃奔，
因为他们看到有人步行渡过斯提克斯沼泽，却不湿脚跟[14]。
他不时把左手放到面前摇摆，
把那浓密的烟雾从眼前扇开；
他似乎只是厌倦这浓雾的纠缠。
我恍然大悟，他是受上天派遣，
我于是转向老师；老师则向我示意，
叫我保持肃穆，向来人鞠躬敬礼。
啊！在我看来，他是多么满怀怒气！
他来到城门前面，就用一根小杖，
打开城门，未见有任何抵抗。
"啊！你们这些被天国逐出的败类，可鄙之辈[15]！"
他开言道，伫立在阴森可怖的门坎，
"你们哪里来的这种嚣张气焰？
你们为何抗拒上天的意旨？
而你们对此又无能力加以阻止！
以往多次尝试也曾加剧你们的痛苦[16]，
与天命对抗究竟有何好处？
倘若你们还能记得清楚，
你们的刻尔勃路斯的下巴和脖颈至今仍无完肤[17]。"

他来到城门前面,就用一根小杖,打开城门,未见有任何抵抗。(第九首第89、90行)

他随即转身走回那满是污泥的路途,
他不曾与我们搭话,却像是一个人
102 另有公务在身,促其速行,
而无暇顾及眼前的人;
我们移动脚步走向鬼城,
105 听罢这番圣言,我们都大放宽心。

但丁和维吉尔进入第六环

我们进入那里,未遇任何阻拦;
我很想把城堡观察一番,
108 看看其中究竟有怎样的景象,
因此,我一进城就四下张望:
我看到到处都是一抹平川,
111 到处都可听到痛苦的呻吟,看到受刑的惨状。
就像在罗讷河淤积其内的阿尔[18],
就像在夸尔纳罗海湾附近的普拉
114 ——意大利囊括这海湾,它的边疆也恰好浸沐在海湾水下[19],
在那一大片坎坷不平的地带,到处都是墓穴,
这里也与那里一样,遍地都是坟冢,
117 除了这里有更加惨不忍睹的苦痛;
因为在那坟墓与坟墓之间,散布着熊熊烈焰,
这就把所有坟墓都烧得红遍,
120 任何铁匠都不会要求烧出更红的铁件。
所有棺材的盖子都支在一边,
从里面传出阵阵凄厉的抱怨,
123 显然这都是些可怜人和受刑者在哭声震天。
我于是说道:“老师,那些葬在棺材之内的人
究竟是什么人? 他们
126 发出痛苦的叹息声,使远近皆闻!”
老师告诉我:“这里是各种异端邪教的鼻祖,

“老师，那些葬在棺材之内的人究竟是什么人？他们发出痛苦的叹息声，使远近皆闻！”
（第九首第124—126行）

还有他们的信徒,这些坟墓
所装人数大大超出你的设想。
他们在这里是同类与同类一起埋葬,
坟墓焚烧的热度则高低不一样[20]。”
随后我们向右转去[21],
走过那火烧的坟场与高高的城墙之间的地方。

注释

①这里但丁描述维吉尔遇魔鬼阻拦后的心理上的骤变:即开头的“除非”表示维吉尔心中浮起的疑虑,随即又改变想法,确信贝阿特丽切乃至上帝曾允诺“慨然相助”。

②这里但丁用曲折、隐晦的问话,探询维吉尔究竟有无来过狄斯城的经验。

③厄里克托(Eriton)为卢卡努斯在《法尔萨利亚》第六卷(508—827句)中提到的色萨利(Tessaglia)女巫,她有招魂还阳之魔法,曾召唤一亡魂在法尔萨卢斯大战前夕,向庞培之子塞克斯图斯预示此战结局。萨佩纽和波斯科-雷吉奥两部注释本都认为,此处显然是但丁阅读该书后借用此典;另一依据则是维吉尔的《埃涅阿斯记》第六卷(565句),其中述及女巫西比拉(Sibilla)引导埃涅阿斯游地府时曾向他说明:她曾伴随过冥界女神赫卡特(Ecate)来过冥界;但丁沿用此写法,说明维吉尔也有来过狄斯城的经验,同时也表明,他不相信当时中世纪流行的说法:即维吉尔擅长巫术(雷吉奥)。

④犹大环(cerchio di Giuda),地狱最后一环亦即第九环的最底层,那里惩罚罪行最重、背叛恩人的鬼魂,故以叛徒犹大命名。

⑤这里的“天”指“水晶天”(Cielo cristallino)或“原动天”(Primo Mobile),亦即围绕地球而转动的九重天中最外层的,离地球最远,因而离位于地球中心的地狱也最远;按中世纪天文学说法,地球不动,九重天则绕地球而动,水晶天处于最外层,自然绕地球和其他八重天而动,故曰“环绕一切而转动”。

⑥“三个复仇女神”(tre Furie)是:代表“永不休息”的阿列克托(Aletto),代表“敌对者”的梅盖拉(Megera)和代表“惩罚杀人者”的提希丰涅(Tesifone 或 Tisifone)。在希腊神话中,她们代表“懊悔”,专事折磨那些犯有杀人罪的人。据说,她们发怒时会变黑,平静时会变白。但丁用此典故,据萨佩纽和波斯科-雷吉奥两部注释本分析,是受维吉尔《埃涅阿斯记》第六、七、十二卷,奥维德《变形记》第四卷,斯塔提乌斯《特拜战记》第一卷的影响。

⑦“悲泣之国”指地狱,“王后”为普罗塞皮娜(Proserpina),她是地狱之王普鲁托之妻。

⑧厄里尼厄斯(Erine 或 Erinni),复仇女神的正式名称,为冥河阿凯隆特与夜神所生三女;“复仇女神”(Furie)系罗马人给她们的别称。

⑨梅杜萨(Medusa),为海神佛尔科斯(Forco)所生三女妖果尔冈(Gorgoni)中最年幼、最凶恶的。

据说,她与海神涅普图诺斯(Nettune)在智慧女神密涅瓦(Minerva)神庙中交媾,密涅瓦大怒,将她的头发变为蛇,并使她产生魔力:凡正视她的人都被化为石头。后她被珀修斯(Perseo)砍掉脑袋,而其魔法不变。

⑩特修斯(Teseo):希腊神话中的英雄人物,曾参与阿耳戈英雄随伊阿宋寻找金羊毛的行动。他曾杀死牛首人身怪弥诺陶洛斯(Minotauro),征服女儿国阿玛松(Amazzoni),成为雅典王。他与其友拉皮提斯(Lapiti)王庇里托俄斯(Piritoo)下地府,试图掠夺地狱王后普洛塞皮娜,庇里托俄斯被地狱怪犬刻尔勃路斯吞食,特修斯则被冥王普鲁托囚入地府,后被海格立斯(Ercole)救出。诗句的含义是:三个复仇女神如在特修斯擅闯地府时给以应有的打击,就可防止以后再有人仿效他而闯入冥界。

⑪果尔冈,参见注⑨。

⑫这里,但丁未说明"教益"为何。古代注释家曾猜测纷纭:十四世纪注释家雅科波·德拉·拉纳(Iacopo della Lana,为第一位用通俗文字评注《神曲》的注释家)认为,这是用以说明梅杜萨象征异端邪说,薄伽丘则认为,她象征性欲,旨在迷惑世人,此说为近代注释家所接受。但丁之子彼特罗、本维努托、班巴利奥利等则从三个复仇女神出发加以诠释,说她们象征"懊悔",试图使但丁半途而废。因而古代注释家大多从孤立的人物来诠释"教益"。萨佩纽与他们不同,从总的情节出发,指出:世人在悔过自新、求得解脱罪孽的道路上,必须克服梅杜萨、复仇女神以及魔鬼诱惑等象征的重重障碍,在一定程度上,依靠维吉尔象征的"理性"可以做到这一点,但要完全克服障碍,还须有上天的"恩泽",亦即天使来救。这实际上是全诗的主题。

⑬这里但丁从科学角度描述夏季在冷热两股气流相遇之下引起的暴风雨现象。

⑭此人即上天派来的天使。

⑮指叛逆天使。

⑯这里指耶稣基督、特修斯和海格立斯先后下到地狱,都曾给魔鬼带来除叛逆而受处罚之外的其他痛苦教训。

⑰怪犬刻尔勃路斯在海格立斯下到冥界时,试图拦阻,却被海格立斯挫败;海格立斯用铁链锁住它的脖颈,因用力过猛,甚至把它下巴和脖颈上的皮也磨掉了。维吉尔《埃涅阿斯记》第六卷有此情节,但丁则在此做了"异常写实的细节描绘"(萨佩纽)。

⑱阿尔(Arli 或 Arles),法国普罗旺斯省南部一小市镇,位于罗讷河左岸,卡马尔科平原(Camarque)北端,罗马遗迹甚多,特别是在中世纪,曾有大片罗马坟冢,名曰"阿利斯冈墓地"(Cimitière des Alyscamps),至今仍留存一部分。传说,这片墓地是一夜之间出现的,为的是埋葬随查理大帝征战异教徒的阵亡将士。过去有人曾将"淤积"(stagna)一词诠释为"入海",但阿尔并非位于近海处,故似应按雷吉奥的解释,理解为罗讷河流至三角洲一带淤积而成沼泽;萨佩纽依据但丁在第二十首第66句"淤积"一词的词义也曾解释为"入海",但他也提出阿尔并非近海市镇,并未排除作淤积而成沼泽的诠释。

⑲普拉(Pola),位于伊斯的利亚(Istria)半岛南端,今属克罗地亚。当地也曾有过大片罗马墓

地，具体地点为格兰德港（Porto Grande），但今已荡然无存。

夸尔纳罗海湾（Carnaro 或 Quarnaro，Quarnero），位于伊斯的利亚半岛与达尔马提亚（Dalmazia）之间的亚得里亚海海域，属意大利边界东北端。

⑳火烧的热度高低依异端邪说者所犯罪行大小而定。

㉑波斯科-雷吉奥注释本着重指出，这里是但丁写法上的一个“例外”，即但丁与维吉尔在冥界中一直是向“左”转，只有两次是向“右”转：此处是第一次，第二次则是在《地狱篇》第十七首下到第八环时。雷吉奥曾引《旧约 · 箴言》第四章第二十七句试图说明但丁此句的寓意：“你不要向右，也不要向左，务要远避恶事；但是，主喜欢右边的道路，左边的道路是弯路。”

第十首

伊壁鸠鲁派信徒的坟墓(1—21)
法里纳塔·德利·乌贝尔蒂(22—51)
卡瓦尔坎泰(52—72)
法里纳塔的预言(73—93)
亡魂预卜的局限性(94—120)
但丁的惶惑(121—136)

伊壁鸠鲁派信徒的坟墓

现在我们走在一条狭窄难行的羊肠小径,
在那鬼城的城墙和火烧的坟冢之间,
我的老师走在前面,我尾随在他的后边。
“拥有最高美德的导师啊!”我开言道,“你随心所愿[1]
带领我绕过这罪孽深重的一环又一环,
请告诉我,也请满足我的心愿:
那些躺在坟墓中的人能否看到外面的东西?
既然这些棺盖都已竖起,
任何看守又已不见踪迹。”
老师对我说:“等他们从约沙法谷回到这里[2],
带着他们如今留在人世的那些肉体,

所有棺盖就将紧闭。
这一带都是伊壁鸠鲁派信徒的墓地，
他们与伊壁鸠鲁本人葬在一起[3]，
他们认为，灵魂是与肉体一道死去。
因此，对你向我提出的问题，
不出这个地方，你就可以很快得到满意的答复。
你的心愿也会得到满足，尽管你不曾向我说出[4]。”
我说，“好师长，我并非要把话埋在心里不说，
我只不过是不想噜苏，
你并非只是现在才乐意我这样做[5]。”

法里纳塔·德利·乌贝尔蒂

“啊！你这个谈吐如此文雅的托斯卡纳人[6]！
你竟然活着便来到这火之城[7]，
请你在这个地方暂且停一停。
你的言谈说明
你是出生在那高贵的家乡[8]，
或许我曾给它带来祸殃[9]。”
这声音是突然从一个坟墓中发出，
因此，我吓得心惊肉跳，
向我的老师身边稍许靠得更近。
老师对我说，“转过去吧！你怎么了？
你看法里纳塔在那边已经站立[10]：
你可以看到他从腰部以上的全部身体。”
我早已把我的视线盯住他的视线；
他正挺胸昂首，巍然屹立，
仿佛把地狱根本不放在眼里。
老师用他那鼓励而灵敏的双手，
把我推到坟墓丛中的那人身旁，
一边说道：“你说话切要得当。”

我来到他的坟墓脚下，
他打量我一眼，随即几乎是盛气凌人，
问我："你的祖辈是谁？"
我一心只想诸事依从，
因而对他并不隐瞒，而是把一切说明，
这一来，他把眉毛稍稍向上一抬[11]，
然后说道："他们对我，对我的祖先，对我的党派，
曾视如仇敌，不共戴天，
我曾先后两次，把他们驱散[12]。"
我回答他，"他们尽管曾被赶走，却仍从各地重返，
先后两次，都是如此[13]，
可你们的人却不曾很好地学会这套本事[14]。"

卡瓦尔坎泰

这时，从棺盖打开的地方，
有一个鬼魂在此人身旁出现[15]，
他只露出了下巴，我想他是起身跪下：
他朝我的四周张望了一下，
仿佛想要看看是否有人与我在一起，
随后，他的猜疑完全消失，他边说边泣：
"既然你凭借你的卓著才华，
来到这黑暗的监狱，
那么我的儿子在哪里？他为何不与你在一起？[16]"
我对他说，"我并非独自来到这里：
是那个等在那边的人带领我经过此地，
去见也许您的圭多还不屑于见的那位[17]。"
此人的话语和他所受的苦刑
都已经使我知道他的名姓；
因此，我才作出这样明确的回答。
他一听立即挺起身来，叫道："你说什么？

我来到他的坟墓脚下，他打量我一眼，随即几乎是盛气凌人，问我："你的祖辈是谁？"（第十首第40—42行）

他怎么了？难道他不再活着？
难道那和煦的阳光不再照射他的眼睛？”
他见我在回答之前有些踟蹰，
便立即重又仰面倒下，
不再从墓中显露。

法里纳塔的预言

但是，另一个气魄豪迈的人仍留在我身边，
他的神情丝毫未变，
他既不转动脖颈，又不屈下腰身：
他继续把方才的话讲下去，
说道：“倘若他们不曾把那本事学好，
这会使我受到比躺倒墓地更加痛苦的煎熬。
但是，那统治这里的女人的面孔
照亮不到五十次[18]，
你就将领教那本事的后果会多么严重[19]。
但愿你能回归那温馨的世界[20]，
请告诉我：为何那里的人民在他们制订的各项法律中[21]，
对我的家人总是那么残酷无情？”
于是我对他说：“那惨绝人寰的大屠杀
把阿尔比亚河染成一片血红[22]，
这使我们不得不在我们的殿堂宣读祷文[23]。”
这时，他摇了摇头，长叹一声，
他说，“干出此事的并非只我一人，
而我与其他人一道行动也肯定并非毫无原因。
不过，在众人都同意摧毁佛罗伦萨的当儿，
只有我单枪匹马，
挺身而出保卫它[24]。”

亡魂预卜的局限性

“哦,但愿您的亲族有朝一日得到安宁,”
我向他恳求道,“请您为我解开那症结,
它在这个问题上困扰我,使我无法把真相判明。
倘若我不曾听错,你们似乎能预见
随时间流逝而发生的事件。
而对于眼前的事,你们则无力卜算[25]。”
他说:“我们就像眼力不济的人[26],
能看到距今遥远的事情;
这也是仰仗最高的主宰给我们带来的光明[27]。
一旦事情临近或业已发生,
我们的智力就完全不起作用;
倘若无人向我们通报,我们对你们人间的事物就会无从知晓。
因此,你可以明白:
未来的大门一旦关闭,
我们的认识也便完全消失[28]。”
这时,我像是对自己的过错感到愧疚,
说道:“现在请您告诉那倒下去的人,
他的儿子还与活人一起在世上生存。
倘方才我不曾马上回答,
请您告诉他:我之所以如此,是因为
我当时在思索您已经为我解决的那个疑团。”
这时我的老师已经在向我召唤;
我不得不急忙请求那灵魂
告诉我:与他在一起的是何人。
他对我说:“我与一千余人躺在这里[29],
坟墓里有腓特烈二世[30],
还有枢机主教;至于其他人,我就不再说明[31]。”

但丁的惶惑

说罢，他便重又倒下，我转动脚步，
走向那古代诗人，一边则在回想
123 刚才的谈话，我觉得那内容似很不祥[32]。
他开始动身；随即一边走着，
一边对我说："你为何如此惶惑？"
126 我对他的问话作了答复。
这位智者对我说："你的脑海依然记住
你所听到的不利于你的话语，"
129 "现在，你要注意听着，"他随即竖起一个手指：
"等你将来面对那位圣女的温柔目光[33]，
你就将得知你一生经历的旅程，
132 因为那圣女的秀目能把一切看清。"
说罢此话，他便把脚向左方移动：
我们离开城墙，走向这层地狱的中心，
135 沿着一条通往山谷的小径[34]，
那山谷的浊气一直冲到上边，奇臭难闻。

注释

①萨佩纽注释本对但丁称维吉尔为"拥有最高美德的导师"作了独到的解释，即认为，维吉尔在诗中是象征"理性"，而理性被但丁所崇拜的亚里士多德视为"最高美德"，故但丁在此是有意提醒读者注意维吉尔所代表的象征意义。

"随心所愿"一语，古今专门研究寓意的学者都苦心探索其真正寓意。萨佩纽认为，尽管可以把此语解释为维吉尔带领但丁游地府，一直向左转，只是到了这一层即第六环才向右转（参阅第九首第132句），仿佛有些"随心所愿"，但此语的"象征意图"依然是"费解"的。他引述了安德雷奥利（Andreoli，1823—1891）的注释，该注释认为，维吉尔与但丁为上岸进入狄斯城曾绕了一大圈（参阅第八首第79—81句），进城之后，发现把第六层已走了大部分，为找到前往第七环的固定地点，他们不得不向右退回去，而不是向左往前行。

②约沙法谷（valle di Iosafàt 或 Giosafat），上帝进行最后审判的地点：在最后审判日，所有鬼魂都将集中于此听候审判（参见《旧约・约珥书》第三章第二句："我要在约沙法谷审判各个民族"）；在这之前，鬼魂须先恢复遗留在人世的肉身，使之与灵魂结合，一起受审。

③伊壁鸠鲁(Epicuro,公元前341—前270或前271),古希腊唯物主义哲学家,公元前306年,曾在雅典成立一著名的哲学学院。他推崇哲学原子学说,认为世界由原子构成,事物的生与死均由原子的聚合与分离所决定;灵魂亦由更细微的原子组成,随人的死亡而分解,因而灵魂并非"不死"。他不否认神的存在,但认为神存在于异常遥远的世界,自得其乐,不问人世,因而人亦不必畏惧神与死(死只是"长眠");他主张人生在世,应采取在痛苦与乐趣二者之间保持等距离的冷漠、无动于衷(atarassia或apatia)的态度。他还认为,人的行动动机起于精神的而非物质的"乐趣"。但丁从西塞罗的有关著作中了解到伊壁鸠鲁的学说,并在《筵席》第四卷第六节第十一句段中着重指出:伊壁鸠鲁说明所有动物生来就是"追求快乐,逃避痛苦",因此,"我们的目的就是乐趣(voluptade)……亦即无痛苦的欢乐(diletto sanza dolore)"。伊壁鸠鲁学说产生于基督教诞生之前,本不该列为异端邪说,但在中世纪,所有反对灵魂不死之说的人均被看成"异端",亦即"伊壁鸠鲁派信徒"(epicurei),但丁自然也不例外,故他在《筵席》第二卷第八节第八句段中又谴责这种否认灵魂不死论为"所有野蛮主张之一",是"极愚蠢、极卑鄙、极有害的看法"。中世纪把伊壁鸠鲁派信徒的范围甚至扩大到反对教皇干涉世俗权力的吉伯林派。中世纪宗教裁判所对异端分子的处罚是判以火刑,因而诗中第六环的报复刑即是火焚坟墓,表明犯异端罪者死后也要受此酷刑,灵魂不得安宁。由于但丁对伊壁鸠鲁学说有上述两种不同评价,有些注释家便就此提出但丁对伊壁鸠鲁学说的认识分"两个阶段"。雷吉奥和萨佩纽对此说均有保留,但二人出发点不同:前者认为,但丁在《神曲》中有关伊壁鸠鲁学说的写法是"对他以前在其他作品中表达的思想"的一种"纠正",而且,全诗中不乏此例;后者则认为,但丁对伊壁鸠鲁的看法是针对不同问题而有所不同。

④但丁未说出的"心愿"是想知道坟墓中有无自己的同乡,特别是法里纳塔;他在经过第三环时就曾向犯贪食罪而受苦的恰科探询过(参见第六首第78—79句,关于法里纳塔,参见第六首注⑪)。法里纳塔虽是吉伯林派首脑人物,是属于归尔弗派的但丁的政敌,但他为人正直,甚至连归派著名史学家维拉尼也称他为"睿智而英勇的骑士",但丁对他也十分钦敬,从以下诗句中可以看出(如一直以"您"相称)。法里纳塔死于1264年;1266年,支持吉派的西西里王曼弗雷迪与法国的安茹的查理和教皇交战,战败于贝内文托(Benevento)战役并被杀,支持吉派的施瓦本家族(或称霍亨斯陶芬家族)的势力彻底衰落;1267年,归派东山再起,重新统治佛罗伦萨,对法里纳塔家族为首的吉派分子大肆迫害;1283年,即在法里纳塔死去十九年后,圣方济各会僧侣萨尔莫内·达·卢卡(Salmone da Lucca)代表宗教裁判所,追判法里纳塔及其妻阿达莱塔(Adaleta)犯异端罪,命令将二人的遗骨从圣雷帕拉塔(S. Reparata)教堂掘出,并没收其遗产,宅第夷为平地,将法里纳塔的乌贝尔蒂家族永远驱逐出境。是年,但丁十八岁,对此事件印象极深,故在冥界之行中一再探听法里纳塔的下落。

⑤"并非只是现在"原文为non pur mo,当代注释家波雷纳(Porena)认为,应解释为"很久以来",因此,全句应为"你很久以来就乐意我这样做",因为他说,维吉尔此时并未向但丁"作任何类似的告诫"。

⑥托斯卡纳(Toscana)为意大利中北部大区,佛罗伦萨即为其首府;诗中用的是它的形容词 tosco,相当于意大利文的 toscano。

⑦“火之城”即狄斯城,因此处,犯异端罪的亡魂的墓地均被火烧。

⑧“高贵的家乡”即佛罗伦萨。

⑨“带来祸殃”指吉伯林派与归尔弗派的朋党之争,通过法里纳塔本人,给佛罗伦萨带来内战、刀兵之祸。

⑩法里纳塔,参见第六首注⑪。诗中始终用鲜明的笔触,刻画了法里纳塔的豪迈高傲、坚毅不屈的品格。关于他被判为“异端”,与伊壁鸠鲁派信徒放在一起,注释家对此颇有看法;雷吉奥就指出,法里纳塔的“异端”罪很复杂,因而有的注释家对此抱怀疑态度,有的则明确指出,在他去世十九年后才定罪,这说明有政治目的;但有人也认为,当时划为异端邪说的范围很广,吉伯林派反对教皇干涉政治事务,恰与反对罗马教皇的异端分子(如清净教 Catari)不谋而合,也便成为异端分子。

⑪有的注释家将“把眉毛稍稍向上一抬”诠释为表示回忆,萨佩纽注释本认为不妥,指出:这是表示“这个吉伯林派分子的既傲又怒的神态”,因为他从但丁述说其祖先的姓名中得知对方就是自己的冤家对头,而下面的诗句也证明了这一点。

⑫指 1248 年和 1260 年,在佛罗伦萨占据统治地位的吉伯林派“驱散”归尔弗派。萨佩纽注释本指出,“驱散”(dispersi)有“肃清”、“消灭”(annientati)之意,这是但丁所不能接受的,所以,但丁在答复时针锋相对、但又恰如其分地改用了“赶走”(cacciati)一词。

⑬指 1251 年和 1267 年,归派重掌佛市政权。前一次是由于施瓦本家族势力的衰落,神圣罗马皇帝腓特烈二世于 1250 年逝世,吉派力量有所削弱;后一次请参阅注④。

⑭“本事”指重返佛市的本领:1267 年归派在佛市重新上台,政权巩固,虽放逐了吉伯林派分子,但为笼络人心,曾颁布大赦、赦免等政令,使绝大部分吉伯林派分子得以陆续返回佛市,只法里纳塔的乌贝尔蒂家族被排除在外,永不能返回故土。

⑮此鬼魂是卡瓦尔坎泰·德伊·卡瓦尔坎蒂(Cavalcante dei Cavalcanti),为但丁的好友、“新体诗”杰出代表圭多·卡瓦尔坎蒂(Guido Cavalcanti)之父。据薄伽丘、本维努托等十四世纪注释家称,他是个“风流倜傥、腰缠万贯的骑士”。他是归尔弗派的首脑人物,蒙塔贝尔蒂战役后,吉伯林派曾烧毁他的宅第;1267 年,归派借吉派力量削弱重返佛罗伦萨,为巩固两派的暂时和平,他与法里纳塔的乌贝尔蒂家族联姻,使其子圭多与法里纳塔之女贝阿特丽切(Beatrice)订婚。据说,他是个“异端分子”、“伊壁鸠鲁学说的信徒”,“不相信肉体死后灵魂永存”,并说他曾认为“人世最大幸福莫过于肉体的乐趣”,他“口中总是不忘所罗门的名言:即人与兽之死是一般无二的,二者的命运并无差别”(本维努托)。作为“异端”,他被与政敌法里纳塔放在一起受火烧之苦。

⑯此处指卡瓦尔坎泰以为自己的儿子圭多也同样“才华卓著”,理应与但丁一起遨游地府。

圭多·卡瓦尔坎蒂(1255—1300),是十三世纪佛罗伦萨文化生活中最显赫的重要人物之一，特别在诗坛上享有盛名，但丁从事新体诗的创作，也受到他的影响，但丁本人对他也钦佩备至，在《新生》第三卷第十四节曾称，他这部青年时代的小说就是献给圭多这位“最要好的朋友”的。圭多在哲学上也颇有成就，崇尚阿拉伯哲学家阿威罗伊斯的思辨哲学，当时被公认为“异端分子”，甚而被说成是“无神论者”。薄伽丘的《十日谈》中也有他的故事（第六天第九故事）。他曾积极参与政治生活，尽管由于当时法律规定，他出身贵族，不能担任公职。作为白党首领，他参与了1300年6月与黑党分子的斗殴流血事件，事后被流放萨尔扎纳（Sarzana）；作此决定的六位执政官中有但丁，同时，黑党首脑人物亦遭流放。不久，他在流放地染疾，获准返回佛罗伦萨，同年八月底病故。但丁的冥界之行始于1300年春分之际，故当时他尚活在人世。

⑰对“圭多还不屑于见的那位”一句注释家有不同诠释。有人也把此句解释为圭多拒绝随维吉尔前去。问题的焦点似在于对联系代词 cui 的理解。有的注释家认为 cui 代表“等在那边的人”，亦即维吉尔；有的则认为是代表贝阿特丽切即神学（帕尔亚罗）。波斯科-雷吉奥和萨佩纽两部注释本都接受后一种解释：萨佩纽说，但丁认为圭多拒绝被带领去见贝阿特丽切，并非指见那圣女，而是指见她所象征的信仰、神学，因此，但丁“影射的是他朋友的异端立场”；雷吉奥也说，把圭多说成对维吉尔不满，不愿随他而去是“莫名其妙”、“站不住脚”的。

⑱“统治这里的女人”指地狱之王普鲁托之妻普罗塞皮娜（参见第九首注⑦）。在希腊神话中，她亦被看成是月神，是猎神狄亚娜（Diana）的三个名称之一：在天上，称月神（Luna），在地上称狄亚娜，在冥间称赫卡特（参见第九首注③）或普罗塞皮娜。她的“面孔照亮”指月圆，“不到五十次”则指不到五十个月。因此，距虚构的地府之行（1300年春分）约有四年零两三个月时间，即要到1304年5、6月。但丁于1302年被流放，至1304年间曾多次会同遭放逐的白党分子以及吉伯林派分子试图用武力打回佛罗伦萨，结果均告失败；法里纳塔的预言恰恰针对这一史实。

⑲此句意谓但丁与乌贝尔蒂家族永被流放，无法还乡，二者遭遇是一致的。

⑳“温馨的世界”指人世。

㉑这里指当权的归尔弗派尽管通过一系列赦免吉伯林派的法律，却一直把乌贝尔蒂家族排除在外，如1280年，枢机主教拉蒂诺（Latino）就试图在归吉两派之间斡旋，促使归派颁布赦免令。

㉒这里的“惨绝人寰的大屠杀”指蒙塔佩尔蒂战役，吉伯林军重创归尔弗军，甚至把邻近蒙塔佩尔蒂的一条小河——阿尔比亚河也“染成一片血红”。

㉓这里指吉伯林派在蒙塔佩尔蒂战役中对归尔弗派的“大屠杀”促使归派采取迫害吉派的报复性决定。当时，按惯例，此类决定要在教堂，主要则是在圣约翰教堂中作出；注释家帕尔亚罗把这一活动比作“一场大的天灾之后，在圣殿中做隆重祷告”。

㉔蒙塔佩尔蒂战役中，由以法里纳塔为首的佛罗伦萨吉伯林派，与全托斯卡纳大区各城市的吉伯林派组成联军，在西西里王曼弗雷迪的民兵协助下，击溃了佛罗伦萨归尔弗军；联军首领在恩波利（Empoli）开会，主张摧毁佛罗伦萨，此建议甚至得到与会的佛市代表同意，当时只

有法里纳塔一人,铁面无私,坚决反对,终于保住了这座名城。

㉕指地狱中的亡魂只知未来的事,不知眼前的事。

㉖“眼力不济”意谓患了远视眼。

㉗“最高的主宰”指上帝。

这里,注释家曾有争议:有人认为,法里纳塔所说的这种只知未来、不知现在的缺陷,是所有鬼魂共有的;有人则认为,只是伊壁鸠鲁派信徒才有的,因为他们否定有“人世以外的生活”,这种缺陷是上天施加于他们的报复刑。萨佩纽注释本接受后一种解释,但也指出这一点对恰科不适用(参见第六首第34—93句),因恰科既知现在,又知未来;当代注释家基门兹(Chimenz)还说,“只是后来,肯定地说,只是从第十六首第67—72句起,(但丁)才把这种情况引申为‘一般准则’。”

㉘指最后审判后,将不再有未来,一切将永远不变,鬼魂的“认识”也便永远“消失”。

㉙“一千余人”系不定数,表示众多。

㉚腓特烈二世,神圣罗马帝国皇帝腓特烈一世(号称“红胡子”Barbarossa)之孙,亨利六世之子,1197年任西西里王,1214—1250年任神圣罗马帝国皇帝。一贯反对教皇,支持吉伯林派。博学多才,曾促进西西里文化事业繁荣,创立“西西里诗歌学派”(Scuola poetica siciliana),并为文艺复兴奠立初步根基。因此,尽管在政治上与但丁属于对立派别,在人品上,则如法里纳塔一样,深得但丁景仰,被称为“伟大的君主”;《地狱篇》第十三首第75句和《论俗语》第一章第十二节对他赞扬备至。中世纪把他视为“异端”,十三世纪史学家萨林贝内(Salimbene,1221—1287)在《编年史》(*Chronicon*)就称他为“伊壁鸠鲁派信徒”,说他本人并令他的学者从《圣经》中“寻找和搜集一切能证明死后没有其他来生的材料”。正因如此,但丁把他放在第六环中受火烧之苦。

㉛“枢机主教”指奥塔维亚诺·德利·乌巴尔迪尼(Ottaviano 或 Attaviano degli Ubaldini),1240—1244年任波洛尼亚(Bologna)主教,1245年起任枢机主教,1273年逝世。出身吉伯林派名门望族。同时代人不呼其名,只简称其为“枢机主教”,故诗中亦沿用此惯称。公开支持吉伯林派,宣扬异端立场;其侄为著名大主教鲁吉埃里(Ruggieri),但丁把他作为叛徒放在第九环中受苦(第三十三首)。他虽多年站在教皇一边,反对腓特烈二世,但积极支持吉伯林派的立场始终未变。十四世纪注释家雅科波·德拉·拉纳曾说,枢机主教奥塔维亚诺是一个“世俗之人”,“他异常关心这些世俗之事,看来,他并不相信除现世外还有来世”;本维努托也说他说过这样的话:“我可以说,倘若有灵魂,我为支持吉伯林派,也早已把它失掉了。”

㉜指法里纳塔预言但丁将被终身放逐。

㉝圣女指贝阿特丽切。萨佩纽注释本和波斯科-雷吉奥注释本都指出,后来向但丁讲解他的“一生经历的旅程”的并非贝阿特丽切,而是他的高祖卡恰圭达(Cacciaguida),即在《天堂篇》第十七首。雷吉奥说,但丁在撰写本首和下面的第十五首时,确是想由贝阿特丽切来讲述他的一生,但《神曲》尽管基本主题早已确定,内容则是“随编写的时间逐渐演变和丰富”的。

㉞这里的“山谷”指第七环。

第十一首

教皇阿纳斯塔修斯墓前(1—15)
地狱中鬼魂的分布(16—90)
高利贷者的下场(91—115)

教皇阿纳斯塔修斯墓前

我们来到一片高高的断崖上边[1],
这断崖是由巨大的残石围成一圈,
一批受着更加残酷的刑罚的鬼魂就在我们下面[2];
这里,那深邃的坑谷散发的恶臭
气味可怕,令人难挨,
我们不得不退后几步,躲近一个硕大石墓的棺盖,
我看到墓上有一块碑文,
写道:“我看管的是教皇阿纳斯塔修斯,
浮提努斯曾引诱他离开正路[3]。”
“我们可以停顿一下,再下去,
这样,就可以先使嗅觉能稍微
适应那难闻的气味,然后对它就不必在乎。”
老师这样说,而我则对他言道:
“可否想些办法,让时间不致荒废掉。”

我们不得不退后几步，躲近一个硕大石墓的棺盖，我看到墓上有一块碑文，写道："我看管的是教皇阿纳斯塔修斯。"（第十一首第6—8行）

他于是说:“我已经想到这一点,你可以看到。”

地狱中鬼魂的分布

“我的孩子,”他随即开言道,“在这些断裂的岩石里面,
有三个小圈圈,它们一圈小于一圈[4],
就像前面经过的那几环。
各圈都布满了该诅咒的幽灵,
但既然你随后就会亲眼得见,足以弄清,
你就可以领悟他们是怎样、又为何被如此囚禁。
任何遭到天怒的恶行,
其目的都是要伤害别人,
要达到任何此类目的,不论是用暴力还是以欺诈,都
　　会对他人造成伤损。
而由于欺诈是人固有的罪恶,
为上帝最不容,因此,欺诈者[5]
也便被囚在底层,所受苦刑也更重。
第一环监禁的都是施暴者[6];
但由于他们对三种人进行暴力侵犯[7],
他们就被分成三类,放在三大圈。
他们施暴的对象是上帝、他们自身和他人,
我说的是:这三种人的身体和东西,
你将会听到我详尽地加以说明。
用暴力把别人置于死地,
令别人遭到严重伤害,
破坏、焚烧、肆无忌惮地掠夺他人家财;
因此,杀人者、所有严重残害他人的家伙,
洗劫纵火者和强取豪夺者,
全都被分成不同的队伍,在第一个大圈中受苦。
一个人也可能施暴于他自己的身体和财物;
因此,凡是迫使自己离开你们人世的人,

就必须在第二个大圈中徒劳地忏悔过去；
同样，凡是用赌博挥霍和荡尽家财的人，
也要在这个大圈中白白哀叹悔不当初[8]，
而这类人在阳间本该为拥有家财而欢悦，不是为丧失家财而啼哭[9]。
也可能以暴力对待神灵，
从心底里否定和咒骂他们，
蔑视自然和自然的恩宠[10]。
因此，最小的那一圈是给所多玛和卡奥尔[11]
以及那些心里蔑视上帝、口里公开亵渎的人，
打上它特有的烙印。
欺诈损害所有良心[12]，
一个人可以用它来对待信任他的人，
也可以用来对待并不相信他的人。
这后一种做法显然会割断
自然给人们建立的爱的纽带[13]；
因而在下一环里麇集着
伪善、谄媚、妖言惑众者，
造谣生事、盗窃和买卖圣职、
作淫媒者、贪赃卖法者以及类似的污垢[14]。
这是用另一种方式把自然赋予的爱置于脑后，
同时也忘记了后来增加的那种爱：
正是这后一种爱把特殊的信任关系建立起来[15]；
然后就是那最小的一环，
那里是宇宙的中心，有狄斯在上面坐镇[16]，
凡有叛卖行为的人都要在那里承受苦刑。”
于是我说：“老师，你的讲解相当明确，
你把这深渊描述得也相当贴切，
包括它所囚禁的那些鬼魂。
但请告诉我：那些陷在泥泞的沼泽中的幽灵，

那些被狂飙吹荡、雨雪击打的亡魂，
以及那些不断相撞、互相辱骂的魂灵[17]，
他们为何不在这烧得红如赤铁的城池中受惩？
既然上帝如此憎恶他们！
倘若上帝对他们并不恼怒，他们又为何落到这般光景？”
他于是对我说：“为何你的才智
竟然偏离了常轨？
要么就是你的脑中竟有了其他思维？
你难道忘了你的伦理学详尽阐述的那些话[18]？
其中谈到有三种劣性
为上天所不容：
即放纵、奸诈和疯狂的兽性，
而放纵尚不致触怒上帝太甚，
它所受的责罚也较轻[19]。
倘若你善自考虑一下这个论断，
再回忆一下狄斯城外
头几圈受刑的那些人，
你就会清楚地看出：为何他们
要与这些恶人如此区分，
为何神的正义对他们的打击没有那么凶狠。”

高利贷者的下场

“啊！拨开挡住一切视线的云翳的太阳[20]！
你为我解决疑难，令我多么欢畅，
尽管疑问令我感到的愉快并不下于知晓[21]。
请再把你说过的话题略微追述一遍，”我说道，
“请再讲一讲高利贷如何触犯神的恩典，
为我解开这个疑团。”
他对我说：“哲学不仅在一处[22]
向理解它的人指出：

99　自然如何起源于神的思维和艺术[23]，
倘若你把你的物理学[24]
好好地钻研一番，
102　你就会在不多几页之后发现，
你们的艺术是尽可能追随自然[25]，
犹如学生追随师尊；
105　因此，你们的艺术几乎就像是上帝之孙[26]。
你倘还记得《创世记》的开头部分，
人类就应当以这两点[27]
108　来维持生计和改善生存；
而由于高利贷者走的是另一条路[28]，
他既轻看自然本身，又蔑视随自然而来的艺术，
111　因而他把希望寄托在其他方面。
不过，现在随我来吧，我想继续向前，
因为双鱼宫已在水平线上闪烁升起[29]，
114　北斗星则完全斜卧在西北方向[30]，
从那断崖高处再前行几步，便可走向下方。”

注释

①这片断崖从第六环通往第七环。

②这里指在第七环中受苦的鬼魂，他们都是生前犯施暴罪的人。

③阿纳斯塔修斯，即阿纳斯塔修斯二世（Anastasio II），496—498 年任教皇。当时，君士坦丁堡（Costantinopoli）主教阿卡丘斯（Acacio）倡导基督单性说（即认为基督只有神性而无人性），被教会视为异端，从而造成东西方教会分裂的局面。阿纳斯塔修斯二世力图实现教会和平，于 497 年，派遣特使晋见东罗马皇帝特奥多里科斯（Teodorico），谋求媾和，这一举措得到特萨洛尼卡（Tessalonica）大主教安德烈亚（Andrea）派往罗马的副司祭浮提努斯（Fotino）的热烈响应，阿纳斯塔修斯二世还接纳他入教会，但浮提努斯乃是阿卡丘斯的信徒，因而被教会内部正统强硬派视为异端分子，阿纳斯塔修斯二世也被指责受浮提努斯的“引诱”，“离开正路”。这一中世纪的传统说法正是但丁诗中情节的主要依据，尽管后来此说被证实不确。有些注释家试图为但丁错引史料开脱，说他是把教皇阿纳斯塔修斯二世与东罗马皇帝阿纳斯塔修斯一世弄混了，而后者才是受浮提努斯引诱，脱离正统，信奉异端的。雷吉奥认为此做法不

妥,强调对但丁诗中的写法不应抱“反历史”态度,不然,就是“用一种不确切的依据代替了另一种不确切的依据”。

④“三个小圈圈”指第七、八、九环;如前所注,地狱被但丁描绘成类似漏斗,上宽下窄,故“一圈小于一圈”。

⑤萨佩纽注释本对此句作了较详细的说明:“任何罪恶都使犯罪者遭到上帝的愤恨,最终成为不正当行为,成为对神的法则或自然法则的侵犯,不论是用暴力还是用欺诈”,但“用欺骗手法来伤害……是更严重的,因为它使人的特有功能即理性遭到歪曲,达到邪恶的目的,因此,欺诈者所处的地狱层次比施暴者更低,所受苦刑也更重”;十六世纪史学家雅科波·纳尔迪(Iacopo Nardi,1476—1563)也分析说:诗中的“恶行”是指“这种自觉自愿达到的目的是不正当的行为,亦即侵犯权利,不论是神的权利还是人的自然权利,因为这些权利规定我们与上帝,与自己,与我们的同类人应有什么样的关系,对他们应负什么样的责任,因而伤害就是针对他们来的”。萨佩纽还指出,但丁所构思的地狱“秩序”是根据亚里士多德的伦理原则,而这一原则又“脱胎于罗马法”,在这方面,法学家引用西塞罗的如下一段话肯定是但丁所牢记难忘的,即:“可能以两种方式进行伤害:要么用暴力,要么用欺诈,欺诈是狐狸所固有的,暴力则是狮子所固有的,二者都是人所极力反对的,但是,欺诈则更加令人憎恶。”

⑥这里的“第一环”是指惩罚犯有施暴罪的鬼魂的第七环。

⑦“三种人”指上帝、自己和他人,以下诗句有详细说明。

⑧“迫使自己离开你们人世”指自杀;“徒劳地忏悔过去”意谓自杀者死后来到地狱,后悔在人世自寻短见为时已晚。“用赌博挥霍和荡尽家财的人”与第四环的挥霍者不尽相同,因他不是贪图享受,大吃大喝,而是醉心赌博,情节更恶劣,性质更严重,故放在第七环受苦。

⑨指这些鬼魂生前本该因拥有家财而过着幸福的日子,却因嗜赌成性,把家产输光,不得不终日以泪洗面。

⑩此句是指“蔑视”上帝的所有物即“自然”(上句则是指施暴于上帝本身)。但萨佩纽注释本和波斯科-雷吉奥注释本在解释此句时略有不同:前者认为,此句只指“自然的法则和秩序”;后者则认为,此句所指是“自然和艺术”,亦即上帝所创造的自然以及自然促使人类从事的劳动,因而这里受苦的鬼魂既有违反自然规律的鸡奸者,又有靠金钱而不是靠劳动获利的高利贷者。关于“恩宠”一词的归属,两种注释本也见解各异:萨佩纽同意现代注释家万戴利(Vandelli)的说法,认为是指上帝的恩宠,即应理解为“从自然身上蔑视上帝的恩宠”;雷吉奥则接受基门兹的解释,认为是指自然的恩宠:基门兹说:“自然的恩宠在于它像母亲一样教导人类如何‘追随’它,摹仿它,亦即如何像它按照上天意旨所做的那样,通过劳动来生产生活需要所必不可少的那些财物;同时也在于它慈爱地把自己的果实给予了劳动。”

⑪“最小的一圈”指第七环第三个大圈,即惩罚鸡奸者和高利贷者鬼魂的所在。所多玛(Soddoma 或 Sòdoma)为巴勒斯坦古城,位于死海(Mar Morto)西南面,因其市民无恶不作,特别是犯有违反自然的淫欲罪(意大利文“鸡奸”sodomia 一词即来自 Soddoma),触怒上帝,与巴勒斯

坦另一罪恶古城蛾摩拉(Gomorra)被上帝“从天上降下的硫磺和火”毁灭,事见《旧约·创世记》第十八、十九章,诗中则隐喻鸡奸者。卡奥尔(Caorsa)为法国一市镇(法文名 Cahors),在中世纪,被视为高利贷者的“巢穴”,薄伽丘曾说,“如有人说某人是卡奥尔人,那就是指他是个放高利贷的”;诗中隐喻高利贷者。

⑫“欺诈损害所有良心”一句,雷吉奥认为,“不易诠释”;波斯科-雷吉奥注释本和萨佩纽注释本都引用了当代注释家巴尔比(Barbi)对此句的解释:“在欺诈时,总会有理性的介入,总会意识到这是作恶,因此,良心也就受到损害。当一个人因放纵或用暴力犯罪时,可能会使理性受到蒙蔽,以致使它完全不能介入,在这种情况下,良心可能会感觉不到受到伤害,但在欺诈时,良心则是不可避免地要受到损害……欺诈,凡它所到之处,都不会使良心得到平静。”此外,波斯科-雷吉奥注释本还援引了基门兹的另一种解释,即:“受伤害的良心是非欺诈者的,因为正是在他们受到欺诈时,他们感到自己受到伤害。”

⑬这里意谓人与人之间本应由相互友爱联系起来,但丁在《筵席》第一卷第一节第八句段中就说,“人与人自然地成为朋友”。萨佩纽在诠释此句时指出,“真正的欺诈者和叛徒的区别,正如区分不同类别的施暴者一样,也是以感情纽带的程度深浅为依据的,而犯罪的人正是在犯罪时破坏了这一纽带”,他还援引了十四世纪注释家圭多·达·比萨(Guido da Pisa)的解释:“欺诈是有双重性的,正如爱也有双重性一样:有自然的爱和偶然的爱。自然的爱使一个人能一律平等地爱所有人;偶然的爱则使他对一个或一个以上的人抱有更深的感情。凡触犯前一种爱的人就是欺诈者,凡触犯后一种爱的人就是叛徒。”

⑭这里混用表示动作的名词(如伪善、谄媚等)和表示做动作的人的名词(如妖言惑众者、做淫媒者等),在原文中是为了押韵,译文中无法体现。

⑮“后来增加的那种爱”指自然的爱以外的那些因“亲属、家乡、款待等特殊关系”而产生的另一种爱,这种爱能造成“特殊的信任”,亦即注⑬中提到的“偶然的爱”。

⑯按照中世纪托勒密天文体系的说法,“宇宙的中心”也就是地球的中心;狄斯城的最底层,亦即地狱之王狄斯(诗中则是卢齐菲罗)坐镇之处,即是宇宙亦即地球的中心。

⑰这里罗列的都是狄斯城外、前几环受苦的鬼魂。

⑱“你的伦理学”指但丁所熟悉的亚里士多德的《尼各马克伦理学》,或称《致尼各马克的伦理学》,参见第二首注⑯。

⑲有关“三种劣性”的说法源于亚里士多德《伦理学》第七章第一节:“有三种应予谴责的习俗:奸诈、放纵和兽性。”萨佩纽在解释“放纵”(incontinenza,亦即无节制)一点说:“在这三种劣性中,放纵是听任热情过分地占据上风,超乎正当的程度去寻求对一些本身并无可非议的东西的享受,因此,放纵本身并非那么严重,遭受的责罚也要轻一些,因为它的自觉目的并非伤害别人。”但在“奸诈”一词的解释方面,波斯科-雷吉奥注释本与萨佩纽注释本差异很大,因而对“三种劣性”的分析也有不同:前者认为“奸诈”(malizia)是“‘欺诈’的同义词”,因而“其意义不同于第22句,因为第22句的malizia含义是笼统的(即指“恶行”)”;它还认为“疯

狂的兽性”是“‘暴力’的同义词”,并说“这样解释三种‘劣性’是最合乎逻辑、最自然的诠释”。萨佩纽注释本则认为,此句的 malizia 与第 22 句含意一样,即仍意谓“恶行”,因此他不同意把“疯狂的兽性”诠释为“暴力”,认为这“似乎会与维吉尔的全部论述相左,因为维吉尔把暴力看成恶行的一种形式”;它采用了圣托马索评注亚里士多德《伦理学》所作的解释,即把“恶行”分为“人的恶行”(malitia humana)和“兽的恶行”(malitia bestialis),这样也就“无须从但丁虚构的地狱的道德序列中找到‘疯狂的兽性’的确切对应物了”。

⑳这里的“太阳”是对维吉尔的比喻。

㉑这里指“疑问”和“知晓”同样使但丁感到“愉快”,因为有疑问便可向维吉尔请教,而维吉尔的解答和教诲会使但丁茅塞顿开,得到“获教”的喜悦。

㉒“哲学”仍指亚里士多德的哲学。

㉓波斯科-雷吉奥注释本和萨佩纽注释本都解释此句的意思是:自然界是由上帝的“思维和行动”创造出来的;萨佩纽还进一步指出,“自然也可以被说成是上帝的艺术(arte),也就是说,它是上帝的意志在造物时的按部就班的实现”(参见《旧约·创世记》第一章第二十至二十六句),并说,但丁在《帝制论》第一卷第三节第二句段和第二卷第二节第三句段都有这样的说法。

㉔“物理学”亦即亚里士多德的物理学。

㉕雷吉奥指出,亚里士多德《物理学》几乎在一开头(即第二章第二节)就指出:“艺术尽可能摹仿自然”,因此,这两句诗“几乎是逐字逐句地转译了上述亚里士多德的论断;即:人类(你们)的劳动、勤劳(艺术)追随自然,犹如学生追随师尊”。

㉖萨佩纽、雷吉奥都指出此句意谓:“既然自然理所当然地可以自称为上帝的儿子,那么出于自然的人类艺术也便应当被看成几乎是上帝的孙子了。”

㉗“这两点”指自然和艺术(即劳动,参阅注⑩和注㉕);此句意义来源于《旧约·创世记》(第一章第二十至二十八句即指“上帝造了水中的大鱼和无数不同种类的生物和飞鸟”,“上帝造了各种走兽、牲畜和爬虫”,上帝造了男人和女人,“对他们说:你们……治理这地,管理海里的鱼、空中的飞鸟以及在地上走动的一切活物”等;第二章第十五句即指“上帝把那人安置在伊甸的园子里,让他看管园中的一切”,第三章第十七、十九句即指上帝对亚当说:“你必须终身艰辛劳苦,才能尝到地里出产的食物……你要汗流满面,才可以维持生计。”)和《新约·帖撒罗尼迦后书》(第三章第十句即指保罗说:“不工作的,就不可以吃饭。”),萨佩纽对此作了解释:人从自然和劳动中取得维持生计、繁荣后代的手段,因为“自然和劳动是生产和财富的惟一正当来源”,《圣经》就教导人“要劳动,要靠额上的汗水来挣面包”。

㉘此句意谓高利贷者轻视自然和劳动,试图“从金钱借贷中牟取果实”,而金钱本身“只起交换工具的作用”,“就其本质而言,并不生产财富”,因而高利贷者既“直接侵犯自然本身”,又“侵犯来自自然的艺术”,因而也就“间接地侵犯上帝”(萨佩纽)。

㉙“双鱼宫”为黄道十二宫之一,略早于太阳所在的白羊宫(十二宫分布于南北两个半圆形天

体，每个半天体有六宫，顺序是，北半天：双鱼、白羊、金牛、双子、天蟹、天狮；南半天：室女、天秤、天蝎、人马、摩羯、宝瓶），因此，双鱼星座开始出现，应是在凌晨之前三小时。

㉚“北斗星”（亦称大熊星）“完全斜卧在西北方向”，意谓此时北斗星已落西北，这恰好是距太阳升起约两小时稍多一些的时候。

第十二首

塌方与弥诺陶洛斯(1—45)
弗列格通河与肯陶罗斯(46—75)
奇隆(76—99)
涅索斯(100—139)

塌方与弥诺陶洛斯

我们来到一个地方,从那里可以从断崖边上走下去,
这地方山势险峻,陡峭难行,
目光所及之处还有那个东西,它令任何视线都不敢观望[1]。
那山崩地裂险恶异常,
恰如从特兰托下游一侧,波及阿迪治河左岸的那片塌方[2],
或是由于地震,或是由于塌陷地基,
险峭的巉岩从山顶迸裂,
一直滚落到平地,
像是要给来到崖上的人开辟一条路途;
走下那深沟巨壑,就须沿着这条通路;
在那断崖残壁的顶端,
克里特岛的耻辱之物正匍匐卧定[3],
它曾在那假造的母牛腹中孕育而成:

那断崖残壁的顶端，克里特岛的耻辱之物正匍匐卧定，它曾在那假造的母牛腹中孕
而成。（第十二首第 11—13 行）

它一见我们就啃咬自身，
犹如一个人无可奈何，把怒火压在心中。
我的智者向他喝道："难道你
以为那位雅典公爵来到这里[4]？
他曾在人世把你置于死地！
滚开，畜牲：此人前来
并非受你姐姐的指派[5]，
而是要见识一下你们给鬼魂施加的酷刑。"
这时它正像一头遭到致命一击的雄牛，
在挣脱绳索，猛冲狂奔，
它不知闯往何处，却只知东跳西蹦。
我见弥诺陶洛斯就是这样胡窜乱动；
那位机智的老师于是叫道："快跑到那坑口：
趁着它狂怒不休，你最好赶紧往下走。"
这样，我们就沿着那乱石滚成的蹊径往下行，
这些石头因为有了新的负重[6]，
不时在我脚下滑动。
我这时在沉思默想，老师问道：
"你或许在想到那怒气冲冲的野兽看守的断壁残岩[7]，
而我如今已经打掉它的气焰。
现在我想让你知晓：
上一次我降入这地狱的底层，
这片山岩尚未塌陷；
但是，我倘若不曾记错，
肯定是在那位驾临此地不久之前，
他曾从地狱的最高一环从狄斯手中救走许多猎物[8]，
当时，那幽深而又污秽的山谷
曾四下发生巨震[9]，
我想，这是宇宙在感受到爱，因为有人
认为：由于有了爱，世界往往才变得一片混沌[10]；

正是在那时，这带古老的山岩
才在这里和别处崩坍。

弗列格通河与肯陶罗斯

但是，你注意看那山谷下边：
血河就在眼前[11]，
它在熬煮着用暴力伤害别人的罪犯。”
啊！疯狂的愤怒和盲目的贪婪[12]
驱使他们在短促的一生中犯下这种罪愆，
如今则浸泡在滚烫的血水中永受磨难！
我看见一条宽阔的弧形沟壑，
正如我的护卫者所说[13]，
它把整片平地囊括；
在悬崖底部和沟壑之间，
奔驰着肯陶罗斯，他们排成一列，身背弓箭[14]，
如同在世上通常前往狩猎一般。
他们看到我们走下山崖，便都停步不前，
有三个从队伍中走上前来，
手持弯弓和事先选好的雕翎箭；
有一个从远处喊道：“你们这些从山上下来的人，
到此受什么苦刑？
你们就站在原地说话；不然，我们就要拉弓。”
我的老师说道：“等我们去到你们跟前[15]，
我们就会向奇隆答话[16]：
你们总是这样飞扬浮躁，这很糟糕。”
接着，他碰了我一下，说：“此人是涅索斯[17]，
他曾为美丽的德伊阿妮拉而死，
并亲自为自己报仇雪恨。
中间那个垂头注视自己胸膛的人[18]，
就是伟大的奇隆，他曾把阿奇琉斯扶养成人；

另一个是福罗斯，他曾如此怒火填胸[19]。
他们来到沟壑周围，有成千上万，
凡有鬼魂从血水中冒出，超过为惩罚其罪行而限定的深度，
他们就把箭向这些鬼魂射出。”

奇隆

我们走近这些飞速灵巧的怪物身边，
奇隆拿出一枝雕翎箭，
用箭尾把胡须向后左右分开，拨到两腮上面。
当那大嘴巴显露出来时，
他对同伴们说：“你们可曾发觉：
那后面的人能触动所有他碰上的东西？
死人的双脚通常则不能这样。”
我那善良的老师这时已站在他的胸前，
而那胸部正是人马两种本性连接的地方[20]，
老师应声道：“他确是个活人，而且只有他孤零一个，
我须要向他指点那黑暗的坑谷深壑，
他来到此地是出于必要，而不是为了娱乐。
一位圣女暂停歌唱‘赞美上帝’[21]，
她赋予我这个新的使命：
他不是强盗，我也不是盗贼的魂灵。
但是，既然我是依照神的意旨移动我的脚步，
走上这如此荒凉难行的道路，
也请你遵奉神的意旨，派出你们当中一人来伴我们同行，
让他告诉我们何处可以涉水渡河，
让他把此人驮在背上，飞渡沟壑，
因为此人不是能凌空翱翔的魂魄。”
奇隆向右转过身去，
对涅索斯说：“你转身回去，带领他们前往，
倘若遇上别的队伍，你就让他们闪开，不要阻挡。”

奇隆拿出一枝雕翎箭，用箭尾把胡须向后左右分开，拨到两腮上面。（第十二首第77、78行）

涅索斯

这时，我们与那可以信赖的护卫一起动身，
沿着那沸腾的赤红色河水的堤岸，
102 河里那些被煮沸的人不断发出刺耳的惨叫声。
我看到有的人浸在水下，一直没到眼眉[22]，
那位身材魁梧的肯陶罗斯说道："这些都是暴君，
105 他们血腥镇压和强取豪夺他们的臣民。
他们在这里痛哭流涕，为残酷伤害他人的罪孽而受刑。
这里有亚历山大，还有残暴的狄奥尼西奥斯[23]，
107 后者曾使西西里度过多少痛苦的岁月，
那个额前被漆黑的毛发遮住的人，
是阿佐利诺；另一个人头发则是金黄色[24]，
111 他是奥比佐·达·埃斯蒂，他确实[25]
曾在人世被他的私生子所弑。"
于是我转身去看诗人，诗人说道：
114 "现在，这位是你的第一个向导，我则是第二个[26]。"
向前稍走了一段路，这位肯陶罗斯突然站住，
因为有一些人似乎从那滚烫的血河中冒出[27]，
117 甚至露出他们的喉部。
他向我们指出一个独自待在一边的鬼魂[28]，
说道："此人在上帝怀中刺穿了一颗心，
120 这颗心依然在泰晤士河上得到世人尊敬[29]。"
随后，我看到有些人把头放在血河的水面，
有的甚至露出整个上半身；
123 我倒认清其中不少人。
这样，血河逐渐变得低浅，
甚至仅能盖住脚面；
126 这里正是我们可以渡河的所在。
"既然你从这里可以看出，

滚烫的血河在渐渐减少深度，”
129 这位肯陶罗斯说：“我希望你能相信，
在另一边，河床则越来越下沉，
一直沉到最深处：
132 暴君在那里不得不痛苦呻吟。
神的正义在惩办那个阿提拉[30]，
他曾是人世间的鞭子，
135 被惩办的还有皮鲁斯和塞克斯图斯[31]；
另有里尼埃尔·达·科尔内托、里尼埃尔·帕佐[32]，
他们在沸水煎熬下泪水横流，永无休止，
138 因为他们生前曾拦路抢劫，杀人越货。”
说罢，他掉转身躯，渡过那段浅水河。

注释

①“那个东西”即牛首人身怪物弥诺陶洛斯（Minotauro）详见注③，并参阅第九首注⑩。

②这里指意大利第三大河阿迪治河（Adige）左岸、罗维雷托（Rovereto）市南面的著名大塌方斯拉维尼·迪·马可（Slavini di Marco）。十三世纪哲学家大阿尔贝托的《论气象》（*De Meteoris*）第五章第六节曾记载此塌方系“位于特兰托与维罗纳之间阿尔卑斯山麓一座大山发生大面积塌方，落入阿迪治河，埋葬了相当于九英里到十二英里的地面与活人”。据考，此事件约发生在公元883年，山名“祖尼亚·托尔塔”（Zugna Torta），山崩直落于距罗维雷托市下游三公里处的两个市镇马可（Marco）和莫里（Mori）之间的阿迪治河河底。波斯科-雷吉奥注释本和萨佩纽注释本都认为，诗中所用资料即出于上述著作。二十世纪初注释家巴塞尔曼（Bassermann）推测，但丁本人曾亲眼见过此塌方，因据传，但丁被放逐后，曾投靠维罗纳僭主斯卡利杰里（Scaligeri），并一度寄居该僭主的友人卡斯泰尔巴尔科（Castelbarco）伯爵家的利扎纳城堡（Castello di Lizzana），从那里恰可眺望此塌方；该城堡已成废墟，但仍以“但丁城堡”（Castello di Dante）享名。波斯科-雷吉奥本认为此说不确，因本首写于但丁流放初期，“很难设想，但丁曾做过卡斯泰尔巴尔科家的客人”。

③“克里特岛的耻辱之物”指弥诺陶洛斯。据传，克里特岛（Creta）国王弥诺斯（Minosse）之妻帕西菲（Pasife）爱上了海神波塞顿（Poseidone）送来的一头雄性神牛；为与神牛交媾，她钻进了一头木制的母牛腹中，从而怀孕，生下牛首人身怪弥诺陶洛斯。弥诺斯为它建造了那座著名的迷宫，让它栖身其内，并令被他战败的希腊人每九年进贡童男童女各七名供它食用。

④“雅典公爵”即特修斯（参见第九首注⑩）。他是雅典王埃吉奥斯（Egeo）之子。他被派往克

里特岛,按克里特岛国王的要求,送去一批童男童女。弥诺斯的女儿阿丽安娜(Arianna)对他一见钟情,在他前往迷宫之前,赠他一个线球,叫他进宫时将线拴在入口处,逐渐延长,一直拉到弥诺陶洛斯在迷宫中的住地,这样,特修斯就不致身陷其内。特修斯最后用阿丽安娜送给他的一把魔剑,将弥诺陶洛斯杀死,救出童男童女,顺利地循原线路,离开了迷宫。由于这一功绩,特修斯被立为雅典王。

⑤阿丽安娜和弥诺陶洛斯同为王后帕西菲所生,因而是同母异父姊弟。

⑥但丁是活人,有重量,所以能使石头在脚下滑动。

⑦注释家对弥诺陶洛斯在诗中究竟象征什么,是否第七环的"看守",意见不一:波斯科-雷吉奥本认为,从此句的"看守"一词以及第19句的含义来看,弥诺陶洛斯象征"疯狂的兽性",是整个第七环的看守。这也是多数注释家的看法。但萨佩纽本则认为,弥诺陶洛斯并不象征"蓄意伤害别人的暴力",而是"丧失理智的兽性的愤怒形象",况且但丁并未把它放在第七环,而是放在第六环和第七环之间的地方;第七环各大圈都有各自的看守:如第一大圈的看守便是肯陶罗斯,它象征"人性的暴力"(violenza umana)。

⑧"那位"指耶稣基督,"最高一环"指"林勃","救走许多猎物"可参阅第四首第53—63句。

⑨"幽深而又污秽的山谷"指地狱。这里的"巨震"是指耶稣被钉在十字架上断气后,发生剧烈的地震,一直波及地狱。参见《新约·马太福音》第二十七章第五十至五十七句:"耶稣又大喊了一声,就断了气……只见地动山摇,岩石崩飞。"

⑩这里指古希腊哲学家恩佩多克勒斯的"火气水土"四元素论(参见第四首注㉘)。他认为,"爱"与"恨"左右上述四元素的结合与分离,从而造成一切事物的不同状态和永久变化:"恨"使四元素分离时,世界就井然有序;"爱"使四元素结合时,世界即变得一片混沌。但丁是从亚里士多德的《形而上学》(*Metafisica*)中了解恩佩多克勒斯的这一理论的,而亚里士多德在该书中对这一理论曾作了批判。

⑪"血河"即指热浪沸腾的弗列格通河(Flegetonte)。

⑫这里的"贪婪"和"愤怒"与第四环和第五环因犯放纵个人激情之罪而受惩的亡魂不同,而是指因贪婪和愤怒而伤害他人,因而其"报复刑"也体现在滚烫的血河中受苦。

⑬"护卫者"指维吉尔。"沟壑"和"平地"分别指血河的河床和第七环的底部,因而血河的河床是第七环的第一圈,即最靠外的一圈;"沟壑"呈圆形,但丁从其所站立的角度来观看,则只看见呈"弧形"的半圆沟壑。

⑭"肯陶罗斯"(Centauri)是希腊神话中半人半马的怪物,传为色萨利亚拉皮提斯(Lapiti)国王伊修尼斯(Issione)与云神尼菲尔(Nefele)所生。性暴烈,好掠夺,因而被但丁选做施暴者的看守。彼特罗·阿利基埃里、薄伽丘、本维努托在注释时曾把他们比作中世纪为意大利暴君烧杀掠抢的雇佣兵团。但丁对他们的描述主要取自维吉尔、奥维德、斯塔提乌斯等人的有关诗句,并进一步从造型上加以强烈的现实主义渲染。

⑮这里有两种解释:萨佩纽本诠释为"等我们去到你们跟前",而波斯科-雷吉奥本注释则注解

为“等我们去到奇隆跟前”(着重号是译者加的)。

⑯奇隆(Chirone):希腊神话中农神乌拉诺斯(Urano)之子。为肯陶罗斯中最著名的一员,诗中为群肯陶罗斯之首。古希腊史学家普鲁塔克(Plutarco,公元50—120年)把他誉为“智者”,曾是阿奇琉斯的老师,擅医学和外科。据说,他已成为不死之身,但他宁可要求宙斯把其不死之性让与普罗米修斯(Prometeo),宙斯满足了他的要求。他死后,被奉为群星座中的人马座(Sagittario)。

⑰涅索斯(Nesso):据奥维德《变形记》第九章记载的希腊神话,涅索斯在驮着海格立斯之妻德伊阿妮拉(Deianira)渡过欧厄诺斯河(Eveno)时,突然对她产生爱意,并试图将她掠走。海格立斯一见大怒,用他惯用的沾有莱尔纳斯沼泽(Lerna)七头蛇(Idra)鲜血的毒箭将他射死。涅索斯临死时,将所着血衣送给德伊阿妮拉,说是凡着此衣者都会对她产生恋情,德伊阿妮拉信以为真。后海格立斯爱上埃卡利亚斯国(Ecalia)公主伊奥拉(Iola);为使之回心转意,德伊阿妮拉让海格立斯穿上此衣,不料海格立斯穿上此衣之后,立即发疯毙命。波斯科在《但丁》一书曾指出,“在但丁时代,因复仇而导致他人死亡的举动,是并不有伤体面的”。

⑱“垂头注视自己的胸膛”是对善于思考的奇隆的生动描绘。

⑲福罗斯(Folo)为肯陶罗斯中最凶暴的,他曾与其他肯陶罗斯一起,参加拉皮提斯王庇里托俄斯(参见第九首注⑩)与伊波达米亚(Ippotamia)的婚礼。他与其他肯陶罗斯在酒宴上喝得酩酊大醉,大肆扰乱,他要把新娘和拉皮提斯国所有妇女一概掠走,有关情节在奥维德的《变形记》第十二章和斯塔提乌斯的《特拜战记》第一章均有记载。

⑳指肯陶罗斯由人马两种形象构成:胸部以上为人形,以下则为马形,因此,胸部“正是人马两种本性连接的地方”。

㉑原文为Alleluia,音译为“哈利路亚”,为犹太教和基督教赞美神的欢呼语。

㉒犯施暴罪者均须根据其罪行程度,被判在血河中受煮沸之苦:或浸足面,或露上身;浸至眼眉,几乎没顶,乃罪行最重者。

㉓亚历山大(Alessandro):萨佩纽和波斯科-雷吉奥两种注释本都倾向于指色萨利亚的暴君亚历山大·菲雷(Alessandro di Fere),他曾抗拒特拜(Tebe)对色萨利亚的征战,后被特拜将军埃巴米农达斯(Epaminonda,公元前420?—前362年)所杀,时在公元前363年。西塞罗和罗马史学家瓦莱里奥·马西莫(Valerio Massimo,公元一世纪)以及但丁的老师、罗马史研究家布鲁内托·拉蒂尼(Brunetto Latini,1220—1295?)都曾在各自著述中提及他的残暴。但古代注释家则认为是指亚历山大大帝(Alessandro il Grande 或 Alessandro Magno,公元前356—前323年),本维努托就说:“如果提到亚历山大,最好认为是指亚历山大大帝”;西班牙神学家兼史学家奥洛席乌斯曾把他称为“嗜血”,塞内加则说他是“掠夺各国人民的强盗”,因此许多评论家都赞成此说。亚历山大大帝系马其顿王,二十岁登基,生前纵横欧亚非三洲,在征服埃及后,建立了亚历山大城(Alessandria)。他不仅战功显赫,且倡导文化科学,曾为亚里士多德的学生。但丁在《筵席》第四卷第十一节第十四句段以及《帝制论》第二卷第八节第

八至十句段都对他备加称道。

狄奥尼西奥斯(Dionisio 或 Dionigi,死于公元前 314 或前 367 年),为史书上著名的暴君,在西西里岛锡拉库萨(Siracusa)统治近四十年。在西塞罗、瓦莱里奥·马西莫、布鲁内托·拉蒂尼的有关著作中,都曾像诗中那样,将他与亚历山大·菲雷并提。

㉔阿佐利诺三世(Azzolino,1194—1259),全名为埃泽利诺·达·罗马诺(Ezzelino da Romano),1223 年至 1259 年为马尔卡·特雷维加纳(Marca Trevigiana)的吉伯林派首领,著名暴君,被称为"撒旦之子",当时在意大利北部势力最大。在教皇亚历山大四世主持下,威尼斯、费拉拉、帕多瓦、克雷蒙纳、曼图亚、米兰等城市组成联军与之交战:他战败并被俘;在狱中,他拒绝饮食和医药,数日后瘐死,其全家族亦被斩尽杀绝。

㉕奥比佐·达·埃斯蒂(Opizzo 或 Obizzo da Esti):此处指奥比佐二世,为费拉拉、莫德纳和雷焦三城市的僭主,死于 1293 年。当时盛传,他是被其亲生子、僭主继承人阿佐八世(Azzo VIII)用枕头闷死的;另传,阿佐八世为其"私生子",故诗中不用 figlio(儿子)一词,而用 figliastro(非亲生子或忤逆子)一词。萨佩纽说,尽管上述传闻均不可靠,但丁则仍要通过诗句"郑重证实"此说,从而表明他对阿佐八世的憎恶;雷吉奥也说,阿佐八世是在 1308 年才死去的,这证明但丁对当时流传的儿弑父的"秘密"作了"勇敢"的揭露。但丁在《论俗语》第一卷第十二节第五句段和《炼狱篇》第五首第 77—78 句中,也曾描述对阿佐八世的恶感。有人认为,"私生子"实际上是号称"修道院主持"(Abate)的彼特罗(Pietro)。

㉖此句意谓:维吉尔让但丁相信涅索斯所说的话,因有涅索斯在场,维吉尔就自愿退居"第二位"。

㉗"滚烫的血河"原文为 bulicame,意思是"鲜红的沸水";其实,该词为维泰博(Viterbo)附近的一个温泉的名字,这里把专有名词作为普通名词来用,形容沸腾的血河犹如泉涌。

㉘该鬼魂是圭多·迪·蒙弗尔特(Guido di Monfort),他是西西里王安茹的查理一世派驻托斯卡纳大区的代理人,以残暴著称。其父西蒙(Simon)被英王爱德华一世(Edoardo I)所杀;为报父仇,他于 1272 年在维泰博一座教堂内,用匕首杀死英王之表亲亨利(Arrigo 或 Enrico),当时法王腓力普三世和安茹的查理一世正在做弥撒,故下一句说他"在上帝怀中刺穿了一颗心"。维拉尼在《编年史》第七卷第三十九节中对此有记载,并称:后来,亨利的心脏被放在"泰晤士河上伦敦桥头一根柱子上端的一个金杯里";本维努托则说是放在坟墓的一座金色雕像手托的高脚酒杯里。该凶杀案当时曾引起巨大轰动,舆论群起谴责凶手和在场未做公正反应的君主,但丁因而有意让凶手"独自待在一边"。

㉙此句的动词原文为 si cola,对此,古今注释家解释不同:古代注释家认为,此动词意谓"得到尊敬",但大部分近代注释家(如帕罗迪 Parodi)则沿袭十九世纪托马塞奥(Tommaseo)和卡西尼(Casini)的说法,认为是指"仍在流血",即暗示此仇尚未得报。

㉚阿提拉(Attila,公元五世纪):即绰号"上帝之鞭"的匈奴王。434 年,与其兄布莱达(Bleda)共管王国,442 年杀其兄,独揽王权。447 年扫荡东罗马帝国,451 年侵入高卢(Gallia);后被罗

马将军埃齐奥(Ezio)所败。452 年侵入洗劫意大利,在教皇圣莱奥内一世(S. Leone I)劝说下撤走。453 年,在庆祝其婚礼时暴卒。

㉛皮鲁斯(Pirro):究竟是曾征战罗马的马其顿厄皮鲁斯(Epiro)国王皮鲁斯(公元前 319—前 272),抑或是阿奇琉斯之子、在围攻特洛伊城时杀害国王普利阿摩斯(Priamo)及其子女乃至屠杀大批特洛伊人的皮鲁斯(又名尼奥托莱莫斯 Neottolemo),迄今无定论。但丁读过维吉尔《埃涅阿斯记》中有关后者的记载,对前者则曾在其《帝制论》第二卷第九节第七、八句段中有所颂扬,因而雷吉奥认为,可能是指后者。

塞克斯图斯 (Sesto):波斯科-雷吉奥和萨佩纽两注释本都认为是指庞培的儿子;卢卡努斯和奥洛席乌斯在各自著作中都曾把他描绘成“残暴的海盗”。也有人说,这是指罗马最后一个国王、暴君塔尔昆纽斯(称“高傲的塔尔昆纽斯”Tarquinio il Superbo)之子塞克斯图斯(参见第四首注㉑)。

㉜里尼埃尔·达·科尔内托(Rinier da Corneto)和里尼埃尔·帕佐(Rinier Pazzo),据佛罗伦萨无名氏记载,都是烧杀掠抢的江洋大盗:前者与但丁为同时代人;后者属瓦尔达尔诺(Valdarno)的帕佐家族。二人活跃于托斯卡纳马雷马(Maremma)、罗马、瓦尔达尔诺、阿雷佐(Arezzo)等地,拦路抢劫,作恶多端。里尼埃尔·帕佐于 1268 年,因杀害抢掠前往罗马途中的佛罗伦萨主教西尔文塞(Silvense)及其随从,被教皇克莱蒙特四世(Clemente IV)逐出教门。1271 年,教皇格雷高里奥十世(Gregorio X)重申此决定,佛市政府并宣布他为“叛乱分子”;1280 年,尽管枢机主教拉蒂诺(Latino)从中斡旋,佛市僭主仍把他排除在赦免之外。

第十三首

自杀者的丛林(1—30)
皮埃尔·德拉·维涅亚(31—108)
倾家荡产者(109—129)
自寻短见的佛罗伦萨人(130—151)

自杀者的丛林

涅索斯尚未到达河的那边，
我们就已经步入一片丛林，
那里不见任何路径。
枝叶不是绿色，而是色彩暗黑；
树枝不是光滑挺直，而是多节弯曲；
没有果实，只有毒刺：
即使野兽憎恨切齐纳镇与科尔内托市之间的那片耕耘之地[1]，
它们也找不到如此荒凉，如此茂密
的荆棘林作为栖身之所。
那些丑恶的哈尔比正是在这里筑巢做窝[2]，
她们曾把特洛伊人赶出斯特洛法德斯岛，
因为她们对他们的未来做出不祥的预告。
她们有宽大的翅膀，有人形的脖颈和面庞，

她们双脚带钩，硕大的肚皮长满羽毛；
她们栖息在怪异的树木上发着凄厉的吼叫。
善良的老师于是对我开言道："在你进入更深的地方之前，
你该知道：你如今已经来到第二大圈，
并且你将继续待在那里，直到你看到那可怖的沙滩[3]：
因此，你要仔细地看一看；
你将看到一些东西，
这些东西即使我对你说了，你也不会相信我的话语。"
我听到遍地叫苦声，
而我却看不到叫苦人；
因而我惊慌失措，停步不行。
我现在认为，我当时认为自己是以为[4]，
这许多声音是来自那片荆棘林，
是来自一些我们无法得见的隐起身来的人[5]。
因此，老师说道："倘若你
从这些树当中折断一棵树的几根小树枝，
你现有的想法就会全部消失。"

皮埃尔·德拉·维涅亚

于是我把手稍稍向前伸出，
我抓住了一棵大荆棘的枝蔓；
这根枝蔓的树干喊叫道："你为何把我折断？"
接着，从折断处流出了一股黑血[6]，
它又开始说道："你为何把我撕裂？
难道你就没有丝毫怜悯之心？
我们过去是人，如今则成为荆棘林：
即使我们是蛇的魂灵[7]，
你下手也该多多留情。"
正如一根青柴一头烧着，
另一头则在流着水滴，

于是我把手稍稍向前伸出，我抓住了一棵大荆棘的枝蔓；这根枝蔓的树干喊叫道：“你为何把我折断？”（第十三首第31—33行）

吱吱地叫着，还冒出热气，
从那折断的伤口，也同样地
既说出话，又流出血；
我不禁扔掉树枝，犹如一个人受到惊吓，愣在那里。
我的智者答道：“受伤害的魂灵啊，
如果他事先能相信，
只有从我的诗句才能看到的那件事情[8]，
他也就不会伸出手去，把你触动；
但是，那不可思议的事情却使我让他做出此举，
这使我自己也深感歉忱。
但请你告诉他你是何人，
为了补偿过失，人间会恢复你的声名，
因为他必将返回尘世。”
树干说道：“你的温和话语令我心动，
我不能缄口不语；但愿你们不至感到厌烦，
因为我要略费工夫，讲述一番。
我就是那个持有两把钥匙的人[9]，
这钥匙属于腓特烈二世的心，
我曾小心翼翼地转动钥匙，锁住和打开他的心扉，
致使几乎所有的人都无法分享他的隐情：
我信誓旦旦地履行这光荣的职责，
甚至使我丧失了睡眠和脉搏[10]。
娼妓从不会把那淫邪的视线
从凯撒的宫殿移开，
共同的祸患和宫廷的弊端
把众人敌视我的胸中怒火点燃；
这火焰甚而也烧到奥古斯都的心田[11]，
他使那欢快的荣誉变为悲惨的啼哭。
我的心灵，为求得苦痛的满足，
以为借助死亡就能逃避众人的讥笑和愤怒，

于是对正义的我采取了非正义之举[12]。
以这棵树的新奇树根的名义，我向你们发誓[13]：
我过去从未破坏对我主公的忠诚，
他也无愧于人们对他的敬重。
倘若你们当中有人回到人世，
就请为我申诉冤情，
我至今仍在嫉妒的重击下难以翻身。”
诗人等了一会儿，随即对我说：
“既然他沉默下来，你且不可错过时机，
说话吧，向他提出问题，倘若你还有此心意。”
我于是对诗人说：“还是你
向他提出你认为能满足我的好奇心的问题；
我如今问不出来，因为怜悯之心令我不胜伤情。”
因此，诗人重又开言道：“如果此人心甘情愿
做出你所请求的事情，
那么，受监禁的魂灵啊，还请你再谈一谈：
魂灵如何与这些多节的树干结合在一起，
如果你能，就请你也谈一谈，
是否有人曾摆脱你这样的肢体。”
这时，那坚硬的树干吐了一口气，
接着，那口气便化为人声人语：
“我将简短地回答你们。
一个暴烈的魂灵从他所厌弃的肉体，
愤怒地离开之际，
弥诺斯就会把那魂灵打入第七个坑口[14]。
他跌落到丛林之中，没有选择余地，
而是全凭命运之神掷扔，
就像斯佩尔塔小麦，在播撒的地方发芽生根[15]。
他像一根幼芽那样生长，长成一棵野生植物：
随后哈尔比则以他的树叶为食物，

给他造成痛苦，并给痛苦打开一扇窗户[16]。
像其他亡魂一样，我们将来也要找回我们的肉身[17]，
但是，没有一个人能再把它披上，
因为一个人把忍心舍弃的东西收回，并非理所应当。
我们将把这些躯壳拖到这里，
在这凄惨的丛林中，我们的肉体将一一挂起，
而每个肉体都将悬在曾厌弃它的那个灵魂所长成的荆棘。”

倾家荡产者

我们仍在那棵树干旁边注意倾听，
以为他还要谈些别的事情，
这时，我们被一阵喧嚣声震惊，
就仿佛一个猎人在他窥伺的地方，
听到野猪和猎狗向他奔驰而来，
他听到猎狗的吠叫和野猪摩擦树丛的刷刷声响。
瞧，左边有两个人赤裸着身子，遍体伤痕，
他们在拚命逃窜，
撞断了丛林中的一片片枝蔓。
前面那人在叫喊：“现在，你快来吧，快来吧，死神[18]！”
另一个人看来已过于迟延[19]，
他叫道：“拉诺！你的双腿不曾有过如此灵便，
即使在托波附近的比武会上也不曾这样[20]！”
接着，他或许是上气不接下气，
急忙与一片丛林混在一起。
他们身后的那片丛林，
满是饥饿而又飞驰的黑犬，
恰如猎兔狗甩掉锁链。
这些黑犬用牙齿朝那蜷缩成一团的人身上咬去，
把他一片又一片地撕得四分五裂，
随后又把那痛如刀割的四肢叼开。

自寻短见的佛罗伦萨人

这时，我的护卫者拉起我的手，
把我领到正在哭泣的树丛跟前，
那树丛被撕得鲜血淋淋，但此时哭也枉然。
树丛说：“啊，雅科波·达·圣安德烈亚！
你拿我当屏障究竟有何用处？
我对你的罪恶一生又负有什么罪责？”
老师来到树丛上方站住，
他说道：“你生前是谁？
你的顶端多处受伤，淌着鲜血，又口出怨言！”
树丛对我们说：“啊！你们这两位灵魂
到此眼见我受此残忍的伤害，
这伤害把我的枝叶从我身上撕开，
请把这可怜的树丛脚下的枝叶拾捡起来。
我曾是那座城市的人[21]：
它曾把第一位守护神改为施洗者约翰，
正因如此，那第一位守护神
才总是运用他的法术，令那座城市备受刀兵之苦；
若不是在阿尔诺河的通途上还保留着他的一些踪迹，
即使市民后来在阿提拉烧杀的废墟上
把那座城市重新建立，
他们的重建工作也会是枉费心机[22]。
我曾在家中立起绞架，让我投环自缢。”

注释

①这里指托斯卡纳的马雷马地区：该地区北起切齐纳镇，南至科尔内托市，即今塔尔昆尼亚市(Tarquinia)。切齐纳属里窝那省(Livorno)，因同名小河(长七十八公里)而得名，该河西流入第勒尼安海；科尔内托市为第十二首第136句所述江洋大盗里尼埃尔·达·科尔内托的故乡。在但丁时代，马雷马地区乃是一片灌木丛生的荒野沼泽地，野兽经常出没其间，后经开垦，野兽不复在其中栖身。

②哈尔比(Arpie):希腊神话中陶曼特(Taumante)与海洋女神厄列克特拉(Elettra)所生的人首鸟身女怪,姊妹多人,其中有阿埃洛(Aello)、奥西佩特(Ocipete)、蒂埃洛(Tiello)和塞莲诺(Celeno)等。她们栖息在斯特洛法德斯岛(Strofadi),以丑陋污秽、饥饿贪食而著称。诗中对她们的描述和有关情节主要取自维吉尔《埃涅阿斯记》第三卷第209—257句:埃涅阿斯及其特洛伊伙伴来至斯特洛法德斯岛,遭到哈尔比姊妹的袭击,她们用粪便弄脏了他们的饭食,塞莲诺还预言:这些特洛伊人在下一步航程中将会遇到灾难和挫折。

③这里是第七环的第二大圈,即对自身施暴者受苦所在,下一圈即第七环第三大圈,将是火雨纷飞的一片炽热沙滩。

④这里但丁运用动词 credere(认为,相信)的几个不同时态:现在式 credo 即"我现在认为";过去式 credette 即"我当时认为";虚拟式 credesse 即"自己是以为";其目的似在于配合即将出现的人物即皮埃尔·德拉·维涅亚所固有的那种矫揉造作、浮夸华丽的宫廷式谈吐和文风,营造一种特殊气氛,同时也反映诗人当时的那种扑朔迷离、言语支吾的心态。

⑤此句通常被诠释为:这些鬼魂"为了不让我们看见"而蓄意躲藏起来;萨佩纽不赞成这种解释,他说:果真如此,这些鬼魂"就该保持沉默了"。译文现按他的注释本的诠释。

⑥这段情节基本上仿效维吉尔《埃涅阿斯记》第三卷第22句的有关写法:特洛伊国王普利阿摩斯的幼子波利多鲁斯(Polidoro)被波利奈斯托雷斯(Polinestore)图财害命,死后被葬在色雷斯海(Tracia)岸上;埃涅阿斯上岸时,曾从一束灌木丛中折下几根树枝作为祭台,只见被折断的枝杈竟流出鲜血,并闻听坟墓中发出人声,令他速速离去,不然将大祸临头。诗中一些细节描述(如树人合一:既说话又流血),与维吉尔原诗不同,同时还充满了维吉尔笔下所不曾有的那种悲剧气氛。

⑦蛇是最令人厌恶的动物,故这里用蛇来比喻恶人。

⑧指维吉尔的《埃涅阿斯记》有关波利多鲁斯死后等情节。

⑨此人即皮埃尔·德拉·维涅亚(Pier della Vigna,1190左右—1249),著名的"西西里诗歌学派"诗人,法学家。出身寒微,曾在波洛尼亚学法律。1221年,任神圣罗马帝国皇帝腓特烈二世的书记官。自1230年起,成为腓特烈二世的宠臣,1246年任御前首席书记官,并国王驻西西里代表(相当于宰相),达到他仕途顶峰,腓特烈二世对他言听计从。诗中说持有掌握腓特烈二世的心的"两把钥匙",即是指他洞悉腓特烈二世的一切心事。十四世纪注释家布蒂(Buti)即说:"一把是用来肯定的,是开启的钥匙;一把则是用来否定的,是关闭的钥匙";此处的"钥匙"也隐喻"权柄",源自《旧约·以赛亚书》第二十二章第二十二句:"大卫王室的权柄都是他的","权柄"的原文即"钥匙"。1248年,腓特烈二世征战帕尔马和波洛尼亚失败,变为猜忌多疑,皮埃尔·德拉·维涅亚开始失宠;1249年,他涉嫌参与反对腓特烈二世的宫廷政变(据说是受一些嫉恨他的大臣谗言诬告),被捕于克雷蒙纳,投入圣米尼亚托·阿尔·德代斯科(S. Miniato al Tedesco)狱中,并被处烙瞎双眼的酷刑。同年,他在狱中(一说是在比萨)自尽。

⑩“丧失脉搏”，通常被诠释为“丧失健康”，即鞠躬尽瘁之意。雷吉奥认为，不如取十九世纪注释家托马塞奥之意，即“先失安宁，后失性命”，亦即：维涅亚对腓特烈二世忠心耿耿，虽得宠于他，却也遭群臣嫉恨，结果受诬系狱，自尽身亡。

⑪这里，但丁反复运用隐喻、迂回的笔法，鲜明生动地刻画了维涅亚的谈吐文雅、辞藻华丽的形象：“娼妓”和“凯撒的宫殿”乃至“奥古斯都”等词语都形象地描绘了群臣争宠君前的情景，从而引出下句的“共同的祸患”和“宫廷的弊端”，点出维涅亚悲剧下场的根本原因。“共同的祸患”系指“嫉妒”，此说源于《圣经》中写魔鬼(卢齐菲罗)因嫉妒引诱亚当和夏娃犯下原罪。

⑫“正义的我”指维涅亚自认为是受谗言陷害，因而是无辜的；“非正义之举”指维涅亚采取了自寻短见的违反自然死亡的不正当做法。

⑬“新奇树根”指维涅亚所具体变成的前所未有的特殊的“树根”。“新奇”一词(nove)，托马塞奥也曾解释为“新近”(recente)，因维涅亚之死距但丁游地府不过五十年，但萨佩纽和波斯科-雷吉奥两注释本均认为，用“新奇”一词来诠释(因维涅亚自认为已成为一“新的生物”)，更为妥帖。

⑭“第七个坑口”即指第七环。

⑮“斯佩尔塔小麦”系一种生长特别容易的麦种。

⑯这里的“窗户”比喻“伤口”，意谓从伤口中似可听到痛苦的呻吟抱怨声。

⑰这里指维涅亚将像其他鬼魂一样，在最后审判日，带着自己的肉身，前往约沙法山谷，听候上帝审判。但由于自杀者是自愿舍弃肉身的，他们都不能实现灵魂与肉体合而为一，却永远将在地狱中受报复刑：即灵魂变为荆棘，肉身则吊在上面。

⑱这里呼号“死神”，系指求得第二次死，即指继肉身之后，灵魂也归于灭绝。

⑲“另一个人”指贾科摩·圣安德烈亚(Giacomo Sant' Andrea)，诗中称他为“雅科波”(Iacopo)。他是奥德里科·达·蒙塞利切(Oderico da Monselice)和埃泽利诺三世(参见第十二首注㉔)的前妻斯佩罗内拉·德莱斯马尼尼(Speronella Delesmanini)之子，1237 年曾追随腓特烈二世，1239 年被埃泽利诺四世派人暗杀。据说，他挥霍钱财达到疯狂的程度：一次，在布伦塔河(Brenta)上荡舟，为消磨时光，他竟从钱包里掏出一块一块钱币，投入河中消遣；另一次，他为了“欣赏”燃烧大火的情景，竟让人把他的一座别墅烧掉。

⑳“拉诺”(Lano)据说是锡耶纳人，原名埃尔科拉诺·马可尼(Ercolano Maconi)或阿尔科拉诺·达·斯夸尔恰·迪·里考尔夫·马可尼(Arcolano da Squarcia di Riccolfo Maconi)；薄伽丘称他是“浪子队伍”(brigata spendereccia)中的一员，布蒂也说他是“倾家荡产的败家子”。十九世纪末、二十世纪初大诗人、1906 年诺贝尔文学奖获得者卡尔杜契(Carducci，1835—1907)曾认为，他是十三世纪讽刺诗人安乔利埃里 (Angiolieri)所写一首十四行诗的人物(后证明此诗非安乔利埃里所作，系出自一锡耶纳诗人穆夏〔Muscia〕之手)。据查，拉诺曾在锡耶纳大议会中代表圣马丁市(S. Martino)第三等级，家产几近荡尽，自愿投军，求得战死沙场，

曾参加锡耶纳与阿雷佐交战的皮埃维·德尔·托波(Pieve del Toppo)战役,因中敌军埋伏而阵亡。这里用讽刺的口吻揶揄拉诺:把托波战场说成"比武会",讥讽拉诺当时跑得不如在地狱中"灵便",以致丧命。

㉑"那座城市"指佛罗伦萨。古代注释家对说话的人究竟是谁,均无定论:薄伽丘和本维努托认为,但丁在此不提其名,是有意的,因当时佛市自杀者甚多,几乎如上帝对佛市发出的"诅咒"。班巴利奥利、拉纳、佛罗伦萨无名氏则猜测此人为法官洛托·德利·阿利(Lotto degli Agli),1266年至1290年资料对他有记载,说他因受贿,错判冤案,后悔自杀;《最佳评注》、布蒂等则推测此人为鲁科·德·莫齐(Rucco de' Mozzi),他是因荡尽家财而自缢的。

㉒这段情节来自有关佛市的古代传说和史书:佛市最早的守护神为战神马尔斯,佛市信奉基督教后,将这一异教神改为圣徒施洗者约翰;据说,战神为此大怒,施展法术,使佛市常年陷入内战,民不聊生,在但丁时期,战神的塑像仍保留在阿尔诺河的"通途"亦即"老桥"(Ponte Vecchio)上,然已残缺不全,且经风雨剥蚀,诗中所说"一些踪迹"盖即指此;1333年佛市发洪水,该像没于河中。十三世纪史学家马利斯皮尼(Malispini)的《佛罗伦萨编年史》(*Cronaca fiorentina*)曾记载:佛市在匈奴王阿提拉入侵时被夷为平地;据传,后查理大帝(Carlo Magno)着手重建佛市。但维拉尼在《编年史》第二卷纠正上述马利斯皮尼的说法,指出马利斯皮尼把阿提拉与东哥特王托提拉(Totila)弄混了,后者才是摧毁佛市的人,他曾于公元542年入侵佛市。另据佛罗伦萨史学家大卫德松(Davidsohn)说,1333年堕入阿尔诺河中的塑像不是马尔斯的,而是东哥特王的,而且塑像当时只剩下基座了。

第十四首

火雨纷飞的沙地(1—42)
卡帕纽斯(43—72)
血溪(73—93)
克里特岛的老人和地府的河流(94—142)

火雨纷飞的沙地

对故土的情思触动我的心灵,
我把散落在地的枝叶捡起,
奉献给那个这时已沉默不语的人。
这样,我们就来到坑穴的边缘,
从那里,第二大圈就区分于第三大圈,
从那里也可看到如何进行可怕的正义裁判。
为了详细说明那情景是前所未见,
我现在要说:我们这时来到一片沙地,
它使任何草木都无法在地面上生存。
环绕沙地的是那片凄惨的丛林,
犹如一道悲惨的沟壑把沙地围定,
在这里,我们紧靠着沙地边沿停下脚步。
这片空地布满了干燥而厚实的沙粒,

它与曾被卡托足下践踏的[1]
那片沙漠别无二致。
啊！上帝的报复！
凡是目睹我亲眼所见的景象的人
对你该是多么畏惧！
我看见成群结队的赤身露体的鬼魂，
他们都在凄凄惨惨地哭个不停，
看来他们是在承受另一种苦刑。
有些人仰面躺在地上，
有些人则紧缩着身子席地而坐，
还有些人在不断地来回走着[2]。
围绕沙地转来转去的人最多，
躺在地上受苦的人则较少，
但他们的舌头却更便于哀呼惨叫[3]。
在这整片沙地上方，
有大片大片的火雨在缓缓而降，
犹如飞雪飘落在无风的高山上[4]。
如同亚历山大在印度的炎热地带[5]，
眼见火焰降落下来，落到他的军旅身上，
又降落在地，却仍燃烧未熄；
他下令他的队伍要着力用脚踏地，
这一来，烈焰在单独燃烧时，
扑灭它也便更加容易；
地狱中的永恒烈火也正是这样从空而降；
因此，沙地才被烧得发烫，
犹如火镰打上火石，痛苦也倍加增长。
那一双双可怜的手掌，在无休止地挥动[6]，
时而拍打这里，时而又拍打那里，
拼命从身上拍掉新落下的烈焰火星。

在这整片沙地上方，有大片大片的火雨在缓缓而降。（第十四首第28、29行）

卡帕纽斯

我开言道:“老师,你曾战胜千难万险,
除了在进城门时遇到那些
强硬的魔鬼把我们阻拦[7],
那身材魁伟的人是谁?他似乎置那熊熊烈火于不顾[8],
他神态轻蔑,怒目而视,躺卧此处,
仿佛那火雨不是在使他受苦。”
那人竟如此机敏,
他听到我向我的导师问起他的事情,
他喊道:“我活着时是这样,死后也是这样。
尽管宙斯令他的铁匠疲惫不堪,
因为他怒不可遏,要从铁匠手中获得那锐利的雷电[9],
我正是在我的末日,被雷电击中,送了性命;
尽管宙斯也使其他人疲惫不堪[10],
让他们在蒙吉贝洛的黝黑锻炉旁轮流苦干,
他一边还呼喊着:‘帮忙啊帮忙!好样的伏尔甘!’
就像他在弗雷格拉大战中所做的一般[11],
他竭尽全力来对我劈击,
但他的报复毕竟不能做到痛快淋漓。”
这时,我的导师厉声喝道
——我还从未听过他这样大声呼叫:
“啊!卡帕纽斯!正因为你的嚣张气焰不收敛。
你现在才受到更严厉的惩办:
除了你满腔的愤怒,
没有任何苦刑能使你的狂妄遭受恰当的惩处。”
接着,他和颜悦色地转向我,
说:“此人是围攻特拜的七王之一;
他过去瞧不起上帝,
看来现在也依然如此,对上帝并不尊重;
但是,正如我刚才对他所说,他那轻蔑神情

也不过是他内心恰如其分的反衬[12]。

血溪

现在，你走到我的身后来，还要注意
不可把脚踏入那灼热的沙粒；
而是要把脚紧贴那片丛林，片刻不离。”
我们默默地来到一个地方，
那里有一条小溪在林外流淌，
它那鲜红的颜色又一次令我胆战心慌。
犹如那条从布利卡梅涌出的溪流[13]，
娼妓们曾把它分割开来，各自享受[14]，
那条小溪也正是这样沿着沙地往下流。
溪流的河床和两边的陡坡，
以及两岸的边缘，都用石头铺成，
因此，我看出：那里正是可以通行的路径。
“自从我们进入那道
不拒绝任何人迈入门槛的城门[15]，
我曾向你指出所有其他东西，其中
有一件东西不曾被你的眼睛发觉，
它是那样值得注意，那就是现在这条河流，
因为在这条河流上，所有的火苗都被它熄掉。”
这些话语是出自我的师尊之口；
因此，我请求他赐给我饭食，
既然他已经引起我进食的渴求[16]。

克里特岛的老人和地府的河流

他于是说：“在大海中央[17]，
有一个陷于衰微的岛国，名叫克里特[18]，
在它的统治下，过去世人曾纯真无邪，安居乐业。
有一座大山，名叫伊达[19]

它曾是水源丰富,林木葱郁,
如今却荒无人迹,如同破衣敝屣。
雷亚曾选择此山,作为她小儿子的可靠摇篮[20],
为了把他隐藏得更好,
每逢他哇哇哭叫,她就让人鼓噪喧嚣。
山后矗立着一个老人,身材巨大[21],
他使自己的脊背朝向达米亚塔,
他宛如揽镜自照,眺望着罗马[22]。
他的头为真金所铸,
双臂和胸膛则用纯银制成,
下身直到胯骨,都是铜料;
由此往下则全都用上好的铁来铸浇,
除了右脚是用陶土塑造;
但这老人却把身子更多地支撑在这只脚,而不是另一只脚[23]。
每个部分——黄金部分除外——都已破裂,形成一道缝隙[24],
从缝隙中流出涓涓泪滴,
这些泪滴汇在一起,穿透了那块岩石。
泪水流过这一条条山谷;
变成阿凯隆特河、斯提克斯河和弗列格通河;
然后顺着这狭窄的水道向下流去,
一直流到不能再往下流的地方:
形成了科奇土斯湖;那是怎样一片水塘,
你以后将会看到,因此,这里就不必多讲[25]。”
我于是向他问道:“既然眼前这条小河
是这样发源于我们的世界,
那么,为何只是在这一层的边缘上,它才显现在我们面前?”
他对我说:“你知道:这地方是圆形;
你虽然经过许多地界,
又只是向左,往下直通谷底,
但是却不曾把整个圈子走尽:

因此，即使有什么东西显得新奇，
也不该令你的面容露出惊奇之色。”
我又说道：“老师，弗列格通河和勒特河究竟在哪里[26]？
因为你不谈其中的一条[27]，
却谈到另一条是形成于那如雨的泪滴[28]。”
他答道：“对你所提的所有问题，我确乎都很欢喜；
但是，那赤水河的滚滚热浪
想必能解答你所提的一个问题[29]。
你以后会看到勒特河，但它是在这条沟壑以外，
在那里，亡魂都来洗涤自己，
因那时，经忏悔的罪过，都已得到解脱。”
接着，他又说：“现在已是离开丛林的时候；
你注意要走在我的后头：
这些河岸才是可行之路，因为未被火雨烧灼，
况且河岸上方，所有烈焰也都在熄灭着。”

注释

①卡托（Catone，公元前 95 或 96—前 46）：为了区别于其曾祖父老卡托（Catone il Vecchio）或监察官卡托（Catone il Censore），通常把他称为“乌蒂卡的卡托”（Catone d'Utica 或 Catone Uticense），因他是在北非的乌蒂卡（Utica）自杀身亡的。他全名为马克·波尔齐奥·卡托（Marco Porcio Catone）；他拥护自由共和，反对专制，以反对独裁者苏拉（Silla）而功勋卓著，公元前 63 年任罗马护民官。他支持庞培，认为庞培能拯救自由共和，尽管他强烈反对庞培、凯撒和克拉苏（Crasso）组成的“三巨头”（Triumvirato）。公元前 46 年，凯撒大败庞培于北非的塔普索（Tapso），卡托自知无力继续保卫乌蒂卡，为避免被凯撒生擒，拔剑自刎。据说，他生前还是斯多噶派哲学家。诗中的“沙漠”是指卡托在庞培兵败之后，率领残部路过的利比亚沙漠。关于他与妻子玛尔齐娅的关系，参见第四首注㉒。

②这里描述了三类受苦的亡魂：“仰面躺在地上”的是施暴于上帝的人；“紧缩着身子席地而坐”的是施暴于劳动的人，亦即高利贷者；“不断地来回走着”的是施暴于自然的人，亦即鸡奸者。

③这里似乎反映了但丁对当时社会现象的一种“统计”，特别是涉及佛罗伦萨的社会现实：据说，当时佛市充斥着鸡奸罪行，因此，诗中说此类人数最多，其次为高利贷者；反对上帝的人最少，但他们在阴间受苦，用舌头“哀呼惨叫”，与在阳间用舌头辱骂上帝一样“灵便”。

④这里描写无风高山的飞雪情景，主要是效仿圭多·卡瓦尔坎蒂（参见第十首注⑯）的诗句："白雪在无风中飘下"，但丁的笔法当然另有一番意境；他在《韵律集》第C卷第五节第二十至二十二句中也有过类似的描述："白色的冷雪在大片大片的飘落。"这是一种"无风"飘雪的景象，倘若"有风"，雪花就不会是"大片"的了。

⑤这里的亚历山大系指亚历山大大帝，此情节概出自大阿尔贝托的《论气象》一书的有关段落：亚历山大在给亚里士多德的一封信（后证明此信系伪造）中，叙述他在远征印度时的奇景：即开始大雪纷飞，亚历山大于是命令士卒顿足踢落雪片，后大雪突然变成一片火雨，他乃又命令士卒用衣衫扑灭烈火。大阿尔贝托可能把前后两种现象混为一谈，但丁也便据此写出亚历山大下令队伍"用脚踏地"灭火的情景。

⑥此句"挥动"一词，原文为tresca，是那不勒斯一种热烈活跃的民间舞蹈。这里形象地借用来形容鬼魂双手扑打身上火焰的状况。

⑦这里追述但丁与维吉尔在进入狄斯城时遇到魔鬼阻拦的情节（参见第八首第82—130句）。

⑧此人是卡帕纽斯（Capaneo），为希腊神话有名的七王攻特拜的七王之一；斯塔提乌斯的《特拜战记》中对此有详尽记载，并说卡帕纽斯曾口出狂言："勇敢才是我的上帝……以前，是恐惧在世上创造了天神。"他在攻占特拜时曾登上城墙，并向特拜的守护神海格立斯及酒神巴库斯（Bacco）乃至宙斯挑战，扬言：他"现在再不怕天神了"，宙斯大怒，最后用雷电将他劈死。

⑨宙斯的"铁匠"指伏尔甘（Vulcano），亦即火山，为宙斯与尤诺之子。生下后，宙斯和尤诺嫌其丑陋，把他从天上打入列诺岛（Lenno），他因而成为跛足。据说，他精通冶炼金属技术。他在埃特纳火山（Etna）为宙斯锻造雷电。

⑩"其他人"指与伏尔甘一起干活的几个独眼巨人（Ciclopi），其中最凶恶的是波利菲莫斯（Polifemo）。据说，他们曾用雷电击毙阿波罗之子埃斯库拉皮奥斯（Esculapio），阿波罗为子报仇，用箭射死了他们。

蒙吉贝洛（Mongibello）为中世纪埃特纳火山的古称，此词来自阿拉伯语。

⑪"弗雷格拉大战"指宙斯在色萨利弗雷格拉（Flegra）山谷大战企图攀登奥林普斯山（Olimpo）的巨人们（Giganti 或 Titani）。据说，巨人们系地府之神塔尔塔罗斯（Tartaro）和大地女神泰拉（Terra）所生，他们曾试图在奥林普斯山诸神饮宴时出其不意，将奥萨山（Ossa）放到奥林普斯山之上，再将佩利奥斯山（Pelio）放到奥萨山之上，作为云梯，登到天上，向诸神发动进攻，以迫使诸神从奥林普斯山迁走。这激怒了宙斯，于是宙斯用雷电把他们劈死。维吉尔的诗作和奥维德的《变形记》对此都有记载。

⑫"反衬"原文为fregi，意谓"装饰"，有讽刺之意，指卡帕纽斯外表显得"轻蔑"，内心却十分痛苦，因为他对上天的恼怒是无可奈何的。

⑬"布利卡梅"（Bulicame），此词在第十二首第116句曾作为普通名词出现，用以比喻弗列格通河（"滚烫的血河"，参见第十二首注㉗）；此处为专名词，系位于维泰博北面六公里处的一个硫磺矿泉，水温甚高，几近沸点，注释本均用形容词bollente（沸水）来形容它。

⑭此句有两种解释：一是说，布利卡梅温泉流经之处，形成一片片水洼，被住在附近的“娼妓”（原文为 peccatrici，即“有罪的女人”）分用来沐浴、洗衣、烧水乃至治疗性病；古代注释家持此说的有拉纳、本维努托、薄伽丘、佛罗伦萨无名氏、《最佳评注》等，波斯科-雷吉奥本亦沿用此解释，因此，该版本所印原词亦为 peccatrici，近代注释家也大多接受此看法；另一则是把 peccatrici 改为 pessatrici、pectatrici 或 pettatrici，意谓“梳麻女工”，因根据十三世纪史料或市府文件，布利卡梅温泉流经的一些水滩当时曾被用来沤麻，而娼妓用来沐浴、烧水等情况却不见史载，萨佩纽本赞成此说，故该版本所印原词也不再是 peccatrici，而是 pettatrici。

⑮“不拒绝任何人迈入门槛的城门”指地狱之门，参见第三首开头部分。

⑯这里用“饭食”（pasto）和“进食的渴求”（disio）来比喻但丁要求维吉尔用“解答”来满足他引起但丁的“求知欲”或“好奇心”。

⑰“大海”指地中海。

⑱这里的克里特“岛国”系指第一位国王、宙斯之父萨图努斯统治下的克里特岛。据说当时人民“纯真无邪，安居乐业”，属“黄金时代”，广而言之，也是人类的“黄金时代”。在他之后，世道就日趋没落了。

⑲伊达（Ida），为克里特岛最高的大山（二千四百六十米）的旧称，今名普西洛里蒂斯山（Psiloritis），位于该岛中央，传说宙斯即生在此处，故又名“宙斯山”（Monte Giove）。

⑳雷亚（Rea 或 Rhea），亦名“渠贝尔”（Cibele），为萨图努斯之妻，宙斯之母。据术士预卜，萨图努斯的王位将被其子所推翻，故雷亚每生一子，必被萨图努斯吃掉。雷亚生下宙斯后，为保全其性命，将他藏匿在伊达山的一个山洞之内，每逢小宙斯哇哇哭叫，她就令祭司们（Coribanti）用铙钹、歌唱和兵器等声响盖过婴儿啼叫声。

㉑此“巨大”的“老人”，亦称“时间老人”，因他代表人类从兴旺至堕落的不同时代。此情节取自《圣经》中巴比伦王尼布甲尼撒（Nabucodonosor）梦中所见的一座雕像，详见《旧约·但以理书》第二章第三十一至三十三句：“陛下梦见一个金碧辉煌、甚为宏伟的大像站在面前，状甚恐怖，它有金的头、银的胸和双臂、铜的肚和腰、铁的腿和半铁半泥的脚……。”奥维德的《变形记》有关诗句（第一卷第 89—131 句）也给但丁以启发：奥维德在诗中把“金的头”解释为最早到来的人类的“黄金时代”，并说随之而来的“银的时代”就比黄金时代差了，但比第三个时代即“铜的时代”要“珍贵”些，“铜的时代”象征人类变得“残暴”，“动不动就从事骇人听闻的战斗”，然而尚未变得“邪恶”，最后一个时代为“铁的时代”，它象征“一切罪恶汹涌而至”，人类丧失了“廉耻、真理和信仰”，取而代之的则是“奸诈、欺骗、背信弃义、暴力和对财富的无耻追求”。

㉒达米亚塔（Dammiata）位于埃及尼罗河口，此处意谓“东方”；老人背向东方，隐喻背弃文明发源地。

“眺望着罗马”意谓向往作为帝制和教会中心的罗马，桑坦杰洛（Santangelo）等近代注释家还进一步解释说，自奥古斯都大帝之后，君主体制已经日趋没落了。

㉓注释家一般都认为，老人的双脚象征教会和帝制分别代表的"神权"和"俗权"，因此，铁的脚代表帝制，而当时，帝制的权威已在衰退；"陶土的脚"则代表腐败透顶的教会，从而反映人类社会日趋堕落的根源。

㉔关于地狱河流的形成，古今注释家有不同的解释：多数认为，这些河流是由克里特岛老人巨像的"一道"裂缝中流出的眼泪形成的，亦即最初仅是一条河流，经过地狱各层陡坡，这条河流逐渐分成不同的环形湖泊、河流，从而成为阿凯隆特河、斯提克斯沼泽、弗列格通河、科奇土斯湖；巴尔比等近代注释家则持不同说法，认为：各条河流是由雕像的"几道"裂缝流出的眼泪形成的。

㉕科奇土斯湖（Cocito）系位于地狱最底层亦即第九环的冰湖，叛卖者的亡魂都在那里受惩。

㉖勒特河（Lete 或 Leteo），亦名"忘川"，因该河能使亡魂忘记尘世间的生活。但丁把它放在《炼狱篇》中的地上乐园：经过忏悔赎罪的灵魂，在勒特河中洗涤，便可摆脱尘世的一切罪愆，升往天堂。

㉗指勒特河。

㉘指弗列格通河。

㉙意谓弗列格通河的鲜红、沸腾特征，足以"解答"但丁所提的两个问题之一："弗列格通河在哪里？"

第十五首

鸡奸者(1—21)

布鲁内托·拉蒂尼(22—99)

犯鸡奸罪的神职人员和文人学士(100—124)

鸡奸者

这时,我们沿着一条坚硬的河岸走开,
小溪的雾气从上覆盖,
这就使溪水与河岸免受火雨烧灼之灾。
正如圭赞特和布鲁日之间的那些佛拉芒人[1],
生怕海潮向他们冲来,
筑起一道堤坝把海水挡开;
也如帕多瓦人在卡伦塔纳感到热天到来之前,
就沿着布伦塔河筑起堤坝[2],
保卫他们的城市和村镇不被洪水冲垮,
地狱中的那些河岸也是这般光景,
尽管那位建筑师——不论他是何人——
不曾把河岸筑得同样厚大,同样高耸。
此刻我们已经离开丛林很远,
我看不清它在何处,

尽管我把身躯掉转，
这时我们遇到一群鬼魂[3]，
他们沿着堤岸前行，
每个鬼魂都在观察着我们，
就像一个人夜晚在新月之下注视另一个人；
他们朝着我们凝眸定睛，
就像年迈的裁缝在引线穿针。

布鲁内托·拉蒂尼

我就是这样被这群鬼魂盯视着，
其中有一个认出了我，
他扯住我的衣襟，喊道：“多么奇怪！”
他把手臂朝我伸过来，
我这时才把视线盯住他那被烈火烧伤的面容，
那焦黑的脸庞并不妨碍
我的头脑认出他的形影；
我俯下身来，把我的脸靠近他的脸[4]，
答道：“是您在这里吗？布鲁内托先生[5]！”
他于是说：“哦，我的孩子，你万勿不快，
倘若布鲁内托·拉蒂诺转回身来，
与你同行片刻，而让队伍向前走开。”
我对他说：“我竭尽全力，请求您这样做，
假如您愿意让我停下来，与您待在一起，
您就这样做吧，只要那个与我同来的人乐意。”
“哦，孩子！”他说，“这群人当中不论哪一个
只要停步不行，就要躺上一百年，
即使烈火烧灼他，他也不能给自己遮掩。
因此，你索性向前走：我会跟在你身旁，
然后我会把我的队伍赶上，
这队鬼魂正在为身受的永恒苦刑而啼哭。”

“是您在这里吗？布鲁内托先生！”（第十五首第30行）

我不敢走下河岸上的道路，
与他并肩同行；而是低垂着头，
就像一个人在毕恭毕敬地走路。
他开言道：“是事出偶然，还是天命所定，
使你在末日来临之前就下到幽冥？
这个带路的又是何人？”
我答道：“我在上面的尘世，在那明朗的人间，
曾在一个山谷间迷失路径，
这正是在我满盛年之前，
只是在昨天早晨，我才离开那山谷：
而正当我要重返山谷时，这一位就在我面前出现，
是他带领我沿着这条道路返回家园[6]。”
他于是对我说：“倘若你随从你的星宿指引[7]，
你就不可能不获得光荣的成功，
如果我在那美丽的人世所见属真；
我若不是死得如此过早[8]，
眼见上天对你如此厚爱，
我本可以给予你的事业以有力的安排。
但是，这忘恩负义的、歹毒的人民，
他们来自那古老的菲埃索莱[9]，
依然不改那山野和顽石般的秉性，
尽管你做尽善事，他们还会成为你的敌人：
因此，在那酸涩的野果当中，
理所当然地不该让那甘甜的无花果结成。
他们在人世久已臭名昭著，被称作有眼无珠[10]；
这帮人贪婪、狂傲又嫉妒，
你该注意：不可使自己沾染他们的习俗。
你的命运使你得到无上光荣，
以致不论是这一派还是那一派都恨不得把你活剥生吞[11]；
但是，你千万要像草儿远离羊口那样远离他们。

那些菲埃索莱畜生把他们的同类当作饲料[12]；
倘若在他们的粪堆中竟然还长出青苗，
75 万不可让他们把它触动，
因为那是罗马人的神圣种子在复生，
正是在那万恶的巢穴建成时，
78 罗马人曾留在其中[13]。”
我答复他说：“假如我的愿望
能得到充分满足，
81 您本来也还不致从人间被逐；
因为您那亲切而慈祥的父辈形象，
深深铭刻在我的心房——而如今这形象却令我心伤，
84 想当初您在世上，
曾时刻教导我：一个人如何才能万古流芳：
我对您的教诲是多么感激不尽，只要我一息尚存，
87 我就该用我的舌尖时刻将我的心迹表明。
我要把您所讲有关我余生的话一一记下，
并把它与另一个人的预言一起保存，
90 我若能见到那位能说明此事的圣女，就请她来说明。
我现在只希望您能明白，
只要我的良心对我不加责怪，
93 我已经准备好听任命运女神随意安排。
这种预示对我的耳朵已不新鲜，
因此，我让命运女神任意转动她的轮盘，
96 就像让农夫任意把他的锄头挥动一番。”
这时，我的老师转过他的右脸[14]，
把身躯也朝后右转，
99 他看了看我；随后说：“善听者才能牢记心尖[15]。”

犯鸡奸罪的神职人员和文人学士

我也并未因此而不再想

与布鲁内托先生谈话，
102 我问他：他的同伴当中有谁职位最高，名声最大。
他于是告诉我：“了解一些人是适宜的，
而对于其他人则最好还是缄口不言，
105 因为须要谈的是那样多，而时间又是那样短。
总而言之，你该知道：所有这些人都曾是
享有盛名和伟大的神职人员与文人学士，
108 但他们在世上都被同样的罪孽所玷污。
普里夏恩在与那污浊的人群同行[16]，
还有那佛兰切斯科·达科尔索[17]；
111 你若还想见识一下这些秽物，
你可以看一看那个人：他曾被众仆之仆[18]
从阿尔诺调往巴基利奥内就任[19]，
114 正是在那里，他留下那用来满足邪欲的神经[20]。
我还想再多说几句；但是，我不能
与你多叙，也不能再伴你同行，
117 因为我看到那边沙地上扬起滚滚烟尘。
前来的人并非我该与之为伍的伙伴[21]：
现把我的《宝库》托付给你[22]，
120 此书是我得以永生的凭依，更多的要求我也不再提。”
说罢他就转过身去，
就像维罗纳越野赛上的那些参赛者[23]
123 争先恐后地跑去夺取绿旗，
像一个赛胜者而不是赛败者向前奔去。

注释

①佛拉芒人（Fiamminghi）：居住在中西欧弗朗德勒地区的日耳曼血统的民族，现大部分属比利时（77%），一部分属荷兰（16%），小部分属法国（7%）。弗朗德勒（参见第六首注⑧），中世纪时曾归法国勃艮第（Borgogna）公国所占有，后归属奥、西管辖。十八世纪末归法独占，1814—1831 年并入荷兰，1831 年比利时从荷兰分裂出来，占有弗朗德勒一部分地区。现弗朗德勒大部分地区属比利时，分东西两部：东部首府为根特（Gant），西部首府为布鲁日

(Bruges);一部属法,其首府为里尔(Lille)。

圭赞特(Guizzante)系佛拉芒语:Wissant(维杉特)或 Wilsant(维尔杉特)的意文名,也叫Guitsand(吉特桑),靠近加来(Calais),位于弗朗德勒西部边境,现属法国,中世纪时为与英国通商的重要港口;布鲁日为重要商港,当时经常有意大利、特别是佛罗伦萨商人往来。

②布伦塔河(Brenta,参见第十三首注⑲),为意大利北部河流,长一百六十二公里。

卡伦塔纳(Carentana),史学家维拉尼称,即当时的卡林齐亚(Carinzia)公国,现大部分属奥地利,一小部分属斯洛文尼亚。当时,每逢春季解冻,冰雪融化,河水猛涨,常造成洪水泛滥之灾。但也有人认为(如薄伽丘),卡伦塔纳系指卡尔尼凯阿尔卑斯山(Alpi Carniche)地区,即包括卡林齐亚、斯蒂里亚(Stiria)和卡尔尼奥拉(Carniola)在内的卡兰蒂尼亚(Carantinia)地区。

③这群鬼魂都是曾犯有鸡奸罪的人。

④此句原文是 chinando la mia a la sua faccia,其中 la mia(我的)省略了名词,故注释家现有两种解释:一是认为,la mia 是随下一词语 la sua faccia(他的脸)而来,因而是 la mia faccia(我的脸);萨佩纽本就采用了这种说法,并认为,这种说法"更自然","更符合当时情况"。另一是把 la mia 解释为 la mia mano(我的手),因但丁已经"认出他的形影",不必再把脸靠近,所以伸下手去,表示亲近;波斯科-雷吉奥本采用了这种诠释。

⑤此人是布鲁内托·拉蒂尼(Brunetto Latini,诗中用"拉蒂诺"Latino,1220—1294),政治家,诗人,大学校长,属归尔弗派,在佛罗伦萨政治和市政事务中起过一定作用,可能还是但丁的老师,因此,诗中但丁对他十分尊敬,一直以"您"相称。1260 年,他作为使节,奉命前往谒见卡斯蒂利亚(Castiglia)国王阿尔封索十世(Alfonso X),设法说服他出兵协助归派与曼弗雷迪及吉伯林派交战;后得知归派已大败于蒙塔佩尔蒂,吉派在佛市得势,他无法返回,不得已流亡法国,直至 1266 年贝内文托战役归派反败为胜。他返回佛市后,曾历任要职:他曾任西西里王安茹的查理一世驻托斯卡纳代表圭多·迪·蒙弗尔(Guido di Monfort)的文书长;1273 年,又任佛市文书长。1280 年,枢机主教拉蒂诺调解佛市归吉两派纠纷时,他曾充当保证人。1287 年,他曾任佛市执政官(任期二月)。他博学多才,流亡法国期间,曾用法文著述百科全书式的名著《宝库》(*Trésor*)或《宝库全书》(*Li Livres dou Tresor*),后由博诺·贾姆博尼(Bono Giamboni,十三世纪)译成意文;他还用意文撰写七音步双排句诗集《小宝库》(*Tesoretto*)、《小寓言》(*Favoletto*)等。至于他所犯的鸡奸罪,萨佩纽说此事只见于但丁此诗,维拉尼则曾说他是个"交际家"(mondano uomo)。当代注释家(如法国的佩扎尔)也曾试图为他辩护:说布鲁内托·拉蒂尼的过错其实在于:他曾轻视母语,而用法语著述;为市政而非为帝国服务;或支持清净派(Catari)的异端邪说,等等。

⑥"返回家园"意谓"走上正途"。关于但丁与维吉尔相遇的情节,参见第一首。

⑦"你的星宿"即是指但丁据以诞生的星宿,亦即双子星座,据中世纪星相学的说法,凡生于双子星座的人都将在文学和学术方面有所成就。

⑧这里是说，布鲁内托·拉蒂尼逝世时，但丁才二十九岁，拉若能活得更久，将对但丁的学业和为人方面有更多的帮助。

⑨菲埃索莱（Fiesole），系位于佛罗伦萨西北附近山区一市镇，据十二、十三世纪史料记载，传说罗马独裁者苏拉（Silla，公元前138—前78）的同党人卡提利纳（Catilina，公元前109—前62）于公元前63年曾策动政变，试图建立贵族专政，事败，逃往菲埃索莱；凯撒派军围剿，将菲埃索莱夷为平地，卡提利纳战死在皮斯托亚（Pistoia）。凯撒为杜绝后患，在阿尔诺河两岸，建立新城，以古代君主佛奥里诺（Fiorino）名字命名，即佛罗伦萨（Firenze），其居民有参加征战的罗马士卒，但多数为菲埃索莱的移民，这也是佛市经常发生内讧乃至内战的远因。维拉尼曾就此写道："可以看到佛罗伦萨人何以彼此发生争战与不和，这是不值得奇怪的，因为他们出身于两个如此相反、如此敌对、习俗如此不同的民族：一方面是高贵的、讲求美德的罗马人，而另一方面则是粗野、好战的菲埃索莱人。"古代史学家马拉斯皮尼的著作、布鲁内托·拉蒂尼的《宝库》第一卷对此均有记载；但丁在《书信集》第六章第二十四句段中曾称佛罗伦萨人为"可怜的菲埃索莱人"。菲埃索莱位于山区，因而诗中说佛市居民至今仍有"山野和顽石般的秉性"。

⑩此处用典来自古代流行于托斯卡纳的一句谚语，其内容是讽刺佛罗伦萨人当时称霸一方的：据说，东哥特王托提拉（参见第十三首注㉒）为夺取佛市，曾谎称他欲与佛罗伦萨人交好，佛市信以为真，大开城门，使他得以长驱直入，将佛市摧毁。维拉尼在《编年史》第二卷第一章中就说，正因如此，佛罗伦萨人"在谚语中一直被称作瞎子"，佛罗伦萨无名氏也持此说法。但也有人（如薄伽丘、本维努托）认为，这里是指佛罗伦萨人曾上过比萨人的当：即在比萨人远征巴利阿里群岛（Isole Baleari）时，佛罗伦萨人曾允诺为之镇守后方，后比萨人表示"酬谢"，送给佛罗伦萨人两大块破损的斑岩，以此欺哄对方，因斑岩用红布包裹，佛罗伦萨人仍以为是完美无缺的，欣然接受了"礼物"，因而谚语把佛罗伦萨说成"有眼无珠"。

⑪注释家对此亦持不同解释：有人认为，这是指黑白两党都有意把但丁争取过去；萨佩纽和雷吉奥则认为，黑白两党都对但丁十分仇恨（黑党把但丁放逐，白党则恼恨但丁被放逐后曾不得已背离了他们），要把他"活剥生吞"，雷吉奥还说，没有任何资料证明黑白两党曾试图将但丁拉到各自一方。

⑫这里把菲埃索莱人比作自相残杀的畜牲。

⑬"万恶的巢穴"指佛罗伦萨。根据雷吉奥分析，但丁在这里认为，其家族与其他所有属古代贵族后裔的家族一样，都具有罗马人的血统，因此，其余佛罗伦萨人则均为"菲埃索莱畜牲"。"罗马人的神圣种子"的类似说法可见于但丁的《筵席》第四卷第五节第六句段："十分显然：天神选定了罗马帝国，让它来促使那神圣的城市诞生。"

⑭但丁是跟在维吉尔后面沿着右河岸行走，故维吉尔要与但丁讲话，须把"右脸"转过去。

⑮意谓善于听取意见的人才能把对方的话铭记在心。

⑯普里夏恩（Priscian），全名为普里夏诺·迪·切萨雷亚（Prisciano di Cesarea），五、六世纪时著

名拉丁文法学家。他曾在君士坦丁堡教授文法，著有《文法技艺规范》(*Institutio de arte grammatica* 或 *Institutiones grammaticae*)十八卷，为中世纪学校广泛采用的课本，据说，该书是为罗马一不知名的贵族朱利亚诺(Giuliano)写的。无任何资料证明他犯有鸡奸罪，只是十三世纪伦理诗人乌古乔内·达·洛迪(Uguccione da Lodi)曾说他是个"背弃宗教"的僧侣，因此，有人怀疑，这里是否把他与四世纪一异端教派的创立者普里西利亚诺(Priscilliano)弄混了：普里西利亚诺的许多"罪过"之一就是鸡奸罪。据雷吉奥说，目前注释家的一个主要论点是：但丁把普里夏诺列入犯鸡奸罪者，是因为这种罪过是与当时的文人学士和学校有联系的，这也是古代注释家的普遍看法，他们认为，"教育者"的拉丁文为paedagogus(意文为pedagogo)，该词与"鸡奸者"(sodomita 或 pederasta)几乎是同义词。

⑰佛兰切斯科·达科尔索(Francesco d'Accorso,1225—1293)，与其父阿科尔索·达·巴纽洛(Accorso da Bagnolo)均为佛罗伦萨著名法学家。他生长于波洛尼亚，曾在波洛尼亚大学教民法，直到1273年为止。后应英王爱德华三世邀请，赴英执教于牛津大学，直到1281年。返国后，他作为吉伯林派分子于1274年被没收的财产得以归还。1293年殁于波洛尼亚。

⑱"那个人"指安德烈亚·德·莫齐(Andrea de' Mozzi)，他出身名门望族，曾为教皇亚历山大四世(Alessandro IV)和格里高里奥九世(Gregorio IX)的御用神甫，后又作为枢机主教拉蒂诺驻托斯卡纳的随从，不久被教皇尼可洛三世(Niccolò III)派作代表，调停归尔弗派与吉伯林派的争端。1272年，他任佛罗伦萨市专职神甫，1287年升任主教，任主教期间，佛市著名的圣十字架教堂和医院开始建立，据说，该医院是在他建议下由但丁心目中的情人贝阿特丽切之父佛尔科·波蒂纳里负责建筑的。1295年，他被教皇博尼法丘八世(参见第三首注⑪和第六首注⑧)调往维钦察(Vicenza)任主教。同年(或次年年初)死于该市。他的调任曾引起舆论大哗，当时，但丁正值青年时期，可能耳闻目睹。本维努托曾说他是个"大畜牲"，佛罗伦萨无名氏也说他为人"极不老实"，又"缺乏头脑"；薄伽丘则说，他的调动可能是因为他的兄弟托马索·德伊·莫齐(Tommaso dei Mozzi)对博尼法丘八世施加压力所致，目的是消除他在佛市的"鄙劣的丑行"。

"众仆之仆"指教皇，这里则是指博尼法丘八世。

⑲"阿尔诺"为佛罗伦萨的河流，"巴基利奥内"(Bacchiglione)则为维钦察的河流，这里即是指从佛市调往维市。

⑳"留下……神经"意谓死亡。

㉑这里是指：犯鸡奸罪的鬼魂按罪行大小分组成队，因此，"前来的人"非布鲁内托·拉蒂尼所属的队伍。

㉒《宝库》一书是拉蒂尼在1262—1266年流亡法国期间撰写的名著，但雷吉奥认为，他的扬名主要还是"凭依"但丁的《神曲》。

㉓维罗纳越野赛始于1207年，是为纪念维罗纳僭主阿佐·德·埃斯特(Azzo d'Este)战胜圣博尼法丘(S. Bonifacio)伯爵和蒙泰基奥(Montecchio)伯爵的联军而举行的。每年四旬斋(复活

节前四十天)的第一个星期日,在圣路齐亚镇(S. Lucia)附近的一个平原上举行。参赛的获胜者获绿布制成的锦旗一面,败北者(即最后一名)也有“奖励”,即获得公鸡一只,实际上是对他的一种嘲弄。

第十六首

三个佛罗伦萨人(1—63)
佛罗伦萨的腐败(64—90)
但丁的绳子(91—114)
格吕翁的出现(115—136)

三个佛罗伦萨人

这时来到一个地方，
那里可以听到溪水流入另一环的嗡嗡声响[1]，
那声响犹如蜜蜂乱飞在蜂房。
此刻只见三个幽魂，
一起从正在走过的一群人中跑开，
这群人在火雨的烧灼下受着酷刑。
他们三人向我们跑来,每个人都在叫喊[2]：
“停下来,从你的穿着来看，
你像是我们那罪恶城市的人[3]。”
哎呀！我看到他们遍体鳞伤，
有新伤痕,也有旧伤痕,都是被烈焰烧成！
至今我只要一想起,仍不禁心痛。
我的老师注意到他们的喊叫；

他转过脸来对我说道:“现在,你等一等,
对这几个人应当以礼相迎。
若不是这里的自然力
放射烈火,我本想说:
加紧行事的最好不是他们而是你。”
我们刚刚停下步来,他们就又开始老一套的哭诉,
他们来到我们身边,
三人围成一圈,团团旋转。
犹如一丝不挂、浑身涂油的角斗选手所做的一般,
他们交手时,在被击败和击中之前,
总要伺机而动,争取上风,
这三人也是如此旋转,
各自把视线都投向我这一边,
而脖颈不断移动的方向则与双脚恰恰相反。
其中一人开言道:“尽管这片沙地松软,令人难以立稳,
还有我们那被火烧焦和脱皮的面容,
这些都令我们的请求变得无足轻重,
但是,我们在世上的声名
毕竟还能促动你的心灵来说出你是何人,
你那灵活的双脚竟是如此坚定,不怕地狱的苦刑。
你看这个人,他紧踩着我的足印,
虽然他赤身露体,烧掉表皮,
但他生前享有的显赫地位却令你简直无法相信:
他是那贤惠的瓜尔德拉达的嫡孙[4];
圭多·古埃拉是他的大名,
他一生智勇双全:既有头脑,又有宝剑。
另一个足踏沙地,靠近我身边,
他是泰加尤·阿尔多布兰迪,他的声音
在上面的人世间,本该被人采纳为忠言[5]。
至于如今与他们一起受苦的我本人,

我是雅科波·鲁斯蒂库齐，
当然，凶悍的妻子对我的伤害甚于他人[6]。”
倘若我不致被烈火烧灼，
我本来会跳下去，与他们待在一起，
而且我相信：老师对此也会容许；
但是，恐惧终于战胜了我的善良愿望，
因为这样做会使我烧坏燎焦，
尽管我是那样渴望将他们拥抱。
于是，我开言道：“并不是我轻视你们，
而是你们的现状令我十分痛心，
这种心情只有很晚才能完全除清。
我的这位先生刚才对我说的几句话，
使我立即想到：前来的人
就是像你们这样的人。
我就是你们的同乡，
我也一向总是抱着亲切的心情，
谈论和耳闻你们的业绩和令人钦敬的大名。
我正在摆脱罪孽的苦水，去追寻
我那位言而有信的老师许诺我得到的甘果；
但事先我必须一直下降到那地球中心[7]。”

佛罗伦萨的腐败

那人继续说道：“但愿你的灵魂
能长久地把你的肢体指引[8]，
但愿你的声名在死后仍能大放光明，
请你说一说：礼仪和英勇
是否仍如往昔存在于我们的城市，
抑或已经完全匿迹销声；
因为古利耶尔莫·博尔西埃雷的话曾把我们的心伤透[9]，
他才与我们一起受苦不久，

此刻则与伙伴们走到前头。”
“佛罗伦萨啊！新来的人和暴发的财富[10]
已使你变得傲慢无礼和放肆无度，
这就使你深受折磨，哀声痛哭。”
我就是这样扬起头来，大声疾呼；
那三人以为这便是对他们问话的答复，
他们面面相觑，如同一个人闻知真相而大吃一惊。
他们齐声答道：“倘若今后你总是能
如此轻松地满足别人，
你真幸运！竟能说得如此简明！
因此，一旦你离开这黑暗的天地，
返回人世，重见那美丽的繁星，
那时，你将会为能说出‘我曾去过那里’而感到高兴，
也请你届时向世人谈到我们。”
说罢，他们就散开圈子，各自逃奔，
他们的双腿迅捷如飞，恰似雀鸟展翅凌空。
还不到说声“阿门”的工夫[11]，
他们就已跑得无影无踪；
于是，老师认为此刻应当起程。

但丁的绳子

我跟在老师后面，我们走了一小段路程，
这时只听得水声如此邻近，
我们彼此说话也勉强才能听清。
就像那条最先有自己的入海通道的河流[12]，
从蒙维索峰以东的地方泻下，
又顺势从亚平宁山的左坡奔流，
在它倾泻而下，流入低矮的河床之前，
世人把它称作阿夸凯塔[13]，
而到了福尔里，这名称就不见流传，

它在阿尔卑斯山的圣本笃峻岭上如雷轰鸣，
因为它仅从一个落差中一泻而下，
而它的堕落本该分散为一千个落差[14]；
我们发现那赤色的河水也同样是从一个陡峭的悬崖流下[15]，
它发出响雷一般的轰隆声，
只需很短时间就能把耳朵震聋。
我有一条绳子围系腰部，
我一度曾想用它
把那只皮毛斑斓的豹子拴住[16]。
这时我已按老师对我所嘱，
自行把它完全解下，
随即把它收卷起来交给他。
于是他把身子转向右方，
尽量把绳子投到远离岸边之处[17]，
扔进那片深谷[18]。

格吕翁的出现

我不禁暗自说道："老师的眼神
如此注意地做出的新的暗示，说明
定有新的现象发生。"
啊！人们应当多么谨慎！
因为他们身边的人不仅观察他们的行动，
而且还用头脑来深入探测他们的内心。
他对我说："我所期待、你所梦想的东西
很快就会来到上边：
你必然很快就能亲眼得见。"
说出那真相的人总会有一副撒谎的面孔，
因此，只要能够，就该闭上嘴唇，
以免因无罪受责而蒙羞丢人[19]；
但在这里，我无法缄口不言；

读者啊！我要以这部喜剧的诗句向你发誓[20]
即使这部喜剧的诗句远不能令你喜欢：
我眼见在那浓密而黝暗的空气中，
有一个形影在浮游上升[21]，
它能令任何一个胆大无畏的心也感到震惊，
它就像一个人有时沉入水底，
去把那卡住暗礁或深藏海底的
其他东西的船锚拔起，
它把上身伸展开来，而把双脚则收缩到一起[22]。

注释

①“另一环”指第八环。

②此三人是圭多·古埃拉(Guido Guerra)、泰加尤·阿尔多布兰迪和雅科波·鲁斯蒂库齐(后二人参见第六首注⑪和⑫)。圭多·古埃拉出身著名的圭多伯爵家族，称圭多·古埃拉六世，父为多瓦多拉(Dovadola)伯爵马可瓦尔多(Marcovaldo，或称鲁杰罗 Ruggero)，母为贝阿特丽切·德利·阿贝尔蒂(Beatrice degli Aperti)；1220 年生，青年时期服务于腓特烈二世宫廷，返回佛罗伦萨后，成为托斯卡纳地区归尔弗派中流砥柱之一；1241 年曾参加反对腓特烈二世的著名的法恩扎(Faenza)保卫战；1255 年，率佛罗伦萨军与阿雷佐吉伯林军交战；1260 年，归尔弗军在蒙塔佩尔蒂战败后，他流亡在外，力主打回佛市；1266 年贝内文托一战，归军大胜，他战功显赫，次年，返回佛市；1272 年殁于蒙特瓦尔基(Montevalchi)。

③“罪恶城市”指佛罗伦萨。

④瓜尔德拉达(Gualdrada)，全名为瓜尔德拉达·迪·贝林乔内·贝尔蒂·德·拉维涅亚尼(Gualdrada di Bellincione Berti de' Ravignani)，1180 年嫁给圭多·古埃拉六世之祖父老圭多(Guido il Vecchio)，因为操持家务严谨，为人庄重贤德，当时被誉为贤妻良母之典范。

⑤这里是指：泰加尤·阿尔多布兰迪曾参加 1260 年蒙塔佩尔蒂战役，事先，他权衡敌我力量悬殊，曾劝阻佛市归派与锡耶纳吉派交战，否则必败无疑，但其建议未被采纳，最后，归派果然大败于蒙塔佩尔蒂。

⑥此情节出自佛罗伦萨无名氏的说法，即：雅科波·鲁斯蒂库齐虽非出身名门，但在当时社会上甚有声望，因其才华出众，和蔼可亲，其妻则与之相反，甚为“凶悍”，最后迫使他与之离异；注释家据此认为，这可能是他厌恶女色，犯下鸡奸罪的主要原因。

圭、泰、雅三人当时都是佛市享有盛誉的知名人士，因而维吉尔嘱但丁要对他们“以礼相迎”。

⑦“地球中心”指地狱的底层。

⑧意谓“但愿你能活得长久”。

⑨古利耶尔莫·博尔西埃雷(Guglielmo Borsiere),此人不见经传,但古代注释家一致认为,他是佛罗伦萨一个“放荡不羁、慷慨大度”的人物,薄伽丘也曾说他是个出入宫廷的“骑士”,有教养,善言谈,举止文雅,常为大人物调解纠纷和谈判联姻,等等,甚而在《十日谈》第一天第八个故事中,把他作为批评一个热那亚人贪财吝啬的角色。他可能死于1300年。

⑩指新近从农村迁入佛罗伦萨的人,他们大多靠放高利贷和做生意而牟取暴利。

⑪这一说法等于“说时迟,那时快”,可能是当时流行的惯用语。

⑫这条河流可能是指托斯卡纳和艾米利亚(Emilia)两地区境内的亚平宁山脉的阿尔卑斯山圣本笃(San Benedetto)山岭附近的蒙托内河(Montone,或称“山羊河”)。该河与几条其他河流一起,从蒙维索峰(Monte Viso或Monviso)以东处,顺沿亚平宁山左坡流下,是当时唯一直接流入大海的河流(其他河流则流入波河)。如今经过长年人工改变水道,该河已与隆科河(Ronco)合流;直接入海的变为雷诺河(当时则为波河的一个支流)和莱蒙河(Lamone,当时曾淤积,无法入海)。

蒙维索峰为阿尔卑斯山最高峰,为波河发源地,高三千八百四十一米。

⑬此句意谓蒙托内河上游称为阿夸凯塔河(Acquacheta,意思是“静水河”),俟该河流至福尔里(Forlì)平原地带(即“低矮的河床”),则不再如此称呼,而称蒙托内河。阿夸凯塔河为汇成蒙托内河的三条激流之一,由它形成圣本笃山岭地带的瀑布群。

⑭这里的“一个落差”系指阿尔卑斯山圣本笃村附近的罗米蒂瀑布(Romiti),该瀑布正是由阿夸凯塔河形成的。因为蒙托内河(或阿夸凯塔河)仅由“一个”而非“一千个”瀑布水道倾泻而下,水势集中一起,其声响才“如雷轰鸣”。但薄伽丘、本维努托、佛罗伦萨无名氏等古代注释家以及后来的一些注释家,对此段诗句也做了另一种解释:即但丁在此是有意谴责当时的一座本笃会的修道院,该修道院收入颇丰,足以供养千余人,而它却只收留少量僧侣,或是指圭多伯爵家族是设想要在圣本笃山岭建立一个能容纳千人之众的城堡。萨佩纽和波斯科-雷吉奥两注释本都否定这种诠释。

⑮“赤色的河水”指弗列格通河。

⑯这里,但丁首次提到他腰间的“绳子”,并曾想用它来“拴住”最初遇见的豹子,而这一情节在第一首有关诗句中丝毫未提及,为此,古今注释家对“绳子”的寓意猜测纷纭,莫衷一是:古代注释家一般认为,绳子意味着“欺诈”或“虚伪”,是淫欲者的调情工具,欺诈者的讹骗手段;十四世纪的布蒂则认为:绳子是圣方济各会僧侣用的“圣索”即腰带,并说但丁本人曾做过“较低级的修士”;还有人说,但丁晚年曾做过“第三级教士”(萨佩纽指出,此说不确,因第三级教士用的腰带是“皮带”,而不是绳子)。卡雷蒂(Caretti)、纳尔迪等现代注释家的说法接近古代注释家,认为:绳子系针对色欲、欺诈而意谓“节制”、“正义”;还有人说,绳子象征但丁的“怜悯心”,在其游地府的前一阶段还存在于其心中,在下到地狱底层之前,就变得“无用”了,因而但丁就“把它扔掉”。

不论如何,绳子在此出现,显然是为了给格吕翁的即将出场做铺垫,上述种种诠释均属猜测,似不必过多纠缠。

⑰此句意谓把绳子抛得尽量远些,以免被岸边岩石挂住。

⑱“深谷”指第七环到第八环的坑穴。

⑲此段意谓:某些真相若讲出来,尽管属实,却难以令人相信,反而会使人认为,讲真相的人是在“撒谎”,故应尽量避免讲出,以免“无罪受责”,反受凌辱。

⑳这里的“喜剧”指《神曲》,因为《神曲》直译名应为《神圣的喜剧》(*La Divina Commedia*)。然而,但丁最初仅以“喜剧”命题,“神圣”一词是薄伽丘在《但丁赞》(*Trattatello in laude di Dante*)中后加的(约 1357—1362 年);薄对《神曲》推崇备至,并曾应佛罗伦萨僭主聘请,在圣斯泰法诺·迪·巴迪亚教堂(San Stefano di Badia)讲解过《神曲》,可惜因身体不佳,只讲解了十七首。1555 年,威尼斯路多维科·多尔切(Ludovico Dolce)出版此书,正式用《神圣的喜剧》作书名,此后该书名便一直被普遍采用。在中世纪,喜剧与悲剧已不再像以往那样只限于指戏剧表演形式,一些叙事诗根据不同的内容和格调,往往亦称为“喜剧”或“悲剧”:开头平静、结局悲惨、文风高贵典雅并用拉丁文书写的称“悲剧”,开头曲折、结局圆满、文风通俗素朴并用意大利文书写的称“喜剧”,《神曲》即归于后一种。在我国,《神曲》最早(约 1910 年)曾译为《神剧》(见钱单士厘《归潜记》),1921 年才改用《神曲》译法(见钱稻孙《神曲一脔》)。

㉑这个“形影”即格吕翁(Gerione),详见下一首。

㉒这里,但丁用细腻而生动的写实手法,描绘格吕翁像游泳者从水下上浮那样从深谷飞上来的姿态。

第十七首

格吕翁（1—27）
高利贷者（28—78）
下降到第八环（79—136）

格吕翁

“瞧那只野兽，它有一条尖尾，
它穿山越岭，冲破城墙，毁坏兵器，
瞧它把全世界都熏上了臭味[1]！”
我的老师开始对我这样讲；
他还向那只野兽示意，叫它爬上
靠近我们行走的石路尽头的深谷边沿。
那丑恶的欺诈形象已经来临，
它露出了头部和上半身，
却未把尾巴拖到边沿上面[2]。
它的脸是正直人的脸，
忠厚善良之色透出容颜，
形体的其余部分则都是蛇身蜿蜒[3]。
两只利爪乃至腋下长满毫毛，
两肋、后背和前胸

那丑恶的欺诈形象已经来临，它露出了头部和上半身。(第十七首第7、8行)

布满一个个圆圈和一条条花纹：
不论是鞑靼人还是突厥人
都未制过这样的布匹：底衬、花样更繁多，色彩更缤纷[4]，
阿拉克涅也未织过这样的纺织品[5]。
正如小船有时停泊岸边，
半在水中，半在地面，
也像在那些好吃贪杯的德国人中间[6]，
海狸在严阵以待，准备作战[7]，
那恶毒的野兽也正是这样
趴在那环绕沙地的石砌边沿。
它把整条尾巴悬在空中扭来扭去，
而那毒叉则向上翘起，
如同蝎子一样，那尾端也装有这件武器。

高利贷者

师长说道："现在应当
稍微改变一下我们行路的方向[8]，
一直走到匍匐那边的恶毒野兽身旁。"
因此，我们从右边走下去，
又紧踩着深谷边沿走了十步[9]，
为的是彻底避开热沙与火雨。
我们来到它的面前，
我这时看到稍远的地方，
有一些人坐在靠近深谷的热沙之上[10]。
这时，老师对我说："为了使你
充分体验这一层的情况，
走过去吧，看一看他们的现状。
你在那边的谈话要简短：
等你回来时，我还要与这只野兽谈一谈，
让它允许我们借用它那强壮有力的双肩。"

于是，我单独一人
紧贴着第七环的边沿前往，
走到那悲惨的人群席地而坐的地方。
他们的双眼迸发出他们的痛楚；
他们用双手扑打这里，扑打那里，
时而抵挡烈焰，时而抵挡灼热的沙地。
夏日里的狗儿所做的动作也与他们不差分毫，
一旦被跳蚤或苍蝇或牛虻所叮咬，
狗儿也会这样抵挡，时而用嘴，时而用脚。
尽管我把目光投向某些人的面孔，
却辨认不出任何人，
因为酷毒的火雨在纷纷落下，烧灼他们。
但我发现：每个人都有一个钱袋挂在脖颈[11]
每个钱袋都有某种颜色和某种花纹[12]，
他们似乎都在把各自的钱袋一味地看个不停。
我一边观望，一边来到他们中间，
我看到一个黄色的钱袋，上有天蓝色的图案，
那图案呈现出一只狮子的姿态和嘴脸[13]。
我的目光之车继续向前[14]，
这时，我又看到另一个血红色的钱袋，
那钱袋显示着一只鹅：它更多的是奶油色，而不是白色[15]。
还有一个人，他那白色的小钱袋上
饰有一只大腹便便的天蓝色母猪[16]，
他对我说："你到这坑谷里来做什么？
现在你走开吧；因为你若是还活着，
就该知道：我的同乡维塔利亚诺[17]
将要来到这里，坐在我的左侧。
我是帕多瓦人，而这些跟我在一起的是佛罗伦萨人：
他们多次大喊大叫，简直要把我的耳朵震聋，
他们喊道：'叫那位至高无上的骑士来吧！

他将带着那饰有三头山羊的钱袋来临[18]！'”
说罢他撇了撇嘴，又伸了伸舌头，
犹如一头在舐着鼻子的公牛。
我担心若是逗留过久，
会使嘱咐我略待片刻的他气愤，
我于是转身回去，离开那些受苦的亡魂。

下降到第八环

我发现我的老师已经
登到那凶恶的野兽的背上，
他对我说：“现在你要大胆、坚强。
今后我们就要用这样的阶梯层层下降[19]：
你骑到我前面来，因为我想坐在中央，
这样，那尾巴就不能把你弄伤。”
犹如一个人染上四日热，就要颤抖发作[20]，
他的指甲已变得没有血色，
只要看到阴凉地，就会浑身哆嗦，
我一听此话，也变成这个模样，
但是，羞耻心对我威逼恫吓，
因为在英明的主人面前，奴仆也该变得坚强。
我坐到那硕大的肩膀之上；
我确实想说：“请抱住我。”
但我却不能随意发声。
不过，以前在其他危难时刻，
他也曾救助过我，因而我刚骑上去，
他就用臂膀把我搂住，扶稳；
他于是说道：“格吕翁，现在你走动吧：
你要把圈子转大，下降要慢：
你要想到你肩上载有新的负担[21]。”
正如小船逐渐向后退去，离开河岸，

它缓缓地向前游动:转着圈子,徐徐降落。(第十七首第115、116行)

格吕翁也是这样缓缓离开坑谷边缘；
102 等到它自觉可以任意翱翔之后，
它便把尾巴掉到方才前胸所在之处[22]，
并把尾巴伸展开来，像鳗鱼似的不住摆动，
105 它还用两只利爪把空气向身上划动[23]。
我相信：即使法厄同撒掉缰绳[24]，
也不会比我更加惊恐，
108 尽管他眼见天空已在燃烧，这现象至今仍可看到[25]；
可怜的伊卡洛斯也同样如此，即使他发觉腰际的羽毛
因蜡已融化而纷纷落掉，
111 此刻父亲则向他叫喊：“你走错了道[26]！”
我这时的惊恐正是这样超过他们，
因为我看到：我已完全置身空中，
114 除了那只野兽，一切景象都从我眼前消失殆尽。
它缓缓地向前游动：
转着圈子，徐徐降落，但是我只发觉，
117 风儿正从我迎面吹来，又从我身下拂过。
我此刻从右边听到，
我们下面有可怕的流水哗哗倾泻声，
120 因此，我伸出头来，把目光朝下观定。
这时，我更加害怕从空中掉下去，
因为我眼见火光熊熊，耳听震天哭声；
123 我吓得浑身发抖，把双腿夹得更紧。
随后，我又看到方才未能看到的景象[27]：
我正在受苦的人群上空盘旋、下降，
126 他们变得越来越近，分散在四面八方。
正像猎鹰在上空飞翔过久，
未见诱饵和飞鸟就开始降落[28]，
129 这就使放鹰者说道：“哎呀！你怎么下来了！”
猎鹰疲惫不堪，缓缓降落，

它转了一百个圈子，也不像素日那样迅速灵活，
它落在离主人很远的地方，既气恼又懊丧；
格吕翁也是这样降落在地，
紧靠那巉岩峭壁，
它卸下我们的身体，
随即如箭离弦，霎时间渺无踪迹。

注释

①这只野兽即是“格吕翁”（Gerione）。根据希腊神话和古代传说，它是位于西方的大西洋岛屿厄里提亚（Eritea）的国王，是个有三头、六臂、六腿的巨人，残暴异常，后被海格立斯所杀（属海格立斯的十二业绩之一）；在本诗中则是作为惩罚欺诈者的第八环的看守。尽管有维吉尔、奥维德、贺拉斯等先辈有关诗作借鉴，但丁对格吕翁外形的描绘则完全是独创的；前人一般都把它描绘成有三个身体的怪物，但丁则把它写成有人脸、狮爪、蛇身、外带蝎子式毒叉尾巴的怪兽，其用意正在于要使之成为外表善良、内藏奸诈的典型欺诈者形象。据萨佩纽、雷吉奥等分析，但丁对格吕翁形象的构思可能受《新约・启示录》第九节第七至十一句描述蝗虫的一段的启示，其中说：“那些蝗虫……面孔酷似人脸……它们的尾巴像蝎子一样，上面有毒刺……”但古代传说中对一些怪物的描绘对他也不无影响，如罗马地理学家索利诺（Solino，公元三世纪）、自然学家老普林尼（Plinio il Vecchio，公元23—79）乃至但丁的老师布鲁内托・拉蒂尼所描绘的“曼蒂科拉”（Manticora），大阿尔贝托在《论动物》（*De animalibus*）中所描绘的“莫林托摩里翁”（Morintomorion），就都是有人脸、狮身和蝎尾的怪兽；古代教堂中狮身人面像以及其他类似的雕刻装饰对但丁的艺术创造也起了一定的启发作用。薄伽丘在《神的家谱》（*Genelogiae deorum*）中对格吕翁的描述，可视为对但丁笔下的这一“野兽”的最好诠释：他说格吕翁是统治巴利阿里群岛（Baleari）附近地区的一个阴险狠毒的国王，“经常以善良的面孔、甜蜜的言语和周到的礼节迎接来客，然后，在他用阿谀奉承的手段使客人陷于昏迷状态之后，就把他们一一杀死。”格吕翁象征“欺诈”，是前所未有的，如维吉尔在《埃涅阿斯记》中就只把它与肯陶罗斯，哈尔比，七头蛇，果尔冈，有五十个头、一百条胳臂的巨人布里阿雷奥斯（Briareo）等一起作为地狱的看守。

②这里但丁形象地写出欺诈者的特征：表面善良忠厚（“露出了头部和上半身”），内藏奸诈歹毒（“未把尾巴拖到边沿上面”）；《最佳评注》就曾指出：“因为欺诈者总是要把自己的目的遮掩、隐蔽起来。”

③但丁进一步从外形上刻画格吕翁的“欺诈”特征；他在《筵席》第四卷第十二节第三句段中也有类似的描述：“那些最初不曾表现其缺点的东西是更危险的，因为人们往往不能防范这些缺点；这正像我们从叛徒身上所见到的，叛徒在人前总是摆出一副友善的面孔，使人对他抱

有信任,而在友好的借口下,却隐匿着敌意的缺点。”

④这里用鞑靼人和突厥人的花色繁多的布匹来与格吕翁的表皮作对比,因为在中世纪,居住在波斯和周边国家的这些人所织的布匹是闻名遐迩的。

⑤阿拉克涅(Aracne),神话传说中精于织布的少女,居住在小亚细亚的吕底亚(Lidia)。她曾大胆地向密涅瓦(即雅典娜)挑战,要与密涅瓦比赛织布,终于不胜,被密涅瓦化为蜘蛛;但另有一说是:密涅瓦见阿拉克涅的织物果然精美,于是将她的织布机毁掉,阿拉克涅伤痛欲绝,悬梁自尽,密涅瓦即将她变为蜘蛛。因此,至今其名“阿拉克涅”(Aracne)仍成为许多与“蜘蛛”有联系的词汇的字根,如蛛网膜(aracnoide)、蜘蛛中毒(aracnidismo)等。

⑥这里的“德国人”是泛指欧洲北部人,当时谚语中,常把德国人说成是“好吃贪杯”之徒。

⑦这里用海狸用尾巴引鱼上钩的情况形容格吕翁的险恶用心,而前两句则用小船的停泊形容它的姿态。但丁之子彼特罗曾解释海狸在岸边钓鱼的狡诈做法:“据说,海狸是用尾巴钓鱼的,它把尾巴放到水里晃动着;由于海狸的尾巴有油脂,分泌出一滴一滴的油,可引鱼上钩,当鱼游近油滴时,它就转过身子,把鱼捕获。”据悉,北欧渔民捕鱼之用海狸近似我国南方渔民之用鱼鹰。

⑧这里意谓应从一贯的向“左”转改为向“右”转。诗中写但丁与维吉尔向“右”转只有两处:即此处和在第六环(参见第九首第132句)。这说明,格吕翁停落在离溪水较远的地方,故须改变方向走近道。《最佳评注》曾诠释诗句的用意是:凡人进行欺诈,总不能用“直截了当”的办法,而是要用“迂回曲折”的手段。

⑨“十步”系“几步”之意。

⑩这些都是高利贷者的亡魂。

⑪这表明高利贷者在放债时,桌上总要放着钱袋和账本,因而,高利贷者是钱袋不离身的。

⑫意谓钱袋的底色和图案代表着不同家族的族徽。

⑬此族徽是佛罗伦萨归尔弗派贾恩菲利亚齐(Gianfigliazzi)家族的,该家族在1300年归派分为黑白两党后属黑党。拉纳说,该家族所有成员均为“非常有名的高利贷者”;《最佳评注》认为,但丁在这里未具体说明该人是谁,意在举一反三。但大多数古代注释家都猜测,此人是卡泰洛·迪·罗索·贾恩菲利亚齐(Catello di Rosso Gianfigliazzi);此人与其兄弟及一个表兄弟都曾在法国放高利贷,返国后,还获得过骑士头衔,死于1283年以后。

⑭“我的目光之车继续向前”是但丁的独特形象写法,意谓“顺着我的目光所向望去”。近代注释家托拉卡(Torraca,1853—1938)就指出,《炼狱篇》第一首第2句“我的才华之舟”与“我的目光之车”正是同类比喻。

⑮这个血红色带奶油色鹅的图案是佛罗伦萨吉伯林派奥布里亚基(Obriachi)家族族徽的标志。据拉纳说,该家族是古老的贵族门第,成员也都是“非常有名的高利贷者”,1258年,曾与其他吉派家族被当时掌权的归尔弗派赶出佛市。有人认为,但丁此处影射的是该家族一个名叫恰波(Ciapo)的成员,但根据史料,此人应是洛科·奥布里亚基(Locco Obriachi),他于1298

年曾在西西里放过高利贷。诗中的“奶油色”(burro),有人认为该是“象牙色”,萨佩纽则指出,“奶油色”这一烹调形象更符合诗中的“挖苦讽刺的笔调”。

⑯白色带天蓝色肥猪图案的族徽属帕多瓦的名门望族斯克罗威尼家族(Scrovegni)。注释家大多认为,这里系指雷吉纳尔多·斯克罗威尼(Reginaldo Scrovegni);此人系著名的高利贷者,吝啬至极,甚至被编入当时流行的谚语。该家族其他成员(如雷吉纳尔多之子阿里哥 Arrigo)也放高利贷。据说阿里哥为其父赎罪,曾命人建造驰名世界的斯克罗威尼礼拜堂,其中有十四世纪著名画家乔托(Giotto,1266?—1336)所绘的壁画。

⑰维塔利亚诺(Vitaliano),大多数注释家认为,此人系帕多瓦的维塔利亚诺·德尔·登泰(Vitaliano del Dente),他于 1304 年和 1307 年先后任维钦察和帕多瓦的最高执政官,但据古代编年史学家说,他为人“豪放,豁达”,因而有人认为,此人可能是维塔利亚诺·迪·雅科波·维塔利亚尼(Vitaliano di Jacopo Vitaliani)。

⑱此人为佛罗伦萨另一高利贷者乔瓦尼·迪·布亚蒙泰·德伊·贝基(Giovanni di Buiamonte dei Becchi)。他曾历任公职,1293 年曾任最高大法官,并曾被授予骑士勋章。其族徽是金底外带三头黑山羊(Becchi 有“山羊”之意,但也意谓“鸟喙”,故我国有的译者曾错译为“上面有鸟喙的钱袋”)。据《最佳评注》说,他“靠放高利贷发了大财,但下场很惨,一贫如洗”。他精通银行业务,曾是一家大银行的股东,但后来破了产;十四世纪初,因诈骗罪被判刑,死于 1310 年。此处称他为“至高无上的骑士”,有讥讽之意,同时也揭露佛市竟然将骑士勋章授予这类人。萨佩纽认为,诗中所举高利贷者只有一人为帕多瓦人,其余则均是佛罗伦萨人,这是但丁对佛市的猛烈抨击,这情节在第十五首、第十六首都曾出现,而到了本首,其“尖刻而无情的讽刺语调”则达到了顶峰。

⑲“用这样的阶梯层层下降”意谓今后要借助格吕翁等之力,下降到地狱的第八九环。

⑳“四日热”是每四日即要发作一次的热病;发作时,病人高烧,打冷战,“看到阴凉地”也会“浑身哆嗦”。

㉑“新的负担”指但丁,因为但丁是活人,是格吕翁从未负载过的。

㉒这里形象地用小船离岸来描述格吕翁此时的动作:即把船尾掉到小船停泊时船头所在的地方。

㉓这里又用游泳者用臂划水的形象来描述格吕翁在空中用脚“把空气向身上划动”。

㉔法厄同(Feton 或 Fetonte),太阳神之子。他一再要求其父允许他驾驶太阳车,太阳神无奈应允,但他根本不懂如何驾驭拉车的四匹烈马,烈马欺生,任性狂奔,他慌了手脚,撒开缰绳,车子离开固定的轨道,把一部分天空也烧着了,宙斯为避免灾祸扩大,用雷电击毙了他,他跌落到埃里达诺斯河(Eridano,即波河),变成了天鹅;因此,他也被称为“埃里达诺斯”。奥维德的《变形记》第二卷第 47—324 句对此有叙述,但丁正是从中得到启发,尤其是其中描写法厄同惊慌失措的一些诗句:“这时不幸的法厄同从天上看到大地就在他的脚下,他吓得面无血色,膝盖也因恐惧而立即颤抖起来……他晕头转向,惊骇使他浑身冰凉,竟使缰绳脱手

而去”。

㉕“这现象至今仍可看到”系指被焚烧的一部分天空变成了银河，至今仍可见到。这是中世纪的有关传说，但丁并不相信，如他在《筵席》第二卷第十四节第五至七句段中就复述亚里士多德关于银河系的科学论断，否定了中世纪的上述传说。诗中的写法主要是为了加强对故事情节的神奇色彩的烘托。

㉖伊卡洛斯（Icaro）是雅典的能工巧匠代达罗斯（Dedalo）的儿子。据传，代达罗斯是船帆、斧头、楔子、水准仪等的发明人，并能制造自行活动的雕像，伊卡洛斯随父来到克里特岛，国王弥诺斯令代达罗斯为弥诺陶洛斯（参见第十二首注①和③）建造迷宫（故迷宫亦称“代达罗斯的迷宫”labirinto dedalio），但因他曾为王后帕西菲制造假母牛，帮助她与真牛交媾，弥诺斯为了惩罚他，把他囚在迷宫。代达罗斯为了偕子逃出迷宫，用羽毛做了假翼，用黄蜡粘在自己和儿子的脊背上，二人腾空而飞。行前，他嘱咐儿子勿离开他指定的路线，但伊卡洛斯飞到空中，兴奋过度，竟离开指定路线，飞近太阳，致使黄蜡融化，羽翼脱落，他自己也跌入大海，因而诗中写代达罗斯见儿子的羽翼脱落，惊呼：“你走错了道！”这段情节也是以奥维德《变形记》第八卷第203—233句为借鉴而写出的，只是把代达罗斯行前的叮嘱改为事后的惊呼。

㉗因为“方才”只凭风吹的感觉，知道自身在盘旋下降，视觉并未起作用，这时才随着逐步下降而益加清楚地看到下面的景象。

㉘“诱饵”是一种把两只翅膀安装在一根小木棍上的假鸟，用以召回飞在空中捕鸟的猎鹰。此句的意思是：猎鹰在空中飞了很久，已感疲惫，尽管放鹰者未用“诱饵”召回，也未捕获猎物，却自行飞落下来，故放鹰者叹道：“哎呀！你怎么下来了！”这段把猎鹰未捕获鸟儿而垂头丧气的样子，充分显示了但丁把猎鹰“人格化”的生动笔法。

第十八首

恶囊(1—21)
淫媒者和诱奸者(22—39)
维内迪科·卡恰内米科(40—66)
伊阿宋(67—99)
阿谀者(100—136)

恶囊

这个地方在地狱里叫做“恶囊”[1],
它全部都是用铁灰色的岩石构成,
正如四周环绕的峭壁一样。
在这罪恶深渊的正中央,
一个井口敞开着,宽深异常,
我下面会说明这口深井的构造情况。
深井和高耸而坚硬的峭壁之间的
那个环形地带,自然是圆的,
它把底部分成沟壑十层。
犹如条条壕堑围绕城堡,
为的是把城墙保牢,
那些壕堑所呈现的形状,

也正是这些沟壑所表现出的模样；
也像座座小桥把城堡的门洞
与外面的沟岸连在一起，
块块岩石从峭壁的根基
延伸出去，横跨堤岸与沟壑，
直通井口，而井口则把堤岸与沟壑既切断又汇总收齐。
正是在此地，格吕翁把我们
从它的脊背上卸下；诗人
于是向左前行，我也便在后跟从[2]。

淫媒者和诱奸者

我从右边看到的新景象令人心生恻隐，
我看到前所未见的鞭笞，看到新的苦情[3]，
这第一恶囊到处都是这般光景，
有罪之人一个个赤身露体待在沟底：
从中间划界，这边一队人朝我们迎面走来，
那边又有一队人与我们方向一致地走去，而两队人的步伐都更大[4]。
恰如在大赦年，由于朝圣者人数过多，
罗马人想出妙法，要人们在大桥之上，
做到过桥文明礼让[5]，
这一边，大家都面向城堡，
走向圣彼得大教堂；
那一边，大家则把山丘作为走向。
我看到这边和那边，在那灰黑色的岩石上，
都有头上生角、手持长鞭的魔鬼
从后面追打着这些人。
哎呀！头一鞭刚刚打下，
他们是怎样地拔腿就跑啊！
没有一个人想等待第二下、第三下的鞭打。

维内迪科·卡恰内米科

我一面走，我的目光
却落在一个人的身上，
我立即说道："我过去并非不曾见过此人；"
因此，我停下步来，仔细端详：
和善的师长也与我一起站住，
并且允许我往后走了几步。
那个被鞭打的人把脸垂下，
以为这样就可以隐蔽自己，但这对他用处却不大，
我于是说道："哦，你竟把目光垂到地面，
假若你的相貌不是要把人们欺骗，
那么，你就是维内迪科·卡恰内米科[6]：
可什么罪过令你遭受如此毒辣的折磨[7]？"
他回答我："我实在不想说；
但是，你的明确话语触动了我，
使我回忆起往日的人世生活。
我就是那个唆使吉索拉贝拉献媚[8]，
去满足那位公爵情欲的人，
正如那猥亵的传言所说的内容。
不过，在这里受苦的并不只有我一个波洛尼亚人；
相反，这个地方到处都是他们，
如今世上还见不到有这么多的舌头，
要在萨维纳河与雷诺河之间的地带，把"西巴"这个
　　词学得朗朗上口[9]；
你若想得到有关的验证或证明，
只须记起我们那嗜财如命的秉性。"
他正在说话，一个魔鬼
就用皮鞭将他抽打，
并说："这里没有女人可以哄骗，拉皮条的，滚吧！"

伊阿宋

我回到我的护送者身旁[10]，
接着我们向前走了几步，
来到一块岩石从陡壁突了出来的地方[11]。
我们登上这座石桥并不吃力；
我们顺着桥面，向右转去，
离开了布满层层永恒之环的峭壁[12]。
我们来到下面驾空的桥顶，
那驾空之处正可以让受鞭刑者通行，
师尊说道："你且站定，
你要让这些生来不幸的人把视线对准你[13]，
你方才还不曾看到他们的面容，
因为他们曾与我们一起前行。"
我们从那古老的桥上望见，
另一边的人群正朝我们这边走来[14]，
他们也同样被皮鞭催赶。
慈善的老师未等我动问，
就对我说："注意看那正走过来的魁伟的人，
他似乎并未因受苦而泪水纵横：
他竟依然保持着那威严的仪容！
这位就是伊阿宋，他凭借勇敢和智谋[15]，
使科尔喀斯人把那只公山羊丧失掉[16]。
他曾路过楞诺斯岛，
那里的妇女心狠手辣，残酷无情，
竟把她们的所有男人一概杀尽[17]。
在那里，他用谈情说爱的手段和花言巧语，
骗取了许普西皮勒的芳心[18]，
而那年轻的姑娘在此之前曾欺瞒过所有其他女人。
后来他遗弃了她，尽管她身怀有孕，孤苦伶仃；

正是这个罪过使他如今受此苦刑；
这也是为美狄亚报仇雪恨[19]。
与他走在一起的正是进行这种欺骗的人：
关于这第一条沟壑以及在其中饱受摧残的人的情景，
知道这一点也就足够了。”

阿谀者

这时我们来到一个地方，
在那里，狭窄难行的通道与第二道堤岸相连，
并把这道堤岸变成另一个桥拱的支撑点[20]。
从这里，我们听到另一个恶囊中有人低声呻吟，
嘴巴和鼻孔在呼哧呼哧地送气，
还用手掌不住地拍打自己[21]。
峭壁上铺满青苔，
因为有阵阵呼气从下面升上来，
粘在石壁上，熏得鼻子难受，眼睛睁不开。
谷底又暗又深，
我们站立的地方无法令我们看清，
除非登到那块岩石更加居高临下的所在、石桥的拱顶。
我们来到那里；我朝下面的沟壑一眼望去，
只见一些人沉浸在粪便里，
那粪便就像是从人们的厕所里流出来的。
我用目光在下面搜寻，
这时我看见有一个人污秽不堪，满头是粪，
看不出他是僧侣还是俗人。
此人向我喝道：“为何你如此目不转睛，
专门看我，而不去看其他肮脏的人？”
我回答他：“倘若我记得不错，
我曾见过你，你那时头发是干的，
你是阿列休·英特尔米内伊·达·卢卡[22]：

只见一些人沉浸在粪便里，那粪便就像是从人们的厕所里流出来的。（第十八首第113、114行）

正因如此,我才专门盯视你,而不是盯视所有其他人。”
这时,他敲打自己的脑袋瓜[23]:
“送我下地狱的是吹牛拍马,
因为我的舌头在这方面从来不知疲乏。”
听罢此话,导师又对我说:“你注意
把视线稍微往前扫一扫,
你就可以用眼睛好好地瞧,
看到那肮脏而又披头散发的娼妇的脸,
她在那里用沾满大粪的指甲抓搔着自己,
时而蹲下,时而站立。
她就是塔伊斯,那个婊子[24],
她的相好曾问她:‘你对我是否十分感谢?’
她答道:‘简直感谢得五体投地!’[25]
我们看到这里可算是足矣。”

注释

①“恶囊”原文为 Malebolge,由 male(罪恶)与 bolge(口袋,单数为 bolgia)二词合成一复数专名词,即罪恶渊薮之意,是第八环惩罚欺诈者之所在,共分十层,亦即十层恶囊,呈同心圆沟壑状,与前七环一样,也是层层渐小,收拢于中心处的一个深井,此即与第九环的交接处。每层恶囊都有从四周峭壁伸出的巨石构成的天然石桥,驾凌沟壑之上,桥头与桥尾均有堤岸,桥尾的堤岸则是下一层恶囊的石桥的桥头部分。

②这里重又要“向左”走,是因为路径位于沟壑与峭壁之间,即左面是峭壁,右面是沟壑,但丁和维吉尔往前行走,只能紧贴峭壁,照例向左转行。

③鬼魂在第八环第一层恶囊所受的苦刑是鞭笞,而鞭打他们的是“头上生角”的魔鬼,这种现象是在前七环所未见过的。被鞭打的鬼魂分为两队:一队为淫媒者,一队为诱奸者;两队绕行沟壑的方向恰好相反。萨佩纽注释说,根据当时市政条例规定,凡拉皮条者或为妓女拉客的人,都要处以鞭刑。

④如前注所说,两队鬼魂前进方向不同:一队是朝但丁与维吉尔“迎面走来”,是淫媒者,另一队是与但丁和维吉尔并行,朝同一方向走去,是诱奸者;但他们的“步伐”都不得不迈得“更大”,因为有魔鬼在后面用鞭子催赶。

⑤这里,但丁特意用 1300 年罗马举行的“大赦年”(giubileo)的朝圣情况与第一层恶囊的鬼魂行进作了比较。大赦年又名“圣年”(Anno Santo),是教会保佑信徒平安和宽恕他们的罪过

的定期举行的朝圣集会。首届“圣年”是教皇博尼法丘八世于1300年举行的，当时即称为“大赦年”，意谓遵从上帝意旨，对世人举行特赦，定期为每百年特赦一次。“特赦”一词原文即giubileo，系根据希伯来法“约贝尔年”(anno di Jobel)而取的。大赦年后经几届教皇修订，将一百年的限期逐步减为二十五年，而实际上，并未严格按期执行。据说，但丁可能参加过1300年首届大赦年，目睹过盛况，维拉尼在《编年史》第八卷也有记载，据称这一年朝圣者来往不断，除罗马人外，外地朝圣者即达二十万，反复多次前来者尚不计其内。前往圣彼得大教堂(Santo Pietro)朝圣必须经过横跨台伯河的圣安杰洛桥(Sant' Angelo)；为维持秩序，防止拥挤，当时曾从桥中心划界：前往朝圣的人走一边(面向圣安杰洛城堡Castel Sant' Angelo)，朝罢返回的人走另一边(面向乔尔达诺山Monte Giordano)，中间用栅栏隔开。

⑥维内迪科·卡恰内米科，全名为维内迪科·卡恰内米科·德尔·奥尔索(Venedico Caccianemico dell' Orso)，系波洛尼亚归尔弗派杰雷梅伊(Geremei)家族一党的首领之一。生于1228年，曾协助其父阿尔贝托(Alberto)长期从事反对该市吉伯林派兰贝尔塔齐(Lambertazzi)家族的争斗，并于1274年击败吉派，放逐吉派的一些首领。他曾先后担任伊莫拉(1264年)、米兰(1275、1286年)、皮斯托亚(1283年)最高行政官；1273年至1274年，任摩德纳护民官。但由于他迎合斐拉拉埃斯腾斯(Estensi)侯爵觊觎波市的野心，曾于1287年和1289年先后两次被流放。1294年，他进一步靠拢埃斯腾斯家族：使其子兰贝尔蒂诺(Lambertino)与阿佐八世(Azzo VIII)之女科斯坦扎(Costanza)结婚。1301年，他再度被放逐，次年殁。然而，但丁可能以为他死得更早一些。他之所以被写成在第一层恶囊受苦，并列为“淫媒者”，是因为他曾为讨好斐拉拉侯爵，唆使其妹与之通奸。但此事不见史料，而古代注释家布蒂、本维努托、佛罗伦萨无名氏、《最佳评注》乃至波洛尼亚的拉纳等，都持此说法，不同的是：前数人认为，通奸者为阿佐八世，拉纳则认为是奥比佐二世(Obizzo II)，近代注释家也同意前一批人的说法。萨佩纽推测，但丁年轻时可能曾于1287年以前在波洛尼亚见过他。

⑦“毒辣的折磨”原文是pungenti Salse，直译是“辛辣的酱油”。但丁学家巴尔比曾根据中世纪乔尔达诺修士(fra Giordano)的布道，解释“酱油”(salse)和芥末油(mostarde)都是豪门富户举行宴会时必备的调料，这里用以加强诗句的辛辣、讽刺的语气。但也有一些古代注释家认为，“酱油”一词应为专名词Salse，即当时波洛尼亚市郊的一个乱葬岗子，凡被处决者、异教徒和自杀者的尸体都抛到那里。

⑧吉索拉贝拉(Ghisolabella)，维内迪科·卡恰内米科的胞妹，斐拉拉人尼可洛·封塔纳(Niccolò Fontana)之妻，死于1281年后。十四世纪注释家布蒂曾把此名分写成Ghisola和bella(美丽)，从而成为“美人吉索拉”，波斯科-雷吉奥注释本根据二十世纪初但丁学家德尔·隆哥(Del Lungo，1841—1927)在《但丁》一书所公布的资料，证明应为“吉索拉贝拉”。

⑨这三句诗的意思是：世上的波洛尼亚人还没有这里的多，当然这是一种夸张的写法。萨维纳河(Savena)和雷诺河(Reno)分别位于波洛尼亚东部和西部，这里用来说明这些“舌头”所处的地理位置，因此，亦即指波洛尼亚，“舌头”代表波洛尼亚人，学说的“西巴”(sipa)一词是波

洛尼亚方言中动词 essere(是)的现在虚拟式,相当于意大利文的 sia,但目前的波洛尼亚方言已改说 sepa 了。

⑩“护送者”即维吉尔。

⑪这块“突了出来”的岩石又是一座天然石桥。

⑫“层层永恒之环”指地狱九层惩罚鬼魂之所在,因为这一层层环形地带都是紧贴着悬崖峭壁形成的;但有的古代注释家(如布蒂)曾诠释为仅指第八环第一层,近代一些注释家(如巴尔比)还据此引证说,中世纪佛罗伦萨就有让罪犯在鞭打下游街示众的习俗。萨佩纽不同意这种解释,指出:这时但丁尚未“离开”第一个恶囊,并且还要在那里耽搁很久,况且,这里的“永恒之环”是复数(cerchie eterne),因此,他主张解释为地狱各环,因为各环与峭壁实际上已形成一体,同时可按十六世纪注释家维路泰洛(Vellutello)的说法,但丁此时离开的是“所有的堤岸,既包括第一个恶囊的堤岸,又包括上面各环的堤岸”,因为各环都是围绕峭壁一层层排列下去的。

⑬这里是说,这些人先前与但丁等朝一个方向同行,故但丁“不曾看到他们的面容”。“生来不幸”的说法参见第五首注④。

⑭如注④所说,这群人是诱奸者。

⑮伊阿宋(Iason 或 Giasone),希腊神话中著名的色萨利英雄。其父为色萨利约尔科斯(Iolco)国王埃索尼斯(Esone),国王之弟佩利亚斯(Pelia)篡夺了王位,迫使伊阿宋带领一批勇士前往科尔喀斯(Colchide)窃取国王埃艾塔斯(Eeta)所守护的金羊毛。伊阿宋建造了第一艘航海用的大船阿耳戈(Argo),是以这批寻觅金羊毛的航海勇士史称“阿耳戈英雄”(Argonauti)。途中,抵达楞诺斯岛(Lemno),伊阿宋诱骗了国王托阿斯(Toante)的年轻美貌的女儿许普西皮勒(Isifile),并使她怀了孕。到达科尔喀斯后,在公主美狄亚(Medea)的帮助下,伊阿宋获得了金羊毛,他也诱骗了美狄亚,答应娶她为妻;后他又遇上科林托斯(Corinto)国王之女克雷乌萨(Creusa),与她结婚而抛弃了美狄亚。美狄亚是个女巫,擅魔法,为报复,送给克雷乌萨一件魔衣,克着上后即窒息而死;又当着伊阿宋的面,将她与伊所生的二子杀死(一说她还把二子剁为肉块,做成“佳肴”,宴请伊阿宋)。后美狄亚逃往雅典,与雅典王、特修斯之父埃吉奥斯(参见第九首注⑩和第十二首注④)成婚。伊阿宋后来占领了科尔喀斯,最后被杀于阿耳戈船下。伊由于先后诱骗了许普西皮勒和美狄亚,死后便作为诱奸者,被打入第八环第一个恶囊中受惩,从行文上,可看出但丁更同情美丽而纯洁的少女许普西皮勒,对美狄亚只一笔带过。关于阿耳戈英雄的事迹,奥维德的《变形记》第七卷中有记载,一世纪拉丁诗人弗拉古(Flacco)的《阿耳戈英雄历险记》(*Argonautica*)更是一部专论;关于许普西皮勒和美狄亚的故事,奥维德的《列女志》(*Heroides*)第六卷、斯塔提乌斯的《特拜战记》第五卷都有记述;上述著作可能都是但丁诗作所本。

⑯此处的“公山羊”即有金羊毛的公山羊。

⑰楞诺斯岛的妇女因丈夫移情别恋,愤而决定将岛上的所有男人(丈夫、父亲、兄弟、儿子)一概

杀死。许普西皮勒为救父免于一死,瞒过岛上的其他妇女,设法放父逃生。所以,诗中说许普西皮勒“在此之前曾欺瞒过所有其他女人”。

⑱参见注⑮。

⑲参见注⑮。

⑳“另一座桥拱”即跨越第二个恶囊的天然石桥。

㉑这些鬼魂即阿谀者。

㉒阿列休·英特尔米内伊·达·卢卡(Alessio Interminei da Lucca),其中的“英特尔米内伊”(Interminei)今文作“英特尔米内利”(Interminelli),他是卢卡名门望族,属白党,详情少见于史料,只有1295年12月一份资料提到他,因而他可能死于1295年后。关于他的阿谀谄媚行为只出于此诗,并为古代注释家沿用为“依据”。

㉓这里,但丁特意用通俗的语言来形容阿列休的丑态。

㉔塔伊斯(Taide),是公元前二世纪罗马喜剧诗人泰伦提乌斯(Terenzio)的喜剧《阉奴》(*Eunuco*)中的一个人物。

㉕这一情节是发生在《阉奴》一剧第三幕第一场:塔伊斯的情人(“相好”)、士兵特拉索内(Trasone)询问拉皮条的涅亚托内(Gnatone):他托涅送给塔伊斯一个女奴,塔对此礼物有何反应。特问:“塔伊斯是很感谢我吗?”涅答:“感谢至极。”据推测,但丁可能并未读过泰伦提乌斯的有关剧本,只是从西塞罗的《论友谊》(*De amicitia*)第二十六章评论该剧中的这段情节并用以讥讽阿谀者的谄媚嘴脸了解该剧,因此,他不知这两句对白是在特拉索内和涅亚托内之间进行的(况且,西塞罗的评论中是用“呼格”提及塔伊斯的,意思比较含糊),从而写成特直接询问塔伊斯;此外,他还有意加重语气,把原来业已夸张的“感谢至极”(ingentes)改为“简直感谢得五体投地”(anzi mera-vigliose),从而把吹牛拍马者的丑态更加刻画得活灵活现。关于塔伊斯为“婊子”一说,有人认为,但丁可能是从《伊索书》(*Libri Esopi*)中得悉的。

第十九首

买卖圣职者(1—30)
教皇尼可洛三世(31—87)
对所有买卖圣职的教皇的谴责(88—133)

买卖圣职者

啊！术士西门！啊！可怜的追随者们[1]！
上帝的物品本该与良善结亲[2]，
而你们这些贪得无厌的人，
竟然拿这些物品去倒换金银；
如今,应当为你们吹起喇叭[3]，
因为你们现在待在恶囊第三层。
我们这时来到了下一个墓穴[4]，
我们登上了石桥的那个部分：
那部分恰好凌驾在沟壑的正中[5]。
啊！最高的智慧！你在天上、
地上和这罪恶的世界显示了多么伟大的神工[6]，
你赏罚功过的威力又是多么公正！
我看到沟壑的两侧和底部，
都是灰黑色的岩石,石上都是孔洞，
每个孔洞都是圆形,大小也都相同。

我觉得，这些孔洞并不比
我那美丽的圣约翰洗礼堂里的[7]
那些孔洞更小或更大，那正是做洗礼之地；
其中有一个孔洞，在不多年以前，
我曾把它打破，因为有一个人溺在里面[8]：
希望我现在所说的是个明证，使世人不致误传[9]。
每个孔洞都有罪人的脚和小腿
乃至大腿，露在洞口之外，
其余部分则在洞内填埋。
所有罪人的一双脚掌都在被燃烧；
因为两个膝关节抖动得异常厉害，
即使上面有藤条和麻绳捆绑，也会被挣断裂开。
犹如涂油的东西被火点燃，
那火焰也只是浮动在表皮上面，
这些罪人正是这样：从脚跟慢慢烧到脚尖。

教皇尼可洛三世

“此人是谁，老师？他痛楚万分，
抖动得甚于与他命运相同的人，”
我这样说道，“烧在他身上的火焰也更红。”
他回答我说：“你若是愿意我领你
沿着横亘在更低处的那道堤岸走下去，
你就可以听到他亲口说明他本人和他的罪孽。”
我于是说：“只要你喜欢，我就乐于从命，
你是主人，你知道我不会背离你的旨意，
即使我不说出心中所想，你也会知悉。”
于是，我们来到第四道堤岸：
我们从左边转弯走下去，
走到下面那布满孔洞、狭窄难行的沟底。
好心的老师不曾让我离开他的左右，

直到把我带领到
那个用腿哭泣的人所待的洞口[10]。
我开始说道："啊！可悲的灵魂[11]！
你像根木桩，上下颠倒，插在地里，
不管你是谁，你若能说话，就请开尊口。"
我待在那里，像是教士听取不忠的杀手做忏悔，
那杀人犯被倒埋在坑中，
他把教士召来，请求免除死刑[12]。
这时，他喊道："你已经竖到这里来了么？
你已经竖到这里来了么，博尼法丘[13]？
那生死簿竟把我诳了好几年[14]。
难道你这么早就厌腻了已得的财富？
而你过去为了发财，曾不怕把那佳人骗娶到手，
随后却又把她变卖玷污[15]！"
我听罢此言，就如同不理解对方答话的人一般，
几乎摸不清头脑，
也不知如何回答是好。
维吉尔于是说道："你马上告诉他：
'我不是那个人，我不是你所以为的那个人。'"
我立即听从指教，作了回答。
这一来，那鬼魂把双脚一齐扭动了一下；
随后又叹了一口气，用哭泣的声音对我说：
"那么，你要求我做什么？
你是否想知道，我何以对你
是如此重要，因而才使你跑下这悬崖陡壁，
你该知道，我生前曾身着尊贵的法衣[16]。
我确实是母熊的儿子[17]，
我是如此贪婪成性，想让小熊们也能青云直上，
在人世我把钱财放进口袋，在这里则是把我自己打入恶囊。
在我的头下，还有其他人被拖进，

“你像根木桩，上下颠倒，插在地里，不管你是谁，你若能说话，就请开尊口。”（第十九
第47、48行）

他们被一个压一个地平放在岩石的夹缝[18]，
因为他们在我之前犯有买卖圣职的恶行。
等那个人来到此地[19]，
我也会下降到那里，
我方才把你误认为是他，所以冒昧地提出那个问题。
但是，我的双脚被火烧、
我如此被倒栽在这里的时间，
比那个人将带着那烧红的脚插在此处要长[20]：
因为继他之后，还要从西方前来一个无法无天的牧人[21]，
他的罪行要更加丑恶，
须由此人来遮盖他和我。
来人将是新伊阿宋，从《玛喀比传》中可以读到伊阿宋的事情经过[22]，
正如伊阿宋的国王曾屈就于他，
今天那个统治法国的人对来人也是照旧这样做[23]。”

对所有买卖圣职的教皇的谴责

我不知道我当时是否过于唐突，
因为我只是用这样的语气对他答复：
“喂，现在你告诉我：我们的主
曾向圣彼得索取多少钱财，
好让他把天国的钥匙交给圣彼得？
当然，他只不过是要求：‘来跟从我’[24]。
彼得和其他人也都不曾向马提亚索过金银，
当时，马提亚被抽签抽中，
接替那罪恶的灵魂所丢掉的职分[25]。
因此，你就待在那里吧，这使你得到应有的惩罚；
你就好好地看守那来路不正的金钱，
它曾令你胆大包天，要造查理的反[26]。
若不是对你曾在快乐的人世
执掌的权柄的尊重

阻止我对你冒犯，
我本会使用更加严厉的语言；
因为你的贪婪使世风日下，凄惨不堪，
把好人踩在脚下，把恶人捧上了天。
那位福音书的作者早已发现你们这些牧者，
他看到坐在世界众水之上的那个女人，
正在与地上的君王纵欲荒淫[27]；
那女人生来有七头十角[28]，
只要她的夫君喜欢美德善行，
她就会威力无穷。
你们用金银制造上帝[29]：
这使你们与偶像崇拜者又有何差异？
除非是他们崇拜的偶像只有一个，而你们崇拜的则有一百个！
啊！君士坦丁！并不是你的皈依成为多少罪恶的母亲，
造成这些罪恶的却是那第一个富有的父亲[30]
从你手中得到的赠品！”
我对他歌唱的正是这种调门[31]，
这时，啃啮他的不是愤怒就是良心，
这促使他的双脚极力地乱踢乱动[32]。
我十分确信，这番话使我的导师很高兴，
他脸上浮起满意的笑容，一直在倾听
我说出的坦率话语的声音。
因此，他用双臂把我抱起：
把我举起来，贴近他的前胸，
随即沿着下来时走过的原路重又向上攀登。
他不知疲倦地把我搂紧，
一直把我抱到石桥的拱顶，
这石桥正是从第四道堤岸通往第五道堤岸的路径。
在那里，他轻柔地放下负重[33]，
他是那么轻柔，因为那石桥既陡峭又艰险，

对山羊也会是一道难关，
正是在这里，另一个深谷又展现在我的眼前[34]。

注释

①这里指《圣经》中的西门术士（Simone），他在撒玛利亚用邪术行骗，后皈依基督教，曾想用金钱买下使徒彼得和约翰按手使信徒领受圣灵的能力，事见《新约·使徒行传》第八章第九至二十四句："撒玛利亚城里有个名叫西门的术士……西门看见使徒一按手，上帝便立刻赐下圣灵，就想出钱买这能力……彼得责备他：'你和你的钱都一同毁灭吧！你以为上帝的恩赐是可以用钱收买的吗？'"

②此句意谓"上帝的物品"（圣职）本该由"良善"（好人）占有。

③古代在街上向公众宣读文告或判决书，须由宣告人吹起喇叭，以便把公众召来或引起公众注意；这里借用来表示宣判在第三个恶囊中受刑的鬼魂。雷吉奥认为，这里也可能寓意"最后宣判的喇叭"。

④"墓穴"指第三层恶囊。

⑤这个"部分"即天然石桥的"拱顶"。

⑥"罪恶的世界"指地狱。

⑦圣约翰洗礼堂（Battistero di San Giovanni），为佛罗伦萨著名的洗礼堂，但丁诞生后曾在此受洗，因而对它十分亲切，称之为"我那美丽的圣约翰洗礼堂"。在中世纪，施洗是施浸礼，即把受洗的孩子放进施洗的小井似的孔洞即施洗池（原文单数为 battezzatorio〈或 battezzatoio，系今文〉，复数为 battezzatori）内施洗 。但由于施洗者的原文复数亦为 battezzatori（单数为 battezzatore），古代注释家对诗中的 battezzatori 见解不一：布蒂认为，应指施洗教士，《最佳评注》则主张解释为施洗池。遗憾的是，该洗礼堂早于 1576 年即因大公佛兰切斯科一世（Francesco I）为其子做洗礼而被拆毁，缺乏实物，现仅能从存于梵蒂冈的一帧草图大致了解该洗礼池的究竟：井深八十公分，井口直径三十七公分（草图附有《最佳评注》介绍）。后在比萨和皮斯托亚曾发现类似的洗礼池，特别是 1965 年由萨基（Sacchi）在皮斯托亚发现的 1226 年兰佛兰科·达·科摩（Lanfranco da Como）建造的洗礼池，曾由 1966 年 4 月于皮斯托亚举行的国际研究讨论会上鉴定，与圣约翰洗礼堂的施洗池恰好相符。萨佩纽和波斯科-雷吉奥两注释本都认为，《最佳评注》的说法可靠。

⑧诗中叙述了但丁亲身经历的一件事。《最佳评注》对此曾作过说明："一次，在但丁面前，一个小男孩进入这些洗礼池中的一个，但他的双腿深陷池底，为把他拉出，必须打破洗礼池，但丁果然就这样做了……"古代注释家对此事反应不同：有的不予置评，有的幻想联翩，有的甚至还认为，但丁此举是"亵渎"圣地；有人曾推测，当时被救出的孩子名叫安东尼奥·迪·巴尔迪纳乔·德伊·卡维丘利（Antonio di Baldinaccio dei Cavicciuli）。关于诗中说"在不多年以前"，雷吉奥分析，应是在 1301 年以前（亦即在但丁被放逐以前），由此推理，《地狱篇》可能

开始写于 1304 年或 1306、1307 年，过去曾有人估计该篇开始写于 1313 年亨利七世去世之后，是不对的。

⑨但丁在这里有意说明此事属实，避免有人加以曲解。

⑩这里意谓：此人倒栽在洞内，只能用露在洞外的双腿表示“哭泣”。

⑪“可悲的灵魂”指教皇尼可洛三世（Niccolò III）。他原名乔瓦尼·加埃塔诺·奥尔西尼（Giovanni Gaetano Orsini），于 1277 年 11 月 25 日至 1280 年 8 月 22 日任教皇，是有名的“任人唯亲”的代表人物。据维拉尼在《编年史》第七卷中说，他年轻时即任神职人员，后任枢机主教，原来为人朴实，生活严谨，做教皇后则一心只想发财，并任人唯亲，公开为亲戚买卖圣职；尽管他寿命不长，却拥有“超过所有罗马人的地产、城堡和金钱”。

⑫在中世纪，凡受雇用的刺客、杀手都要被处以活埋的死刑：即头朝下，埋在坑里，慢慢加土，直到犯人窒息。本维努托对此曾有过解释：“有时，被处以活埋的罪犯在被头朝下插入坑穴之后，召来教士，向他忏悔某些罪过；这时，听取忏悔者就必然要把耳朵贴近地面，仔细倾听”；萨佩纽据此提出；但丁在诗中也是想说明，他在把头俯在地上，以便听鬼魂讲话。雷吉奥还强调指出，这种写法是很有讽刺意味的，因为现实中的忏悔者和听忏悔者被颠倒过来：即忏悔者应是俗人，听忏悔者应为教士，而诗中的听忏悔者恰恰是作为俗人的但丁，忏悔者却是教皇尼可洛三世。

然而，在应如何理解第 51 句“他把教士召来，请求免除死刑”的含义方面，古今注释家的说法有很大的不同：当代注释家帕利亚罗（Pagliaro）曾从字源学的角度，对原句“请求免除死刑”（per che la morte cessa）作了不同于古代注释家的新的解释：他认为，动词 cessare 一般诠释为“暂缓”（differire），但其原意应是“停止”，在诗中则应为“避免”（evitare），因而全句应意谓“免除死刑”，而不是“暂缓死刑”。他还从诗中的“杀手”（assessin，相当于今文 assassini）一词的字源做了探索，指出：此词原是指十一世纪第一次十字军东征后成立的一个暗杀基督教徒的秘密团体，狂热的伊斯兰教派伊斯马伊利蒂（Ismailiti）教派的成员（该教派的教主为哈桑-本-萨巴 Hassan-Ben-Sabah），因他们服用印度大麻（hascich）做成的迷幻药酒，饮后精神恍惚，盲目地服从首领（称“山大王”Vecchi della montagna）的指令，为非作歹，杀人越货，故称 haschischin，亦即 assassini；他还说，诗中特别用了“不忠”（perfido）一词，说明被活埋的杀手力求免于一死，要求召来教士，向他揭露幕后的主使人。看来，帕利亚罗的诠释是不无道理的；波斯科-雷吉奥注释本接受了他的说法，而萨佩纽注释本则仍沿用旧说法。

⑬这里，但丁用了讥讽揶揄的词句“竖到这里来”，与前面的“上下颠倒，插在地里”恰相呼应。“博尼法丘”系指教皇博尼法丘八世（参见第三首注⑪和第六首注⑧）。

⑭尼可洛三世以为说话者为继他而来的博尼法丘八世，但博任教皇的时间是从 1294 年 12 月至 1303 年 10 月，他是死于任上的，因而在但丁游地府时，他尚在人世。尼可洛三世说“生死簿”诳了他好几年，意谓生死簿定博死于 1303 年，而目前则是 1300 年，故有三年之差，有人认为，“生死簿”是确实有过的，即《教皇序考》（*papalisto*）；曾误传为能预卜先知的教士乔阿

基诺·达·菲奥雷(Gioacchino da Fiore, 1130—1202)所作。但丁在《天堂篇》第十二首第139—140句中曾提及他。雷吉奥说,但丁是有意"预言"博尼法丘八世将受地狱酷刑之苦的,正如下面他以同样的诅咒方式对待教皇克莱蒙特五世(Clemente V),而克死得更迟(1314年)。

⑮中世纪神秘主义者和神学家常把教皇比作新郎,而把教会比作新娘,因而诗中尼可洛三世说博尼法丘八世曾把教会"骗娶到手"。"变卖玷污"指教皇以买卖圣职的恶行"玷污"了教会。

⑯"尊贵的法衣"指教皇所着的袍服。

⑰"母熊的儿子":尼可洛三世的家族姓氏为"奥尔西尼"(Orsini),其字源为orso,即"熊",当时的资料也称该家族的人Orsini为de filiis orsae即"母熊的子女";在中世纪,母熊被视为贪婪无度、疼爱幼兽的动物,与尼可洛三世的为人恰好名实相符,故诗中用了副词"确实"(veramente)。

⑱这里是说,先被插入孔洞的鬼魂,俟后继者到来后,就要放到孔洞以下的地方去,"一个压一个地平放在岩石的夹缝",而后继者则接替他,头朝下,脚朝上并被火烧,倒插在孔洞之内受苦。

⑲"那个人"指博尼法丘八世。

⑳尼可洛三世死于1280年,至但丁地狱之行(1300年)时已倒埋受苦达二十年之久,而博尼法丘八世要到1303年才到阴曹地府来接替他,而死于1314年的克莱蒙特五世前来接替博尼法丘八世时,博在孔洞中受苦不过才十一年。所以,尼可洛三世抱怨他受苦的时间比博尼法丘八世要长。

㉑这一"牧人"为教皇克莱蒙特五世。他是法国人,原名贝尔特朗·德·哥(Bertrand de Got),1295年任康敏热(Comminges)主教,1297年任波尔多(Bordeaux)大主教;他奸诈圆滑,善于在号称"美男子腓力普"(Filippo il Bello)的法王腓力普四世与博尼法丘八世之间玩弄权术,左右逢源。在继博短期任教皇的贝内代托十一世(Benedetto XI,1303—1304)死后,尽管他当时未任枢机主教,未能出席选举教皇的枢机主教秘密会议,却在法王影响下当选教皇。1305年11月,他就任教皇,取名克莱蒙特五世,但他在职期间,始终未离开法国,并于1309年,自罗马将教廷迁至法国阿威农(Avignone),直至1376年或1377年为止,史称"阿威农之囚"或"巴比伦之囚"(cattività babilonese或Servitù di Babilonia)。因他原籍加斯科涅(Guascogna),而加斯科涅位于阿威农之西,阿威农本身又位于罗马之西,故诗中说他"从西方前来"。但丁在《天堂篇》第十七首第82句中曾轻蔑地提到他为"加斯科人"。他表面支持试图平息意大利归尔弗和吉伯林两派长期之争的神圣罗马皇帝亨利七世,暗地里却又与亨利七世的死对头西西里王查理二世(Carlo II)和安茹的罗伯特(Roberto d'Angio)相串通。1313年亨利七世死后,他曾企图将归尔弗派尽归安茹的罗伯特控制,但未及,殁于1314年4月20日。维拉尼在《编年史》中称他"十分贪财,大肆买卖圣职,在其宫廷内,他拥有一切生财之道"。萨佩纽就有人曾根据但丁"预言"克莱蒙特五世之死而推断本首可能写于1314年4月克死后,指出

这种推论是欠妥的,因为一般教皇任期都不会持续二十年之久,况且克本人多病,作出此类“预言”并不困难,尤其是本首只谴责克买卖圣职和邀宠法王腓力普四世,却未提及另外两大“罪过”:一是将教廷迁往阿威农(1309 年),一是反对亨利七世(1312 年),而但丁后来是不遗余力地加以抨击的,这就说明:“似可假设但丁曾在 1314 年或 1314 年以后,对以前所写的第十九首的本文做过纠正和修改。”雷吉奥也说:“在 1314 年和 1315 年间,《地狱篇》的某些篇章可能做过修订:对克莱蒙特五世之死的‘预言’可能就是这类修订之一。”

㉒“新伊阿宋”是把克莱蒙特五世比作犹太教祭司长伊阿宋(Iason 或 Giasone);伊阿宋是犹太教祭司长欧尼亚斯三世(Onia)之弟,《玛喀比传》(*Maccabei*)第二卷第四节第七、八句中曾说,他曾向当时统治巴勒斯坦的叙利亚王安条克·埃皮法尼四世(Antioco IV Epifane)应允以四百四十金币(一说为三百六十金币)购得祭司长职位。

《玛喀比传》为《旧约》佚经,原四卷,后仅存二卷,其中记载公元前二世纪希伯来民族英雄玛喀比一家抗击叙利亚占领巴勒斯坦的业绩,玛喀比七兄弟均为叙利亚王安条克四世杀害:巴勒斯坦被叙利亚占领后,安条克四世即宣布犹太教为非法,阿斯梅内伊(Asmenei)家族的马塔蒂亚(Matatia)之子犹大·玛喀比(Giuda Maccabeo)率希伯来人起义(公元前 164 年),不幸阵亡(公元前 160 年)。后直到公元前 142 年,希伯来人才在西门(Simone)领导下争得宗教上乃至政治上的自由,一直延续到公元前 63 年为止。

㉓这里指维拉尼在《编年史》第八卷称:贝尔特朗·德·哥为购买教皇宝座,求得法王腓力普四世支持,曾作出很大让步,其中包括将教会所得农产品什一税交由法王提取,为期五年。这一事例与伊阿宋用金币购买祭司长职恰好相似。

㉔这段情节源于《新约·马太福音》第十六章第十九句耶稣对彼得说的一番话:“我还要把天国的钥匙交给你”;另一句“来跟从我”也取自《新约·马太福音》第四章第十九句和《新约·马可福音》第一章第十八句耶稣向西门、彼得和安得烈说的话。

㉕这一情节源于《新约·使徒行传》第一章第十三至二十六句:叛卖耶稣的犹大“自己吊死了”之后,使徒彼得说:“我们须要选立一个人来代替犹大。”被提名的有两个人:犹士都约瑟(又名巴撒巴)和马提亚……他们抽签决定,结果抽中了马提亚,就把他列入十二使徒中。

㉖“来路不正的金钱”有两种诠释:一是说尼可洛三世曾从拜占庭的乔瓦尼·达·普罗齐达(Giovanni da Procida,1210—1298)手中得到金子,用以策动著名的西西里晚祷起义(Vespri Siciliani,1282 年),密谋推翻安茹的查理的统治,但此事只有维拉尼《编年史》中有记载(第七卷),可能但丁也对此确信无疑,因尼可洛三世是一直反对安茹的查理的,近代史学界则证明此事为子虚乌有;一是说尼可洛三世将教会的什一税和其他收入均中饱私囊,因而财大气粗,敢于与安茹的查理相抗衡。

㉗㉘这里的福音书作者指圣约翰。“坐在世界众水之上的女人”一节源自《新约·启示录》第十七章第一至三句,约翰说:“……七位天使之中,有一位前来对我说:‘你过来!我要让你看那坐在世界众水之上的大淫妇将要遭受的刑罚。她犯了和地上的君王纵欲荒淫的

罪……’”,“我在那里见到一个妇人,骑着一只朱红色的怪兽。怪兽有七头十角……”这里的“大淫妇”系比喻“腐败的教会”,是中世纪异教徒或半异教徒乃至主张改革教会的教会人士的说法,但丁借用来写下这些诗句:用“坐在世界众水之上的女人”比喻买卖圣职、贪污腐败的教皇,“众水”则意谓“各国人民”,“与地上的君王纵欲荒淫”比喻教皇为法王效劳。但诗中也有一些不同于《圣经》原作的写法:“七头十角”原属怪兽,诗中则把它与“大淫妇”融为一体。“七头十角”的原意,按《新约·启示录》第十七章第九、十句,“七头”应“象征着七座山,即是那淫妇坐镇的地方;又象征着七个王”;“十角”应“象征着十个还没有得势的王”。但丁在诗中显然赋予“七头十角”以新的含义:“七头”可能指“七件圣事”,“十角”则可能指“十诫”,这些都是教会建立之本;若教皇(即诗中的“夫君”)能信守这些基本律条(诗中的“喜欢美德善行”),教会就会“威力无穷”。

㉙“用金银制造上帝”的说法见于《旧约·何西阿书》第八章第四句:“他们用金银制造神像,敬拜假神”。“一个”和“一百个”意谓:偶像崇拜者只崇拜一个神,而贪婪的教皇则崇拜无法胜数的钱财。

㉚这一情节来自传说:君士坦丁皇帝(Costantino,274—337)曾患麻风病,被教皇西尔维斯特罗一世(Silvestro,314—337)治愈。为表示酬谢,他不仅皈依了基督教,而且把罗马赐予西尔维斯特罗,从此,教皇开始掌握了俗权。此传说在十五世纪时曾被人文主义学家洛伦佐·瓦拉(Lorenzo Valla,1407—1457)证明属虚,且但丁时期,人们已对此说抱怀疑态度,但丁在诗中之所以仍沿袭此说法,一方面可能对此仍深信不疑,另一方面可能意在说明教会的腐败早在当时即种下了根苗。但丁反对教会染指俗权的思想是一贯的:他在《帝制论》第三卷第十节第十四句段中就说:“教会根据从《马太福音》可以读到的明确禁令,本应绝不愿意接受世俗财物,禁令说:你们万不可拥有金银和钱财”;同时在该书第三卷第十、十三节也说,一位皇帝不该哪怕是部分地放弃帝国的权利。

“第一个富有的父亲”即指接受君士坦丁大帝赠送的罗马(世俗权力)的教皇西尔维斯特罗。

㉛“我对他歌唱的正是这种调门”指但丁对尼可洛三世所说的正是上面这些坦率而明确的话。

㉜尼可洛三世听到但丁的讽刺挖苦的话,十分气愤,但因被倒埋在地里,无法用面容表示愤恨的反应,只能用“双脚极力地乱踢乱动”。

㉝“负重”指但丁。

㉞“另一个深谷”即第八环第四个恶囊。

第二十首

占卜者（1—30）
安菲阿拉俄斯、泰雷西阿斯、阿伦斯（31—51）
曼图和曼图亚（52—102）
其他占卜者（103—130）

占卜者

现在，我该赋诗叙述新的苦刑，
介绍关于深陷地下者的首部诗篇的[1]
第二十首诗歌的内容。
我已完全做好准备，
来观望展现眼前的那片深层，
那里浸透惨绝人寰的泪水涟涟；
我看到那浑圆的深谷中行着一伙人，
他们泪流不止，默不作声，
迈着世人连续祈祷时所走的那种步伐行进[2]。
我把目光朝下，俯视他们，
令我震惊地发现：每个人
竟都是下颌与上半身的起点前后颠倒的情形[3]；
因为面部已掉转到臀部那边，

他们不得不向后倒行，
15 这是由于他们无法向前看。
也许是因为患了瘫痪症，
每个人就这样完全颠倒了前后身，
18 但是，我过去不曾见过、现在也不相信有这样的事情。
读者啊！但愿上帝能让你
从阅读我的诗篇中获益，如今你可以设身处地，
21 想一想：我又怎能眼干泪不滴，
而这时我看到，眼前我们这些人的形象
竟被这样扭曲：泪水从眼中流出，
24 却顺着两股之间的缝隙浸湿臀部。
我确实哭了，倚在那坚硬岩石的一个突起部分，
这一来，我的护送者却对我说：
27 “你难道与其他蠢材一样么？
在这里，只有丧失怜悯，才算有怜悯之心[4]。
有谁能比如下那种人更加邪恶难容：
30 他竟敢对神的判决萌生恻隐？”

安菲阿拉俄斯、泰雷西阿斯、阿伦斯

把头抬起来，抬起来，看一看：
大地在特拜人的眼前竟豁然敞开，
33 他们在一齐叫喊：“你沉陷到哪里去，
安菲阿拉俄斯？你为何离开战争[5]？”
他只有向下沉沦，
36 一直到弥诺斯那里，而弥诺斯是抓住每个人，不让逃生。
你看他把后背当作前胸，
因为他以前曾想看得过远，
39 如今则只能向后看，并且倒退而行。
你再看一看泰雷西阿斯，他曾经改变模样[6]，
从男人变成了女性，

全部肢体都变了形；
后来，他必须先用那根木棍，
再把那交媾的双蛇敲打一顿，
他才得以恢复男性的特征。
阿伦斯就是那个跟在泰雷西阿斯的肚皮后面行走的人[7]，
他在卢尼的群山里，在白色的大理石丛中[8]，
把洞穴当作自己的栖身之所，
而住在山下的卡腊拉人则把山上的荒地开垦[9]；
他正是从这洞穴里观察星相和大海，
也没有什么东西把他的视线遮盖。

曼图和曼图亚

还有那个女人，她那散乱的发辫
把你无法看见的双乳遮掩，
而她的另一边，皮肤则是茸毛长遍，
她就是曼图，她曾漂泊到许多地方，寻觅安身之处[10]，
后来才在我的诞生之地落户[11]，
我很喜欢你听我对此略加讲述。
她的父亲离开了人世，
巴库斯的城池也遭到奴役[12]，
在这之后，她不得不长期流浪世界各地。
在大地之上，在那美丽的意大利，
在封闭拉马涅亚、俯瞰蒂拉利的那段阿尔卑斯山的山脚之下，
舒展开一片湖泊，它名叫贝纳科[13]。
我想，这片湖水是由上千条水源汇合而成，
湖水更多地浸润着加尔达、卡莫尼卡河谷和亚平宁山脉之间的土地[14]，
而不是在湖泊中淤积。
此处正是一个中心地带：
特伦托、布雷夏和维罗纳三市的牧师若是走这条途径，

都可以来此传布福音[15]。
佩斯基耶拉位于这里，那是座壮丽而坚固的堡垒[16]，
用来抵御布雷夏人和贝尔加摩人，
在那里，湖泊周围的堤岸更加斜倾。
也正是在那里，无法存储在贝纳科湖的湖水，
就不得不全部向外溢泻，
化为江河流下去，浸润碧绿的田野[17]。
那湖水一旦开始流出，
它就改叫敏乔，而不再称作贝纳科，
它一直流经戈维尔诺洛，汇入波河[18]。
它的流程并不很长，抵达一片洼地，
便扩散开来，把洼地变成沼泽；
有时，它也往往缺水干涸[19]。
那个生性残忍的处女经过这个地方[20]，
看到有一片土地在那沼泽中央，
没有庄稼，也不见居民的踪迹。
为了躲避任何群居，
她与她的奴仆留在那里，施展她的魔法巫术，
她在那里生活下去，并留下了她那灵魂出壳的身躯[21]。
后来，散居在四周的人们
也聚集到这个地带，它是那么坚不可破，
因为四面俱是沼泽。
他们把这座城市就建立在她的遗骨之上；
为了纪念她率先选中这个地方，
他们不曾使用其他占卜方法，便把这座城市命名为曼图亚[22]。
城内的居民本来为数更众，
那时节，卡萨洛迪的昏聩
尚未受到皮纳蒙泰的欺哄[23]。
因此，我告诫你："倘若你听到
有人用其他方式解释我家乡的起源，

那么,任何伪论都无法篡改真话实言。”
我听罢说道:“老师,你阐述的道理
对我来说是如此明确,令我深信不疑,
我把其他说法只会看成熄灭的炭火一堆[24]。

其他占卜者

但请告诉我:在这群行进的人当中,
你是否看出有什么值得注意的人;
因为我的心思只关注这件事情。”
于是,他对我说:“那个人把胡须
从面颊放到棕黑色的肩膀之上,
过去,希腊的男人一度走光,
只有摇篮中的男婴勉强得以留存[25]
此人就是当时的那位占卜者,他曾与卡尔卡斯一起,
在奥利斯确定砍断第一根缆绳的时机[26]。
他的名字是欧利皮鲁斯,我那高雅的悲剧
在一些段落曾这样把他吟诵[27]:
你对他一清二楚,因为你曾把这悲剧全部熟读。
另一个是如此膀瘦腰细,
他就是迈克尔·司各特,他才真正是精通[28]
魔法幻术,迷惑世人。
你看看圭多·博纳蒂;你再看看阿兹顿特[29],
后者现在可能想要拿起皮子和麻绳,
但是,时过境迁,后悔已晚。
你看那些万恶的女鬼,
她们曾撇下缝针、梭子和纺锤,
却充当女巫神婆,用药草和假人兴妖作怪,坑害世人[30]。
但是,现在你该走了;因为该隐和荆棘
已落到两半球交接的边际,
把塞维利亚下面的海浪也触及[31],

昨夜，明月团圞，
你想必记得很清：它曾一度
使你不致因那幽暗的森林而受惊[32]。”
他这样对我说明，于是我们重又登程。

注释

①“首部诗篇”即指《神曲》的“首部”，亦即《地狱篇》。“深陷地下者”即指打入地狱中受惩的亡魂。

②“连续祈祷”原文是letane（即今文litanie），为托斯卡纳方言letanie民间口语，指善男信女或僧侣列队前进，口念祷词，类似我国僧尼诵念“南无阿弥陀佛”。这些人是占卜者、巫师、女巫和占星者。注释家指出，由于他们在世间说了过多不该说的话，如今在地狱中就被“报复刑”惩罚为“默不作声”；同时，由于他们曾预卜未来，这时也便被罚为头倒转，脸朝后，向后倒行。

③“上半身的起点”即脖颈。

④此句的意思是：对这些占卜者的惩处是上帝判决的，因而不该对他们有什么“怜悯之心”，换言之，即：只有不怜悯，才算怜悯。但近代注释家对“在这里”有两种不同解释：一是泛指整个地狱，因此，此句就该意谓：“有谁能比对神的公正裁判结果感到恻隐的人更加亵渎神灵的呢？”（德·奥维德D' Ovidio，1849—1925、巴尔比）一是专指第四个恶囊，因此，此句意思就稍有变化：“有谁能比硬要对上帝的判决萌生恻隐的人更加亵渎神灵的呢？亦即要使上帝的意见变为被动……让它服从人的行动，而上帝的意见本该是主动的”（帕罗迪Parodi、罗西Rossi），或是“有谁能比竟想篡夺神的职能，幻想自己能确有把握地预见未来变迁的人更加亵渎神灵的呢？”（齐基托Cicchitto）

⑤这里借用了斯塔提乌斯的《特拜战记》第七章第690—823句中的一段情节。安菲阿拉俄斯（Anfiarao）是围攻特拜的七王之一，通占卜。他预知将战死疆场，为躲过此劫数，藏匿起来，不料其妻爱丽菲勒斯（Erifile）被七王主将波吕涅克斯（Polinice）所收买，说出他藏身之地，他只好参加战斗。战争中，宙斯令大地在其战车下“豁然敞开”，他连车带马卷入地内，一直落到弥诺斯跟前，被打入地狱。与斯塔提乌斯原著不同之处是：但丁把弥诺斯见到安菲阿拉俄斯时所说的讽刺问话，安放在特拜人之口，意在说明：占卜者尽管预见未来，下场却是可悲的。

⑥泰雷西阿斯（Tiresia）为特拜著名的占卜者，他在特拜战争时曾运用魔法；据说，他因泄露天机，被上帝惩罚，变为瞎子。诗中，但丁借用了奥维德《变形记》第三章第324—331句中所述的故事，即：泰雷西阿斯一次曾用一根木棍敲打两条正在交媾的蛇，他立即变成女子；七年之后，他又用同一根木棍敲打原来的那两条蛇，他才恢复了男性。

⑦阿伦斯（Aronta或Arunte），古意大利埃特鲁斯（etrusco，即今托斯卡纳）著名的肠卜者。他曾

预卜凯撒与庞培必将发生战争,而凯撒必胜。事见卢卡努斯《法尔萨利亚》第一章第584—638句。因为这些人是头倒转,朝后倒行,他只能“跟在泰雷西阿斯的肚皮后面”。

⑧卢尼(Luni)为埃特鲁斯的旧城,靠近马格拉河(Magra)河口,但丁时期已成废墟,卢尼加纳(Lunigiana)一地的名字即源出于此。其实,卢卡努斯在《法尔萨利亚》一书中曾说,阿伦斯是居于荒凉的卢卡(Lucae,即今Lucca)山上,但有些手抄本写成Lunae,但丁可能读过,以为即是指“卢尼”,同时又从“荒凉”一词出发,在但丁印象中,卢尼加纳的景色即是如此:有白色的大理石山,并可远眺大海。据说,但丁于1306年,即在写本首诗歌之前,曾在那里小住。

⑨卡腊拉(Carrara)为马萨·卡腊拉省(Massa Carrara)一小市镇,其居民住在阿普阿尼山(Monti Apuani)之下的平原上,曾在山坡上开垦荒地,种植庄稼。阿普阿尼山有不少白色大理石采石场,因此,诗中的“卢尼的群山”看来即指此山。

⑩但丁用生动的写实笔法描绘了曼图(Manto)的奇形怪状:由于头向后转,头发不是披在背后,而是“遮掩”双乳;后身(因倒行,但丁是看不见的)则“长满”茸毛。有两个神话传说涉及这个特拜女巫的事迹:一是说她是泰雷西阿斯之女,是著名的女先知,先嫁与安菲阿拉俄斯之子阿尔克梅翁尼(Alcmeone),后又改嫁拉西奥斯(Racio),死于克拉罗斯(Claro),曾为特拜城的不幸遭遇而化成泪人;一是说她嫁与阿尔巴(Alba)国王蒂贝里诺斯(Tiberino),生子奥克诺斯(Ocno),其子为纪念她,建立了曼图亚城。诗中涉及她的情节概出于上述两种传说的综合:维吉尔的《埃涅阿斯记》、奥维德的《变形记》、斯塔提乌斯的《特拜战记》都有关于她事迹的记述,其中特别指出,她在父亲死后,为了不受篡夺王位的暴君克瑞翁(Creonte)的统治,逃离特拜,流浪四方,最后选定一地居留下来,该地被后人建成曼图亚。诗中写曼图为“生性残忍的处女”,更接近斯塔提乌斯笔下的曼图:斯说她是innuba(处女),并残忍屠宰牲畜用作“血腥祭品”;维吉尔则把她说成是河神图斯库斯(Tosco)之妻,奥克诺斯之母。波斯科曾指出,但丁在本首诗中把她放入第四个恶囊,而后来在《炼狱篇》第二十二首第113句中又把她列入与斯塔提乌斯一起待在“林勃”之中的亡魂名单(诗中称“泰雷西阿斯的女儿”),认为这是两种形象互不相容的矛盾现象;他推测,这可能是因为本首是后补的,但丁在起草时,“忘记”自己在《炼狱篇》中曾简略提及过她,或则是由于但丁对斯塔提乌斯的有关著作读得不够仔细,或索性记错了,把曼图与斯塔提乌斯所写的另一个女性人物弄混了。

⑪维吉尔的“诞生之地”为曼图亚的安德斯镇(参见第一首注⑳)。

⑫“巴库斯的城池”即特拜城,因特拜城是敬奉酒神巴库斯(Baco或Bacco)的。“遭到奴役”指特拜城受到克瑞翁的残暴统治:克瑞翁系特拜王后乔卡斯塔(Giocasta)之兄弟。特拜王俄底浦斯(Edipo)发现自己娶了生母乔卡斯塔为妻之后,悔恨莫及,自己弄瞎了双眼,弃国出走,其长子埃特奥克勒斯(Eteocle)继位,但不愿按协议规定的日期让位于其弟波吕涅克斯(见注⑤),波因此发动了七王攻特拜的战争,兄弟二人在交战时互相杀死。克瑞翁趁机篡夺了王位。

⑬拉马涅亚(Lamagna或La Magna)为日耳曼各国的总称;“那段阿尔卑斯山”指雷蒂凯阿尔卑

斯山(Alpi Retiche)的一段山麓:它标志拉马涅亚的南部边界,位于科摩省一小市镇梅拉诺(Merano)附近的蒂拉利(Tiralli,或称蒂罗洛 Tirolo)城堡的北面;当时,这片地区曾为蒂罗洛伯爵马伊纳尔多二世(Mainardo II)的采地。萨佩纽估计,这段山麓可能是维诺斯泰阿尔卑斯山(Alpi Venoste),因该山正是从北部"俯瞰"蒂拉利城堡,贝纳科湖(Benaco)即加尔达湖(Garda),正在其山脚之下。

⑭卡莫尼卡河谷(Val 或 Valle Camonica),位于伦巴底地区,曾属贝尔加摩管区,长六十公里。亚平宁山(Pennino 或 Apennino),或称亚平宁阿尔卑斯山(Alpes Apenninae),在中世纪,一般指阿尔卑斯山全部山脉或其中一部分,但丁在《论俗语》、《书信集》中也是用这样的提法。诗中所指地带可能是介于卡莫尼卡河谷与加尔达湖靠维罗纳一边的加尔达市之间的阿尔卑斯山区,因那里有上千条溪流汇入贝纳科湖(即加尔达湖)。雷吉奥指出,该湖的水文地区应是:东有加尔达市,西为卡莫尼卡河谷,北有亚平宁山。据悉,该湖水最深处达三百四十六米,方圆三百七十平方公里。

⑮此句意谓特伦托、布雷夏和维罗纳三地的教区边界正汇集在贝纳科湖的中央地区。萨佩纽注释本认为,这可能是指修士岛(Isola dei Frati),即今莱基岛(Isola Lechi),因为岛上的圣玛格丽塔教堂(Santa Magherita)归上述三个教区的主教管辖。但近代注释家巴塞尔曼、卡恰(Caccia)推测,这可能是但丁的虚构,因为三个教区的教士如果真正前来布道,就无须在诗中说什么"若是走这条途径"了,否则就似有讽喻的味道:即三个教区的主教"经常忽略像应做的那样,前来视察他们所管辖的地区"。也有人认为,这个地区应是坎皮奥内(Campione),因它也是三个教区的会合点。波斯科-雷吉奥注释本倾向于巴、卡二人的说法,认为但丁的注意力是放在下句的佩斯基耶拉(Peschiera)上,而那里是贝纳科湖的水流汇成敏乔河、而该河又流泻而成曼图亚沼泽地之处,这正是但丁诗句所要具体描述的,因而诗中的"中心地带"既不指莱基岛,也不指坎皮奥内。

⑯佩斯基耶拉堡垒(Forte di Peschiera)系维罗纳僭主斯卡利杰里家族防御体系中主要碉堡之一。雷吉奥估计,但丁撰写本首的时期距他最初流亡到斯卡利杰里家寄居并不太远,故他可能亲临过此地。

⑰这里的"江河"指敏乔河。

⑱戈维尔诺洛(Governol 或 Governolo)为曼图亚省巴纽洛·圣·维托市(Bagnolo San Vito)的一小镇,距敏乔河河口约二公里。

⑲萨佩纽注释本把此句的原文 grama 一词解释为"缺水干涸而不卫生",而波斯科-雷吉奥注释本认为,这两层含义是自相矛盾的:因为"不卫生"并非由于"缺水",而是沼泽地本身造成的,况且也不是像诗句所说的那样,是"有时"(talor)和"往往"(suol),根据本维努托对此句的诠释,即"由于水少,沼泽地就变得腐臭,空气也就难闻了",应只理解为第一层含义,第二层含义只能作为第一层含义的延伸。

⑳"生性残忍的处女"指曼图。斯塔提乌斯在《特拜战记》中曾说她用魔法协助其父,屠杀牲

畜,用血祭神,“把仍然冒着热气的五脏六腑摆在其父周围”,类似肠卜者的做法。也有人把“生性残忍”一词的原文 cruda 诠释为“反对结婚”、“野蛮孤独”。

㉑“灵魂出壳的身躯”指没有生命的肉体,亦即寓意死亡。

㉒古代建立新城,必须用占卜等办法(如肠卜、鸟飞)加以命名,而曼图亚城的命名则一反常规,近代注释家(如万代里 Vandelli)曾解释说:维吉尔这样说意在“使他的曼图亚的起源清除掉任何魔法的污迹或沾染,并再次说明,由于他本人也曾被人诬说为巫师,这就证明他完全与妖术魔法毫无瓜葛”。雷吉奥说,实际上,作此“纠正”的并非维吉尔,而是但丁,但丁有意“把任何巫术从只由人类根据上帝意旨创造的历史中剔除掉”。

㉓卡萨洛迪即阿尔贝托·达·卡萨洛迪伯爵(Alberto da Casalodi),为曼图亚的僭主;卡萨洛迪为曼图亚省一市镇,亦称卡萨洛多(Casalodo)。皮纳蒙泰即皮纳蒙泰·德伊·博纳科尔西(Pinamonte dei Bonaccolsi),为曼图亚贵族,本维努托曾称他“豪放而有胆略”,深得老百姓爱戴。当时,曼图亚有许多贵族,迫害百姓,百姓恨之入骨。皮纳蒙泰曾建议将城内一些心怀不轨的贵族暂时逐出城外,以平民愤,僭主卡萨洛迪听信了他。事后,皮纳蒙泰发动民众暴乱,推翻了卡萨洛迪,自立为僭主(1272—1291)。

㉔“熄灭的炭火一堆”指有关曼图亚起源的不同于维吉尔的说法,都将被但丁视为“无稽之谈”。这里所指的其他不同说法包括:西班牙的伊西多罗·迪·塞维利亚(Isidoro di Siviglia,570—636)在《字源学》(*Etimologie*)一书中说曼图亚是曼图自己建立的;维吉尔《埃涅阿斯记》说它是曼图之子奥科诺斯所造(尽管都是出自维吉尔一人之口);塞尔维奥(Servio)在评《埃涅阿斯记》时则说,它是埃特鲁斯人托尔科内(Torcone)所建。

㉕指在希腊人围攻特洛伊期间,希腊各国所有成年男子都离开祖国,前往战斗,国内仅剩下儿童和襁褓中的婴儿。

㉖欧利皮鲁斯(Euripilo),为参加特洛伊战争的一位希腊英雄,但诗中却通过维吉尔之口,说他是个“占卜者”,这与维在《埃涅阿斯记》中的说法也迥然不同:后者说他是久攻特洛伊城不下而渴望回国、但又受暴风所阻的希腊人派去请示阿波罗神谕的人,而这一说法又是诈降特洛伊的希腊奸细西农(Sinone)的诡称。因此,他根本不曾“与卡尔卡斯一起”,“确定砍断第一根缆绳的时机”。根据近代注释家帕罗迪的分析,但丁可能对《埃涅阿斯记》中的拉丁原文有所误解,其中涉及阿波罗对欧利皮鲁斯所作的神谕,大意是:你们希腊人在前来特洛伊时,曾在奥利斯(Aulide)把伊菲吉尼亚(Ifeginia)作为祭品,平息风暴,如今你们要离特洛伊而去,也必须把一个希腊人(指诈降的西农)作为祭品。帕罗迪认为,上述“神谕”中的动词“平息”,为拉丁文第二身复数(placastis),但丁可能以为不是指希腊人,而是指欧利皮鲁斯和卡尔卡斯。波斯科就此进一步指出,也可能是但丁所读手抄本有误,或是但丁本人读过后索性“淡忘”了,把复数动词 placastis 看成单数动词 placasti,亦即只指欧利皮鲁斯一人,因为是欧一人建议把伊菲吉尼亚作为祭品的。萨佩纽也基本上附和这种说法,并说,可能欧利皮鲁斯与卡尔卡斯一起提出上述建议。译者认为,不论古今注释家分析如何,不能排除但丁像对待

其他神话、传说、历史一样，在诗中糅进了自己的独特构思和创新虚构。

卡尔卡斯（Calcante），希腊著名占卜者，曾随军围攻特洛伊。据希腊神话说，是他建议：为求得希腊舰队顺风启航，以希腊大军主帅阿耳戈（Argo）和米凯奈（Micene）国王阿加门农（Agamennone）之女伊菲吉尼亚作为祭品。

奥利斯，为一古代港口城市，希腊远征特洛伊从这里登舟启航。

㉗“高雅的悲剧”即指《埃涅阿斯记》；关于“悲剧”的含义，请参阅第十六首注⑳。

㉘迈克尔·司各特（Michele Scotto），苏格兰医生、哲学家、炼丹术士、天文学家，曾在腓特烈二世宫廷长期供职，因翻译亚里士多德和阿维森纳的著作而闻名。薄伽丘的《十日谈》里曾提及他，把他说成是巫师和占星者。

㉙圭多·博纳蒂（Guido Bonatti），十三世纪末至十四世纪初的著名占星家，生于福尔里（Forlì），原为低级修士，后为腓特烈二世供职，随后又相继为马尔卡·特雷维贾纳、拉维纳（Ravenna）、乌尔比诺（Urbino）三市的僭主（分别是埃泽利诺 Ezzelino、圭多·诺维洛·达·波连塔 Guido Novello da Polenta、圭多·达·蒙泰菲尔特罗 Guido da Montefeltro）服务，充当参事和占星士。著有论星相的巨著。

阿兹顿特（Asdente），曾被但丁轻蔑地称为“帕尔玛的鞋匠”（Lo calzolaio di Parma），见《筵席》第四卷第十六节第六句段。“阿兹顿特”为“本维努托师傅”的绰号，生活在十三世纪下半叶，因能预卜先知而闻名遐迩。同时代的名史学家萨林贝内与他相识，在其《编年史》中曾对他颇为称道。本维努托曾说，他“在舍弃他的手艺之后，完全投身于占卜术，经常预卜未来，使人们大为震惊，但我认为，他这是依靠天赋，而不是依靠科学，因为他是个不通文墨的人”。

㉚这里指的是一些“恶毒”的女巫与神婆。她们用药草制成的药剂和用蜡或其他材料制成的假人（用火烧或用针刺），来诅咒、伤害世人。

㉛“该隐和荆棘”指月亮，因为民间传说把月亮上的黑影说成是背负一捆荆棘的该隐，正如我国传说月中有吴刚伐桂。“两半球交接的边际”指月亮落到以耶路撒冷为代表的半球与另一半球的交界处。“把塞维利亚下面的海浪也触及”指月亮已“触及”西班牙的塞维利亚（Sobilia，即 Siviglia）附近的海面。由于下句提及“昨夜，明月团圞”，“昨夜”是指头一天夜里，但丁迷失在“幽暗的森林”里；意谓这时正值满月时期（时值春分），大约是清晨六时。

㉜满月使但丁“不致因幽暗的森林而受惊”这一细节在第一首中并未描述。

第二十一首

贪官污吏的恶囊(1—45)
马拉布兰卡们(46—57)
维吉尔与马拉科达的谈话(58—117)
魔鬼巡逻队(118—139)

贪官污吏的恶囊

我们就这样从一座桥走到另一座桥[1],
边走边谈我的喜剧所不想吟诵的其他事情;
我们这时来到了桥顶,
我们站住,观望恶囊的另一条沟渠
和另一些徒劳的哭泣;
我看那沟渠黑暗得胜似乌漆。
如同在威尼斯人的造船厂里,
把坚硬的沥青熬煮在冬季[2],
这沥青是用来涂抹他们那些磨损的舟楫,
因为在那个季节,他们无法去航海,
既然如此,有的人就在制造自己的新舟,
有的人则在填补航行过多的船舶的两侧[3];
有的人在加固船尾,有的人则在加固船头;

有的人在做船桨,有的人在卷船缆,
也有的人在缝补前帆和主帆,
那下面熬煮又稠又厚的沥青的情景
也同样如此,但不是用火,而是靠神功,
那沥青把四处的峭壁也溅得黏黏糊糊,脏得惊人。
我看到的只是沥青,里面的东西却无法看清,
只见沸煮掀起一个个气泡不住翻滚,
先是全部膨胀起来,随后变瘪,又收缩下去。
我定睛向下观望,
这时,我的导师说道:“瞧啊,瞧!”
他把我从我站立的地方拉到他的身旁。
我随即转过身去,犹如一个人
急切地要观看他本应逃避的那个东西,
而恐惧又立即使他勇气全泯,
尽管仍想观看,却恨不得马上离开;
我看见我们后面有一个黝黑的魔鬼,
顺着石桥,飞步跑上来。
哎呀!他的相貌是多么凶恶狰狞!
在我看来,他的动作又是多么暴烈蛮横,
他张开两只翅膀,双脚轻快如风!
他那个肩膀既高又尖,
一个罪人的双臀恰好压在他的肩,
而他则把那罪人的脚踝紧攥[4]。
他从我们的桥上说道:“喂,马拉布兰卡们[5],
瞧这是圣齐塔执政官中的一名[6]!
你们把他放到下面去,我好再回到原地,
那里有的是这类东西:
每个人都是贪官污吏,彭图罗还不算在其内[7];
为了钱,‘否’也变成了‘是’[8]。”
他把那人扔下沟去,随即顺着坚固的石桥,

接着，他们又用一百多把铁叉把他叉住。（第二十一首第52行）

转身回去，即使解掉锁链的恶狗，
也不会如此飞速地去追赶小偷。

马拉布兰卡们

那罪人沉落下去，又弓起背浮了上来，
但是，躲在桥上的那些魔鬼
却喊道："这里可没有圣脸的地位[9]：
在这里，游泳要用另一种方式，可不像在塞尔基奥河[10]，
因此，你若不想被我们抓破，
就不要浮到沥青的表面上来露头。"
接着，他们又用一百多把铁叉把他叉住，
说道："你该躲在这里跳舞，
倘若你能，你还可以悄悄地偷鸡摸狗。"
即使厨师也不会改变做法，让他们的徒弟
用肉叉把肉块按进锅底，
不让它从汤中浮起。

维吉尔与马拉科达的谈话

那和善的老师对我说："为了不让人发现你在这里，
你快蹲到一块突出的岩石后面去，
它可以把你遮蔽；
我若受到任何触犯，
你都不要害怕，对这类事情我已经司空见惯，
因为以前我也曾遇到这种麻烦。"
说罢，他就从桥顶走到另一边；
他去到第六道堤岸上面[11]，
这时，他不得不做出镇静自若的表现。
那些待在桥下的魔鬼猛地跳将出来，
就像扑向乞丐的一群狗，
穷凶极恶，旋风似的动作，

而乞丐则立即停在原地，请求施舍[12]；
他们一齐把铁叉掉转过来，向他扎去，
但是，老师立即喝道：“你们当中谁也不准恶意伤人！
在你们用铁叉把我扎住之前，
你们当中应当出来一个听我述说，
然后再商定是否用铁叉扎我。”
所有的魔鬼齐声喊道：“让马拉科达出去[13]！”
这时，一个魔鬼走动了，其他魔鬼则立住不动，
这个魔鬼向老师走来，一边念叨：“这对他究竟有什么用？”
我的老师说：“马拉科达，你难道以为，
你们眼见我平安抵达这里，
是未得上天的恩准和神的旨意？
尽管我曾须要克服你们设置的一切艰难险阻，
放我们走，因为是天意要我
给另一个人指明这荒野的道路。”
这一来，那魔鬼的骄横之气顿时收敛，
他把铁叉靠到脚边，
并向其他魔鬼说道：“现在，不要伤害他了。”
于是，我的导师对我说：“啊！你偷偷地
躲在那石桥的乱石中间，
如今可以放心地回到我身边。”
这样，我便开始走动，急忙来到他跟前；
而魔鬼们却一齐冲上前来，
我真担心他们能否信守诺言；
我曾目睹协议投降的比萨步兵
就是这样胆战心惊，他们走出卡普罗纳城，
发现自己周围竟有这么多的敌人[14]。
我把整个身体都紧靠到我的导师身旁，
我也不敢从他们的神态移开我的目光，
那神态显然并不善良。

他们把铁叉放低,其中有一个对另一个说:
“你想要我扎一扎他的屁股吗?”
另一个答道:“你就给他来一下吧!”
但是,那个与我的导师谈话的魔鬼,
马上转过身去,说道:
“放下,放下,斯卡尔米利奥内[15]!”
接着,他又对我们说:
“不能再顺着这座石桥往前去,
因为第六座桥拱已完全断裂,落进沟底。
你们若想继续前行,
就必须沿着这道堤岸行进;
附近有另一座石桥可以通行。
昨天,比此时晚五个多钟头,
这条道路断裂就正好有
一千二百六十六年之久[16]。
我现在派遣我手下的人去到那里,
察看是否有人从沥青中露出头来,
你们可以跟他们同行,他们不会心怀叵测,把你们伤害。”

魔鬼巡逻队

他开始说道:“阿利基诺出队,还有卡尔卡布里纳,
还有你,卡尼亚佐;
巴尔巴里恰,你来带领这十人队。
利比科克过来,还有德拉基尼亚佐,
格拉菲亚卡内,还有龇着獠牙的齐里亚托,
疯子鲁比坎泰以及法尔法雷洛[17],
你们要围绕这沸汤滚滚的黑色黏胶寻觅:
让这两个人能安全地一直到达另一堆乱石形成的桥梁:
它完完整整地横跨这层层深洞[18]。”
“哎哟,老师!我看到的是什么啊?”

我说道，“哦，还是让我们不要护送，独自前行，
既然你熟悉路径，我也不为自己要求什么护送。
倘若你像往常那样眼亮心明，
难道你看不出他们在咬牙切齿，
虎视眈眈，随时会干出坏事？”
他于是对我说：“我不想让你害怕：
你索性让他去咬牙切齿就是，
他们这样做是针对那些受熬煮之苦的人。”
他们向左岸转去；但是，
在这之前，每个人却都伸出舌头，用牙紧咬，
朝着他们的头目发出暗号；
于是，那头目也便把肛门当作了号角[19]。

注释

①“从一座桥走到另一座桥”指从第四个恶囊的石桥走到第五个恶囊的石桥。

②威尼斯造船厂是十二世纪初开始建立的，到但丁时期，已成为欧洲最兴旺的造船厂之一。但丁把第五个恶囊的“黑暗”比作威尼斯造船厂用以制造和修理船舶的沥青，并以此为契机，引出了下文中魔鬼与被惩罚的鬼魂的极具讽刺情趣的场景，特别是对船厂内部各种劳动的生动描绘，是《神曲》中最著名的篇章之一。有人据此推测，但丁曾亲临现场，但波斯科-雷吉奥注释本认为，但丁很可能是1308年至1310年去过威尼斯的，因此，从时间上说，似嫌过迟，除非是后来他根据自己的亲眼目睹，对诗句做了补充修饰。诗中说在冬季熬煮沥青，因为冬季不宜航海，是修船、造船的季节。

③这是指船舶由于“航行过多”，两侧护板松散裂开，须用沥青“填补”。

④注释家对此句所反映的形象曾有不同解释：有人认为，“罪人”是“骑”在魔鬼的双肩上。萨佩纽和波斯科-雷吉奥两注释本都认为，这是不合情理的，况且，原文中的“肩膀”是单数omero，故应如本维努托所说：“屠夫把已屠宰的牲口拿去剥皮和出售”，就是用一个肩膀掮着的。雷吉奥还说，从十四世纪一些《神曲》手抄本的纤细画插图来看，形象也是这样的。

⑤“马拉布兰卡们”原文为Malebranche，意谓“恶爪”（如“恶囊”的Maleborgie），是但丁杜撰的又一复数专名词，若音译为“马莱布兰凯”，不易分辨单复数，作为魔鬼的名字，似也不宜意译为“恶爪”，故不如按中文习惯，音译单数Malabranca加“们”，以表复数。

⑥“圣齐塔”（Santa Zita）为一圣女名。她原为一虔诚女仆，原籍蓬特雷莫利（Pontremoli），住在卢卡，1272年（或1282年）作为“圣女”死于该市（尽管未获教会正式承认），据佛罗伦萨无名

氏称,“卢卡人对圣齐塔十分崇敬”;此处即代表卢卡。中世纪市政领导一般由市长、护民官(由外地人担任)和当地遴选的执政官(数目因地而异)组成;执政官的名称各地不同:如卢卡称“长老”(anziano),佛罗伦萨称“首长”(priore)。诗中的这名执政官究竟是谁,注释家对此看法略有差异:十四世纪的圭多·达·比萨猜测为马蒂诺·博塔里奥(Martino Bottario),布蒂附和这一说法,并证实此人死于1300年,近代注释家(如巴尔比)更进一步说明,此人为1293—1295年卢卡史料中提及的一个酒桶商马蒂诺(“酒桶商”一词意文为bottaio,与Bottario相近),当时曾任执政官,死于1300年4月9日。萨佩纽认为,但丁未具体指明被魔鬼掮着的这位“圣齐塔执政官”,意在讥讽“卢卡的所有市民阶级和管理市政的执政官”;雷吉奥则认为,地狱之行的时间可能很容易使卢卡读者把“圣齐塔执政官”的称呼联系到具体人物身上。此外,萨佩纽注释本还指出:卢卡和佛罗伦萨当时是托斯卡纳地区黑党的两大营垒,卢卡曾于1308年将佛罗伦萨流亡该市的白党分子逐出该市。

⑦“彭图罗还不算在内”一句意谓彭图罗比所有其他人更坏。拉纳曾指出,彭图罗是“这个城市里最大的、或人所尽知的盗用公款的贪官污吏”。彭图罗全名为彭图罗·达蒂(Bonturo Dati),十四世纪初曾为民众领袖,后历任要职;1308年,卢卡前任执政官格兰迪(Grandi)一家因犯贪污罪被放逐后,他曾吹嘘已消灭前任官长的贪污之风,后经揭发,他本人所犯贪污罪行不胜枚举。1313年,因他无礼取笑与卢卡达成协议的比萨人,致使两市重又反目,卢卡在战争中遭受重大损失。为此,他遭放逐,避祸佛罗伦萨,约死于1324年末到1325年初。据推测,关于卢卡与比萨之间的战争因他而起一事,但丁本人可能不知,但意大利著名诗人、1906年诺贝尔文学奖获得者卡尔杜契曾就此写过名诗《市镇的决斗》(*Faida di Comune*)。雷吉奥指出,彭图罗是又一个人尚未死而但丁“在地狱中加以谴责”的人。

⑧这里的“否”与“是”系指在卢卡,“为了钱”,是非颠倒,在选举执政官、议会代表和作出决议方面,原该投反对票“否”,却投了赞成票“是”。

⑨圣脸(Santo Volto):为八世纪由拜占廷传入卢卡的一个古老的乌木制的耶稣十字架雕像,现仍保存在卢卡圣马丁主教堂(Basilica di San Martino)一座小礼拜堂内,为世人所敬拜。对魔鬼何以说出这句恶意讽刺的亵渎的话,有几种分析:一是认为,该罪人从沥青中露出自己那张弄黑了的脸,恰似那个乌木雕像(巴尔比);二是设想该罪人喊出“圣脸,救救我啊”,魔鬼于是说此地不是呼吁圣脸救命的场所(布蒂);三是该罪人从沥青中浮起时是弓着背,仿佛对圣脸像顶礼膜拜,因而魔鬼说出此言(德国但丁学家布兰克Blanc,1781—1866)。波斯科-雷吉奥注释本倾向第一种分析。

⑩塞尔基奥河(Serchio),意大利中部一条河流,距卢卡市不远,古时曾与阿尔诺河合流;该河向西流入利古里亚海(Mar Ligure),长一百一十二公里。

⑪指第五个恶囊与第六个恶囊之间的堤岸。

⑫对此句的细节一般解释为:乞丐来到门口,立即站住乞讨,因为害怕猛犬袭来。但巴尔比认为,是狗闻听乞丐乞讨之声,立即冲了过来,萨佩纽注释本赞成这种说法,波斯科-雷吉奥注

释本则认为,狗见有生人过来,未等乞丐开口乞讨,便扑了过来,吓得乞丐“立即停在原地”。

⑬马拉科达(Malacoda)系由 mala(罪恶)和 coda(尾巴)二词组成,又是但丁给魔鬼起的怪名。注释家认为,但丁此举并非无端虚构,可能也有突出魔鬼的形态和作风之意。萨佩纽认为,也不排除如近代但丁学家托拉卡所设想的,即但丁用怪异的名字或绰号影射同时代的什么人。

⑭这段诗句又以但丁亲身经历的史实来比喻他当时的恐惧心理:1289 年,托斯卡纳地区的归尔弗派组织以佛罗伦萨和卢卡两市为主的联军,与阿雷佐、比萨等吉伯林派联军交战;6 月 11 日,佛市归派军队在阿尔诺河左岸的坎帕尔迪诺(Campaldino)战役中大败阿雷佐市吉派军队,之后,它又与锡耶纳和皮斯托亚两市的援军一起,前往救援处于困境的卢卡军队。当时,原为比萨归尔弗派占据的卡普罗纳城堡(Caprona)被比萨吉伯林派军队将领圭多·达·蒙泰菲尔特罗夺去,佛市联军围攻八日后,比萨占领军无法固守,于 1289 年 8 月 6 日投降。波斯科-雷吉奥注释本认为,从诗句看,但丁曾亲自参加过这场战役,有人甚至说,他是作为佛市民兵四百骑兵之一参加的,但也有人说,他只是作为“观察员”。目前,注释家普遍认为,但丁亲自参加围攻卡普罗纳城堡一事“绝对可靠”,巴塞尔曼还说,正是在这一时际,但丁与卢卡军队的统帅尼诺·维斯贡蒂(Nino Visconte)结成友谊,但雷吉奥则认为,此系推测。

⑮斯卡尔米利奥内(Scarmiglione)是那个建议“扎一扎”但丁的“屁股”(原文为 groppone,意谓脊背的下部,亦即“屁股”)的魔鬼的名字。

⑯此句是说:距这座石桥断裂,已过了一千二百六十六年零一天不到(差五个小时),言外之意即:自从耶稣断气导致撼动整个地球直至地狱的地震以来,已过了这许多年。

⑰阿利基诺(Alichino)、卡尔卡布里纳(Calcabrina)、卡尼亚佐(Cagnazzo)、巴尔巴里恰(Barbariccia)、利比科克(Libicocco)、德拉基尼亚佐(Draghignazzo)、格拉菲亚卡内(Graffiacane)、齐里亚托(Ciriatto)、鲁比坎泰(Rubicante)、法尔法雷洛(Farfarello),这十个魔鬼的名字一般都是由两个词拼凑成一个颇具谐谑意味的名字,也有的是加上词尾,或表“巨大”(ozzo),或表“微小”(ello 或 etto),如:Barbariccia 系由 barba(胡须)和 riccia(卷)组成,意谓“卷胡子”,Graffiacane 包含 graffia(抓破)和 cane(狗)二词,意谓“抓破狗儿”;Draghignazzo 谓曰“大龙”,Cagnozzo 谓曰“大狗”;Farfarello 相当于今文的 folletto,即“小精灵”或“小机灵鬼”。但也有不知其所指的,如 Calcabrina。

⑱“层层深洞”即“层层恶囊”。

⑲此句以诙谐戏谑的词句写巴尔巴里恰与其他魔鬼一应一和地做出猥亵、粗俗的“信号”;据说,这种“滑稽”情趣是中世纪特有的写法。

第二十二首

魔鬼与贪官污吏(1—30)
恰姆波罗·迪·纳瓦拉(31—90)
恰姆波罗的诡计与魔鬼的争斗(91—151)

魔鬼与贪官污吏

我过去曾见过骑兵拔营，
检阅队伍，开始进攻，
3 有时还后退撤兵；
我还见过轻骑兵在你们或阿雷佐人的土地上侦察驰骋[1]，
也见过骑兵烧杀掠抢，践踏敌营，
6 在竞技场上，两军对峙，单骑相争；
我曾见过骑兵打信号，有时吹号，有时打钟，
用鼙鼓也用狼烟烽火通风报信，
9 既用我们自制的东西，也用外来品；
而我过去从未见过骑兵、步兵
竟用如此奇特的信号工具来开拔[2]，
12 也从未见过靠陆地显现或星辰位置确定航向的船舶用
它来起碇。
我们随同这十个魔鬼前行：

哎哟！多么吓人的一群伙伴！
不过，在教堂就是与圣徒为伍，在酒肆就是有酒鬼作伴。
我只好把我的注意力
放在沥青胶液上，
观看在其中被烧煮的人们的种种状况。
就像海豚在海面弓起腰脊，
向水手传递风雨即来的信息，
叫他们必须想方设法保全他们的舟楫[3]。
有些罪人也正是如此，
露出脊背以减轻痛楚，
而转眼间，又把它藏到沥青下面。
也像那些伏在水沟边沿的青蛙，
只把嘴脸露到外面，
双脚和大部分身躯却隐匿在下边；
四处的罪人也都是这般光景；
但是，一见巴尔巴里恰走近，
他们也就急忙没入沸腾的沥青。

恰姆波罗·迪·纳瓦拉

我曾见过这样一种景象，
如今一想起，仍使我心中发凉，
就仿佛是一只青蛙留在那里，另一只则跳进水塘；
格拉菲亚卡内站在离他更近的地方，
用铁叉叉住了他那沾满沥青的头发，
并把他拖了上来，活像拖上一只水獭。
所有这些魔鬼的名字我都早已知晓，
因为在挑选他们时我就把这些名字一一记牢，
这时我则注意他们何以这样呼叫[4]。
“喂，鲁比坎泰，你来用大铁叉
把他扎住，给他剥皮！”

这些该诅咒的家伙齐声喊道。
我这时说道："我的老师，倘若你能做到，
就请你想法弄清
那个落入仇敌之手的不幸者是什么人[5]。"
我的导师走近那人身边；
询问他哪里是他的家园，
那人答道："我生在纳瓦拉王国[6]。
我的母亲把我送到一位僭主那里充当仆役，
她与一个浪荡子弟将我生下，
此人既荡尽了家底，又毁灭了自己[7]。
后来，我进入了那贤明的君主特巴尔多的王室[8]：
在那里，我开始卖官鬻爵，贪污受贿；
为此，我如今在这滚烫的沥青中煮沸，是罪有应得。"
齐里亚托的嘴巴两边
都龇出一颗獠牙，犹如野猪一般，
这令他们感到，仿佛只用一颗也能把他撕烂。
这正是老鼠落在恶猫中间；
但是，巴尔巴里恰用双臂把他围拦，
并说："我来把他收拾，你们且待在一边。"
他又把脸转向我的老师，
说道："你若想从他那里了解更多的事，
那么，你就问吧，趁着别人尚未把他毁掉。"
导师于是开言道："现在，你说一说：
你是否知道在其他罪人当中，有谁是拉丁人[9]，
也在沥青之下受苦刑？"
那人答道："不久前，我刚离开一个人，他的老家就
　　离那里很近[10]：
我本该仍与他一道被沥青所遮隐！
这样，我就不必害怕魔爪与铁叉。"
这时，利比科克说道："我们容忍得太过了。"

他当即用叉子把他的一只胳臂挑起，
把它撕裂，把连筋带肉的一块径自拿去。
德拉基尼亚佐则想朝下面给他一下，扎他的双腿；
这时，那位十人队的头目转过身去，
面带怒容，朝周围来回扫视几遍。
等他们稍微平静下来，
我的导师就趁势向那人提问，不敢延缓，
而那人仍在把自己的伤口看了又看：
“你说你方才不该离开那个人而来到岸边，
那个人究竟是谁呢？”
他于是答道：“他是修士葛米塔[11]，
是加卢拉州人，是个恶贯满盈的器皿[12]，
他手里掌管着他的主子的敌人，
却使他们个个对他交口称赞，满意十分。
他拿了大笔钱财，不加审讯就释放了他们，
正如他所说的行话；在担任其他要职时，
他也照样枉法贪赃，不是小污吏，而是贪污之王[13]。
洛哥多罗州的米凯莱·赞凯老爷经常与他谈话[14]；
每逢谈起撒丁的事由，
他们的舌头就从不感到疲乏。

恰姆波罗的诡计与魔鬼的争斗

哎哟！你们看那另一个也在切齿咬牙[15]：
我本想再说下去，但我担心他
在准备把我痛打[16]。”
那个大头目转向法尔法雷洛[17]，
而法尔法雷洛却瞪大眼睛，要伤害那人，
大头目言道：“退下去，可恶的鸟[18]。”
那吓破了胆的人重又说道：
“如果你们想见一见托斯卡纳人或伦巴第人[19]，

因此，他暴跳起来，大喝一声："你跑不了！"（第二十二首第126行）

99 或是想听一听他们讲话,我可以叫他们过来;
但是,那些马拉布兰卡必须站到一边去,
使他们不致害怕遭到报复;
102 而我则留在原处,
我虽是一个人,却能唤来七个人[20],
只要我像我们通常的做法那样,吹一声口哨,
105 有些人就会从沥青中露出头来。”
卡尼亚佐一闻此言,就抬起了嘴巴[21],
一边还摇晃着脑袋,说道:“我听出那狡猾的话,
108 他是想投身钻入沥青底下!”
于是,这个诡计多端的家伙
答道:“我真是心眼太恶,
111 竟然要让我的同伴受更大的折磨。”
阿利基诺按捺不住了,他与其他魔鬼意见相反,
他对那人说道:“你若沉落下去,
114 我不会快步把你追赶,
而是要展开双翅飞到沥青上面:
我们要离开那堤岸的顶端,让峭壁把我们遮掩,
117 看看你一人能否胜过我们众人。”
啊!阅读诗篇的诸位啊,你就将有新奇的好戏看:
每个魔鬼都把视线投向堤岸的另一边;
120 首先是那个魔鬼:他原来最反对这样干[22]。
那个纳瓦拉人抓住对他有利的时机;
他把双脚在地上并拢,
123 刹那间纵身一跃,就从魔鬼头目的手中脱了身。
为此,每个魔鬼都引咎自责,后悔莫及,
而那一个则悔恨更甚,因为疏忽大意正是由他而起[23];
126 因此,他暴跳起来,大喝一声:“你跑不了!”
但这对他作用不大:
因为翅膀无法胜过害怕[24]:

那个已钻到下面，而这个则把胸膛一挺，朝上飞腾：
一旦猎鹰临近，
野鸭也同样立即向下潜入水中，
害得猎鹰只好气急败坏，重又飞向上空。
卡尔卡布里纳因中计而怒不可遏，
他飞来飞去，跟在阿利基诺后面穷追不舍，
指望那人侥幸逃生，他好与阿利基诺争斗一番；
由于那贪官已逃得杳无踪迹，
于是他把利爪指向他的伙伴，
他们两个在沟渠之上扭打在一起。
但另一个也是只凶猛的雀鹰[25]，
他也用利爪猛抓对方，他们双双
堕入沸汤滚滚的沥青。
热气立即把他们两个熏开，
但是，他们已无法从沥青中飞起，
因为胶液已粘住他们的双翼。
巴尔巴里恰与他的手下十分焦急，
他命令其中四个飞向堤岸的另一边，
全都手持铁叉，而众魔鬼快步如飞
都从这边和那边跑下堤岸，各就各位：
他们把铁叉伸向那两个被粘住的魔鬼，
那两个早已在那沥青的黏液中烫得皮开肉绽；
这时，我们离开了他们，而他们的处境依然狼狈不堪。

注释

①此句反映了但丁在1289年坎帕尔迪诺战役中的亲身经历，据说，他当时是冲锋队骑兵（参见第二十一首注⑭）。

②指前一首结尾时，巴尔巴里恰用“肛门”发出的怪异信号。

③这是中世纪海员航海时观测气象的一种传统做法：若海豚游近船舶，并露出海面，就证明风暴将至。这里则用海豚露出的“腰脊”与受苦鬼魂的脊背相比。

④此句有两种解释：一是说但丁注意这些魔鬼之间彼此如何称呼；一是如基门兹所说，是但丁

注意魔鬼们的名字是否与其形象相符。萨佩纽注释本采用了前者，波斯科-雷吉奥注释本倾向于后者。

⑤把魔鬼比作“仇敌”的说法源于《新约·彼得前书》第五章第八句：“你们务要冷静，步步为营，因为你们的仇敌魔鬼……伺机吞吃你们。”

⑥据古代注释家推测，此人为恰姆波罗（Ciampolo）或贾姆波罗（Giampolo），即托斯卡纳地区通用人名贾恩·保罗（Gian Paolo）的方言说法，但其来历如何，无人知晓，只能照抄但丁诗句。纳瓦拉王国（Navara）在九世纪至十四世纪为一独立王国，位于比利牛斯山南北两面山坡之上，1607年北部被法王亨利四世并入法国，南部则于十六世纪初即归属西班牙。

十四世纪注释家本维努托估计，恰姆波罗为但丁在巴黎结识的，其法文名为让·保罗（Jean Paul）。

⑦据本维努托说，此人在倾家荡产后自缢身亡。

⑧特巴尔多（Tebaldo），指特巴尔多二世，香槟区（Champagne）第五代伯爵，1253—1270年任纳瓦拉国王，是法王路易九世之婿，曾随其岳父远征突尼斯。诗中所说的“贤明的君主”则是指特巴尔多二世之父，即第四代伯爵特巴尔多一世，此人才华卓著，为用法国中世纪卢瓦尔河以北地区用语奥依语（oil）撰写诗歌的“最受敬重的抒情诗人之一”。但丁曾在《论俗语》第一卷第九节第三句段、第二卷第五节第四句段和第六节第六句段中都提及他，称他为“纳瓦尔王”（拉丁文 Rex Navare）。

⑨“拉丁人”即意大利人。

⑩这里指撒丁岛，因当时撒丁不归意大利管辖。但丁曾在《论俗语》第一卷第十一节第七句段中指出：“撒丁人不能算是拉丁人，而是应当被看成与拉丁人相近。”撒丁一度为撒拉逊人（Saraceni）所占领，1022年比萨夺取了撒丁，由贵族维斯贡蒂（Visconti）家族统治，将撒丁分为四个州（Giudicato），州长称总督（giudice）；但丁时期，该四个州为阿尔博雷亚（Arborea）、卡利亚里（Cagliari）、洛古多罗（Logudoro）和加卢拉（Gallura）。

⑪修士葛米塔（frate Gomita），生于撒丁，做过修士，曾于1275—1296年作为总督尼诺·维斯贡蒂的代表，管理加卢拉州。据佛罗伦萨无名氏称，他原是尼诺·维斯贡蒂的老师和军官，深受重视，尼诺曾将他擒获的一些敌人交给他来看管，这些敌人甚为富有，用钱买通了他，一夜，他佯作敌人越狱而逃，将他们全部放走；后尼诺·维斯贡蒂见他暴富，甚为怀疑，命人侦查究竟，才知他贪图贿赂，放走敌人，于是下令对他处以绞刑。

⑫“恶贯满盈的器皿”原文为 vasel d'ogni frode，“器皿”的说法取自《圣经》，如第二首第28句就曾用“神选的器皿”来形容圣保罗（参见第二首注⑨）。

⑬“贪污之王”在此有“最大的贪官”之意；原文所用形容词为 sovrano 意谓“君主”，据说十四世纪时，卢卡有“贪污之王”（Re dei barattieri）之称，故恰姆波罗的这句话有“影射作用”（萨佩纽）。

⑭米凯莱·赞凯（Michel Zanche）：据说，他可能是为撒丁国王恩佐（Enzo）管理洛哥多罗州（Logodoro,为现洛古多罗 Logudoro 的古名)的总督(恩佐为施瓦本家族的腓特烈二世之子)。后他篡夺了王权,成为该州的僭主,但古代注释家对此说法不一,史书亦无记载。1275 年或 1290 年,其婿布兰卡·多里亚(Branca Doria)叛变,将他杀害。

⑮“另一个”指法尔法雷洛。

⑯“痛打”原文为 grattare la tigna,直译为“搔皮癣”,为意大利文一种特殊用语,意谓“痛打”。

⑰“大头目”指巴尔巴里恰。

⑱这里用“可恶的鸟”来称呼魔鬼,是因为他们生有双翼。

⑲这两个地区代表意大利,但也可能是有意指但丁和维吉尔各自的故乡:前者是托斯卡纳,后者是伦巴第。(萨佩纽)

⑳这里的“七”仍意谓“许多”。

㉑这里的“嘴巴”原文为 muso,布蒂注释说,“这恰好是指狗的嘴巴,而正是用狗的形象来描绘这个魔鬼的”。

㉒“那个魔鬼”指卡尼亚佐。

㉓“那一个”指阿利基诺,因他曾保证恰姆保罗逃不出众魔鬼之手。

㉔此句意谓恰姆波罗因“害怕”而跑得要比阿利基诺的“翅膀”飞得快。

㉕“凶猛的雀鹰”(sparvier grifagno)是指已经成熟、有能力捕捉雀鸟的雀鹰,据但丁的老师布鲁内托·拉蒂尼在《宝库》一书说,“一切猛禽分为三类,即巢鹰、枝鹰和猛鹰……”“猛鹰”的原文即为 grifagni。

第二十三首

但丁与维吉尔的逃离(1—57)
伪善者的恶囊(58—72)
两个享乐修士(73—108)
该以法(109—126)
离开第六个恶囊(127—148)

但丁与维吉尔的逃离

我们默不作声,无人作伴,单独前行,
一个在前,另一个殿后,
就像低级修士在街上行进[1]。
由于方才的争斗为我目睹,
我联想起那个伊索寓言,
其中谈到青蛙和老鼠[2];
“如今”和“现在”这两个词并不比
这件事与那件事更为相似[3],
倘若把两件事的开头与结尾做一番仔细的对比。
正如一种想法从另一种想法迸发出来,
这种想法又使另一种想法随之产生,
我最初的恐惧也由此倍增。

我这样想道："这两个魔鬼遭到嘲弄，
又受到伤损，原因都在我们，
我相信，他们定会恼怒万分，
倘若怒气加在恶意上边，
他们就会从后面紧追猛赶，
会比猎狗对待被它一口咬住的野兔还要凶残。"
我此刻惊骇得毛发竖立，
一心只想我们背后发生的事，
我于是说道："老师，
如果你不马上把你我藏起，
我真害怕那些马拉布兰卡：他们已经在我们后面追赶，
我是这样想象，而且也听到他们在呼喊。"
老师说道："我若是一面镜子，
那么，我照出你的外在形象，
不会早于你那内在形象[4]。
恰在此时，你的思想来到我的思想当中，
以同样的外表和同样的行动，
这就使我从我们二人心中得出同一个决定[5]。
倘若斜坡就在右边，
我们可以从那里下去，进入另一个恶囊，
我们就将能逃出那想象中的追赶。"
他还不曾把那决定说完，
我就看见那些魔鬼展翅飞来，离我们不远，
他们是想把我们擒捉拿获。
我的老师立即抱起我，
如同慈母从嘈杂声中惊醒，
眼见燃烧的火光邻近，
她抱起儿子，急速逃奔，不敢停顿，
关心孩子甚于关心她自身，
以致只穿着一件衣衫；

他的双脚刚刚沾上下面沟底的平地，那些魔鬼就已经来到俯瞰我们的那片陡壁边际（第二十三首第52、53行）

老师从坚硬峭壁的顶端，
俯身顺着斜陡的岩石往下走，
而这陡坡的一端恰好堵住另一个恶囊的边沿。
倾泻的流水从未奔驰得如此飞快，
推动那陆地磨坊的水车轮子不住旋转，
尤其在它流近轮子的叶片之时，
我的老师正是如此飞快地顺着陡坡奔驰，
他把我紧紧地搂在胸前，
像是他的儿子而不是伙伴。
他的双脚刚刚沾上下面沟底的平地，
那些魔鬼就已经来到俯瞰我们的那片陡壁边际，
但是，不必再对他们心生畏惧；
因为崇高的天意
要他们看守第五道沟渠，
不准他们所有人擅离那里。

伪善者的恶囊

我们在下面发现一群衣着色彩醒目的人，
他们迈着缓慢的步伐，绕着圈子前行，
他们哭哭啼啼，面容疲惫而无神。
他们身着长袍，风帽低垂，
放到眼睛前面，
那长袍的式样像是为克吕尼修道院的僧侣所制的一般[6]。
那长袍外面是镀金的，金光闪闪，令人目眩；
但里面却全都缀满了铅，
这些长袍是那样沉重，腓特烈的那些长袍倒像是把稻草絮在里面[7]。
哦，身穿这永恒的令人疲惫不堪的袍服啊！
我们仍然只是向左转，与他们一起行进，
一面注意谛听那凄惨的哭声；

他们身着长袍,风帽低垂,放到眼睛前面。(第二十三首第61、62行)

但是，这人群在重压之下如此疲乏，
他们只能慢慢地走动，
以致我们每移动一步，就有新的伙伴同行[8]。

两个享乐修士

因此，我对我的导师说："请你设法找到几个人：
他们的行为或姓名是世人皆闻，
请你一边继续行走，一边把视线投向四周。"
有一个人闻听我说的是托斯卡纳语[9]，
在我们后面叫道："请你们停下脚步，
你们在这昏暗的空气中竟跑得如此迅速！
也许你从我这里会得到你所要求的那个答复。"
于是，导师转过身去，说道："你且等一等，
然后你再依照他的步子前行。"
我停了下来，看到有一个人
用面部来表达内心要与我同行的急切心情[10]；
但是，身上的重负和狭窄的道路使他们迟迟难行。
他们终于赶到，却竭力用歪斜的眼光[11]
注视我，不发一言
随后又转身面面相对，彼此言谈：
"从喉咙的活动来看，此人是活人[12]；
倘若他们是死人，又有何特权
不穿上那沉重的衣衫？"
接着，他们对我说："哦，托斯卡纳人，
你已来到这群悲惨的伪善者中间，
你若不轻视我们，就请说明你是何人。"
我于是对他们说道："我生长在那伟大的城镇[13]，
它坐落在那美丽的阿尔诺河沿岸。
我现在仍有我过去一向拥有的肉身。
可你们又是谁？我眼见痛苦挤出那么多的泪水，

从你们的面颊上淌下，
你们身上如此光辉耀眼，又受的是什么刑罚？”
其中一人向我答道：“那橙黄色的长袍
絮有厚厚的铅块，那重量
甚至使他们的天秤也要发出咯吱咯吱的声响[14]。
我们曾是享乐修士，是波洛尼亚人[15]；
我名卡塔拉诺，他叫洛德林哥[16]，
我们曾一道被你的家乡选定，
为保持它的和平，通常只选出一人[17]，
而我们的所作所为
使加尔丁哥周围的人至今也能看清[18]。”

该以法

我开言道：“哦，修士们，你们的苦痛……”
但我不能再说下去，因为我眼前出现一个人，
他像十字架那样，被人用三根木桩钉在地上[19]，
他一见我便把全身扭动[20]，
从胡须中间发出阵阵叹息，
卡塔拉诺修士见此情景，
便对我说：“你所注视的那个受钉刑的人[21]，
曾向法利赛人建议：
应当让一个人去为人民牺牲。
他赤身露体，横放在路上，
正如你所见的那样，必须让他
在有人经过之前，感受到来人有多大重量[22]。
那岳父与参加会议的其他人[23]
也同样在这沟渠之内受刑，
正是这次会议为犹太人播下了恶种[24]。”
这时，我看到维吉尔惊异万分[25]，
他目睹那人躺倒地上成十字形，

竟然如此可耻地经受这永被放逐的苦刑[26]。

离开第六个恶囊

维吉尔随后又向这个修士发出这样的声音[27]：
“倘若你能，望你能乐意告诉我们，
右边是否有什么路径可通，
让我们二人可从那里出去，
而不必迫使黑天使[28]
来帮助我们离开这沟底。”
那修士于是答道：“比你所希望的还要好：
附近恰巧有一座石桥，
它从那大圈圈开始延伸，跨越所有可怕的谷壑沟壕[29]，
只是在这一层，它已断掉，无法越过：
你们可以顺着那乱石残岩向上攀援，
那乱石残岩横亘成斜坡堤岸，在沟底堆成一片。”
导师低头沉吟片刻，
随后说道：“那个用铁叉折磨罪人的家伙[30]
把事情讲得不清不楚[31]。”
那修士也说：“我早在波洛尼亚就听说，
魔鬼有许多罪恶，我听到的其中之一
就是：他喜欢撒谎，是撒谎的始祖[32]。”
导师听罢就大踏步地向前走去，
神色因愤怒而略显不宁，
我也离开了那些负重的人，
脚踏着那亲切的足印。

注释

①“低级修士”（frati minori）指方济各会的教士，按当时习惯做法，这些教士在外行走，总是一个在前（稍有权威的），一个随后，“默不作声”，边祈祷、静思。这种做法正符合方济各会创始人圣方济各所定的教规。

②伊索寓言中的青蛙与老鼠故事取自据说是加尔蒂埃里乌斯·安格利库斯(Galtierius Anglicus)所著的《伊索书》(*Liber Esopi*),内容是:老鼠在路上行走,走近一条水沟,那里有许多青蛙;为了渡过水沟,老鼠不得不求助于青蛙,青蛙假作应允,其实是想设计溺死老鼠,它建议老鼠把一只脚与它的一只脚系在一起,这样,老鼠就不会掉入水中。老鼠就照办了;青蛙游到水中央,把身子往水里钻下去,老鼠被带下去,老鼠拼命挣扎,也无济于事。这时飞来一只鸢,见老鼠浮在水面,就俯冲下去,把老鼠抓起,由于青蛙与老鼠系在一道,青蛙便与老鼠一起被抓走了。

③"如今"(mo)和"现在"(issa)意思一样,犹如魔鬼对待但丁和维吉尔与青蛙对待老鼠也一样,最后自食其果。

④这里的"镜子"原文为"铅制的玻璃"(piombato vetro)。但丁在《筵席》第三卷第九节第八句段和《天堂篇》第二首第89—90句中都曾把"镜子"说成"铅制的玻璃":"那池清水的形成几乎就像镜子,镜子就是用铅制成的玻璃";"玻璃本身的后面,隐藏着一层铅",亦即镜子是用背面贴上铅片的玻璃制成的。此句意谓维吉尔此刻既看出但丁的面部表情又洞悉他的内心思想。

⑤此句的意思是:既然你我的想法一致("你的思想来到我的思想当中"),都同样害怕迫在眉睫的危险,不论从"外表"和"行动"上看都是如此,这就使我们可以做出同样的决定。(萨佩纽)

⑥克吕尼修道院(Clugni 或 Cluny),为法国古时勃艮第(Borgogna)一座著名的本笃会修道院,那里的僧侣所着僧袍既宽大又色彩鲜艳。该修道院为阿奎塔尼(Aquitania)公爵威廉一世(Guglielmo I)于公元910年所建,为十一世纪倡导教会文化和教会改革的中心,曾有四位教皇出自该修道院。圣贝纳尔多(San Bernardo,1091—1153)曾在一封致其侄的信中批评克吕尼修道院僧侣所着僧袍用"又轻又暖的皮毛","柔软而华贵的衣料","长长的袖子和肥大的风帽",并讽刺说,这样的僧袍想必会使僧侣变成"圣徒"。但许多古代注释家乃至大部分古代典籍却认为,诗中的修道院是指德国科伦(Cologna)的一座修道院,十四世纪注释家班巴利奥利就说,那里的僧袍又宽又长,风帽几乎像裙子;近代注释家鲁索(Russo)则认为,可能有些手抄本的抄录者更喜欢法国的那座修道院,因为它比另一座修道院更出名。

⑦这里用这些亡魂所着沉重的袍服与神圣罗马皇帝腓特烈二世用以惩罚暗害君王的罪犯的"袍服"进行比较,尽管后者同样用"铅"制成,却"像是把稻草絮在里面"了。布蒂曾就此解释说,腓特烈二世皇帝曾因有人犯下伤害皇帝的罪行,便令他们脱光了衣服,穿上一件用一指厚的铅块做成的衣服,然后把他们放进大锅炉里,用烈火猛烧,把紧贴在罪犯身上的铅块烧化了,从而把罪犯活活烧死。据说,这是当时反对腓特烈二世的教会人士和归尔弗派凭空捏造的传说,不见史籍,但萨佩纽认为可信,因所有古代但丁注释家都几乎一致地持有这一说法。但丁设想这种惩罚伪善者鬼魂的报复刑,可能是受十四世纪比萨僭主乌古乔内·达·比萨(Uguccione da Pisa,属归尔弗派)的《字源大辞典》(*Magnae Derivationes*)中对"伪

善”(ipocrita)一词的分析、考证影响,其中说:ipocrita 一词由 yper(在上面)和 crisis(黄金)构成,几乎等于“在上面涂金”,即从表面和外部看,似是好的,内心和内部却是坏的;或者该词由 ypo(在下面)和 crisis(黄金)构成,就像一个在黄金下面隐藏着什么东西的人。萨佩纽认为,这种字源考据是“虚假”的,然而,但丁由此构思却“不是不可能的”。

⑧由于但丁与维吉尔走得要比鬼魂们快,因而每移动一步,身旁就会变换一道同行的“伙伴”。

⑨但丁的故乡是佛罗伦萨,属托斯卡纳地区。

⑩这两个鬼魂因身穿沉重的袍服,步履艰难,尽管心中急于与但丁等同行,却无法加快步伐,只能通过面部表情来透露心中的“急切”。同时,由于袍服肥大,占去不少空间,“道路”也便变得“狭窄”了。

⑪因风帽低垂而沉重,无法转过头来直视但丁,只好用“歪斜的眼光”注视。

⑫“喉咙的活动”指但丁在讲话、特别是呼吸时,喉咙便动了起来,这证明但丁还是个“活人”。

⑬“伟大的城镇”指佛罗伦萨。

⑭这里原文仅用“天秤”(bilance)一词,但注释家对此词的“细节”解释亦有不同:萨佩纽认为,是指天秤的“中轴”(asse),雷吉奥则认为,是指天秤的两边秤杆(bracci)。

⑮“享乐修士”(Frati Gaudenti),指圣玛利亚骑士(Cavalieri di Santa Maria),属“光荣的圣玛利亚民兵团”(Milizia della beata Vergine Maria)成员。该团系一宗教团体。由僧俗人等组成,其任务是协助平息党派争斗,扶弱抗强,捍卫基督教思想,其成员可配备武器,服装式样和颜色均甚特殊。“享乐修士”的名称真正来源不详(其成员自己也这样称呼),据推测,可能与其玩世不恭、吃喝玩乐的人生态度有关。该团体 1261 年成立于波洛尼亚,创始人有诗中二鬼魂即洛德林哥(Loderingo)和卡塔拉诺(Catalano);1263 年 12 月 23 日得到教皇乌尔班四世(Urbano IV)的正式承认。

⑯卡塔拉诺:1210 年左右生于波洛尼亚。出身归尔弗派马拉沃尔蒂家族(Malavolti)。先后多次任米兰、帕尔玛、皮亚钦察等市执政官,与洛德林哥三次合作:1265、1267 年同任波洛尼亚执政官,1266 年同任佛罗伦萨执政官。1249 年曾率领波洛尼亚一部分步兵,参加著名的佛萨尔塔(Fossalta)战役,战胜吉伯林派,俘虏撒丁王恩佐(参见第二十二首注⑭)。后可能由于家庭原因,退居隆扎诺(Ronzano)修道院,1285 年死于该院。

洛德林哥:出身于吉伯林派安达洛家族(Andalò),约生于 1210 年。1239 年曾被腓特烈二世擒获下狱。曾任艾米利亚和托斯卡纳地区不少城市的执政官,1265—1267 年与卡塔拉诺一起,在波洛尼亚和佛罗伦萨联合执政。1267 年执政波洛尼亚后,退居隆扎诺修道院,1293 年死于该院。

⑰1266 年支持吉伯林派的西西里王曼弗雷迪在贝内文托战役失败并阵亡后(参见第六首注⑪和第十首注④),佛罗伦萨市的吉伯林派失势,归尔弗派则重新上台,为避免再度发生骚乱,曾从外地即波洛尼亚选出两名享乐修士执掌佛市大权,一名代表归派,即卡塔拉诺,另一名代表吉派,即洛德林哥。但二人不久即暗地支持归派,排挤吉派,在他们任期届满离开佛市

后,佛市人民立即发生暴乱,暴乱中,吉派被驱逐,其首领的宅第被焚毁,因此,当时人们对二人执政佛市产生怀疑,认为二人的行为是“阴险而偏袒”的,是“在伪善的虚假外衣掩盖下,更多地是为牟取各自的私利而不是为公众的幸福而一致行动”(维拉尼《编年史》第九卷第十三章)。近代史学家则认为,上述情况并不完全符合史实,因卡、洛二人固然有各自的企图,但毕竟是作为教皇克莱蒙特五世(参见第十九首注㉑)的阴谋工具,使归派得以在托斯卡纳地区获胜。

⑱加尔丁哥(Gardingo)为距佛罗伦萨市爵爷府广场(Piazza della Signoria)不远的一个地方,其名称来自隆哥巴尔迪人(Longobardi)所建的一座瞭望塔。吉伯林派首领法里纳塔·乌贝尔蒂家族(参见第六首注⑪和第十首注④)的宅第即在此地,在暴乱中被毁,由此可见卡塔拉诺和洛德林哥在佛罗伦萨联合推行伪善政策所造成的恶果。

⑲此句指此人像耶稣一样被钉在十字架,但他是被钉在地上,呈十字形,并且用的不是铁钉,而是“木桩”:两手各钉一根,双脚钉一根。

⑳此人见了但丁便“把全身扭动”,是由于被钉人看到信奉基督教的但丁而感到愤恨和耻辱:但丁因耶稣受难而获解救,此人则因此而受钉刑。

㉑“受钉刑的人”即犹太大祭司该以法(Caifas)。他曾召集祭司长和法利赛人开会,商量如何处置耶稣;他在会上主张把耶稣处死,伪称是为公众利益,实际上是要掩饰其宗派企图。这里,但丁借用了《新约·约翰福音》第十一章第五十句该以法所说的那句著名的话:“为什么不想想让他一个人替所有人民死,拯救整个国家,不是对你们有利吗?”

㉒诗中把该以法写成横倒路上,让众人去踩,这一构思出自《旧约·以赛亚书》第五十一章第二十三句:“你躺下来,我们要把你的背当作地一样践踏,好像人随意走在路上一样。”

㉓这里指该以法的“岳父”、大祭司亚那(Anna),他所受刑罚与其婿一样,因他在自己的家里召开了决定处死耶稣的会议。

㉔“为犹太人播下了恶种”是指上帝对犹太人的公正惩罚:使罗马皇帝提图斯(Tito)于公元70年征服犹大(Giudea),摧毁了耶路撒冷,迫使犹太人流离失所。

㉕对维吉尔之所以“惊异万分”有不同看法:萨佩纽认为,维吉尔第一次下到地狱底层时,耶稣当时尚未死,因而他不曾见过这样的酷刑。古代注释家布蒂则认为,他对上帝做如此“伟大”的“公正裁判”感到惊异,因为这“超出了世人智力的可能性”。近代注释家(如基门兹)认为,维吉尔是因苦刑之严酷而惊恐,但也有不少人认为,维吉尔以前经过这一层地狱时不曾见过该以法,因该以法是后来才受惩的。雷吉奥强调,不论如何解释,维吉尔的“惊异”缘由仍是“不清楚”的。

㉖“永被放逐”是指这些鬼魂永被天国放逐,亦即永远不能升到天堂。

㉗“声音”在此指“话语”。

㉘“黑天使”即“魔鬼。”

㉙“大圈圈”指整个恶囊的外部边缘,因它比起下面层层恶囊的圆圈来,是最大的一圈。

㉚这个“家伙”指马拉科达，因为是他曾哄骗维吉尔，说附近有石桥可通，参见第二十一首第107—111句和第125—126句。

㉛这是说：马拉科达曾说，第六道石桥已断裂，实际上并未断裂（参见第二十一首第108—111句），而这座石桥马拉科达并未说已断裂，实际上却已断裂了。

㉜此句源自《新约·约翰福音》第八章第四十四句：“魔鬼……喜欢撒谎……就是撒谎的始祖”；诗中几乎全部照录《圣经》原文。

第二十四首

登上第七个恶囊的堤岸(1—63)
盗贼的恶囊(64—96)
变形(97—120)
瓦尼·福齐及其预言(121—151)

登上第七个恶囊的堤岸

在这新春伊始的一年的这段时期,
宝瓶座上的太阳光辉照射得越来越暖[1],
黑夜则已走向一天的一半[2],
这时,大地上的寒霜
在描摹她那雪白的姊妹的形象,
但她那笔锋却不能延续久长[3];
农夫缺少草料[4],
他起身一看,只见田野一片素裹银装,
因此,他拍打臀部,焦急懊丧,
他返回房内,踱来踱去,怨天怨地,
像个可怜人不知如何处理,
接着,他又走出门来,重新产生希冀,
因为他看到世界在顷刻之间

就已改变面貌，
他于是拿起牧杖，赶出羊群去吃草。
老师令我如此吃惊，
因为我见他突然满面愁容，
那速度之快正如他刚才用药治好我的恐惧症。
在我们来到那座坍毁的石桥时，
老师曾转身向我露出亲切和蔼的神情，
那是第一次我在山脚下与他相遇时所见到的面容[5]。
他先是仔细观察了一下乱石残岩，
随后在心中拿定了主意，
他张开了手臂，一把将我抱起。
正如一个人似乎总是成竹在胸，
一边思考，一边行动，
他也同样如此，扶我向一块巨石的顶端攀登，
他又凝视着另一块巉岩，
说道："你然后再爬到那块岩石上面，
但事先要试一试，它是否坚固，能把你承担。"
这可不是一条身着长袍的人所能走的路径，
我们只是勉强地一块一块地向上攀登，
尽管他是轻飘飘，我则靠他推动。
若不是那道堤岸的陡坡
比另一道要短[6]，
我真不知他会怎样，而我必定会累得犹如败兵。
但是，由于整个恶囊都是
向那极低的深井斜倾，
层层山谷就呈现出这样的地形：
外层堤岸向高处走，内层堤岸向低处行，
我们虽然终于来到那道堤岸的尖顶，
但从那里，最后一块岩石又与堤岸断开，向下斜倾[7]。
我爬到上面时，肺腑之气已近耗尽，

我无法再继续前行，
刚一爬到那里，就坐下不动。
“现在你该改掉这偷懒的毛病，”
老师这样说道：“因为不论
坐在羽绒垫上还是躺在被子下，都同样不能天下扬名⑧；
一旦没有声名，虚度此生的人
就会在世上留下自己这样的残痕：
犹如水中的泡沫，空中的烟云⑨。
因此，站起来吧：用打赢
一切战役的精神来战胜辛劳，
只要不想萎靡不振，随沉重的身体倾倒。
应当顺着更长的阶梯向上爬⑩；
光是离开那些人还不够⑪。
你若领悟我的话，现在就干起来，争取有利于你的结果吧。”
我于是站起身来，显示出
我拥有的气息比我感觉到的还要足，
并且说道：“走吧，我是刚强有力，无所畏惧。”
我们踏上石桥，向前走去，
这石桥是如此坎坷嶙峋，狭窄难行，
而且比前一座还要陡峭至甚⑫。

盗贼的恶囊

我边走边谈，为的是不显得乏力疲倦，
这时从另一道沟壑里传出一个声音，
但说出的话时断时续，令人难懂。
我不知那声音说的是什么，尽管我已来到桥顶，
正是在这里，那桥拱横跨沟渠：
但说话的人似乎在起步走动。
我朝下望去，但即使目光锐利，
也由于昏暗无光而无法看到沟底，

在这一大群残酷而恶毒至极的蛇虫当中，有一些赤身露体、惊骇万分的人在狂奔。（第二十四首第91、92行）

因此,我说:"老师,请你
设法去到另一道堤岸,让我们走下这石桥的陡壁[13];
因为在这里,我听也听不清,
向下看,却什么也看不见。"
老师说:"我不向你作别的回答,
只有采取行动,
因为正当的要求应以行动来满足,不必吭声。"
我们从石桥的一端走下桥去,
那一端恰好与第八道堤岸相连[14],
那恶囊随即展现在我的眼前;
我看见里面有一大堆蛇,令人毛骨悚然,
那些蛇形形色色,种类繁多,
至今一想起来,我的血液就仍会难以循环。
利比亚以及它那沙漠也不能再自我吹嘘[15];
因为尽管放烟蛇、带翼蛇、画尾蛇
都是它的产物,还有直行蛇乃至双头蛇[16],
再加上整个埃塞俄比亚和位于红海之滨
的那个地区,却也从未出现[17]
这许多毒蛇与瘟虫。
在这一大群残酷而恶毒至极的蛇虫当中,
有一些赤身露体、惊骇万分的人在狂奔,
他们无法希望找到鸡血石来治伤,寻到洞穴来藏身[18]:
他们的双手被蛇缠绕,倒绑在背后,
也有些蛇把头尾顺着胯骨钻出钻进,
再从前身系成结子,死死捆紧[19]。

变形

瞧,在我们站立的堤岸这边,
有一条蛇缠住了一个人,
它从那人的脖颈与肩膀相连之处穿出去[20]。

即使写 o 或 i 也从不会有如此之迅[21],
那人转瞬就自行点燃,用火自焚,
102 他终于不得不倒下,全部化为灰烬;
他就这样在地上被烧得尸骨不存,
随后那灰尘又自己一起聚拢,
105 蓦地又恢复原来的人形:
伟大的哲人们曾这样宣称[22]:
凤凰涅槃,死而复生,
108 涅槃时它就要活到第五百个年份[23]。
它一生不食草料也不餐五谷,
而只是以乳香和豆蔻的汁液来果腹,
111 薰衣草和没药是最后的裹身布[24]。
正如一个人跌倒又不知是如何跌倒的,
是由于魔鬼把他推倒在地,
114 还是由于血脉堵塞令他身不由己,
他一旦站起,便四下观望,
因身受的巨大折磨而神色迷茫,
117 同时还边观瞧,边叹息;
这个罪人也同样如是,此刻已经站起,
啊,上帝的威力是多么严厉,
120 为了报复,竟给他如此猛烈的打击!

瓦尼·福齐及其预言

导师随即询问他是何人;
他因而答道:"我是不久前
123 才从托斯卡纳落入这残暴的食管[25]。
我生前喜欢过禽兽般非人的生活,
犹如骡马,而我正是一头骡[26];
126 禽兽瓦尼·福齐就是我,皮斯托亚是与我相称的窝[27]。"
我于是对导师说:"请告诉他不要溜掉,

并问一问是何罪把他打落在那下边；
129 我曾见过他是个嗜血暴怒的人。”
那罪人听懂我的话，并未佯作不明，
而是将注意力和面孔都向我对准，
132 露出悲凄而又羞愧的面容；
他随即说道：“令我悲痛的不是
我被迫脱离了人世，
135 而是你在这悲惨的境地认出了我，又眼见我如此凄惨[28]。
我无法拒绝你的提问，
我被打入地狱正是因为
138 我偷窃了圣器室的珍奇物品，
而过去却把罪名误加给另一个人[29]。
但是，为了不让你见此光景而乐祸幸灾，
141 你若将来离开这黑暗的地带[30]，
现在就张开耳朵，听一听我的告白：
先是皮斯托亚把黑党分子驱赶而人口锐减[31]，
144 后来则是佛罗伦萨更新施政方式和人选[32]。
马尔斯从马格拉河谷提取火气[33]，
这火气却包围在乌云浓雾里；
147 在那突然大作的狂风暴雨之中，
一场鏖战展开在皮切诺场上空[34]；
最后火气将用猛力撕破云雾，
150 白党分子则将一一被击伤。
我说此话，就是为了让你痛断肝肠。”

注释

①太阳位于宝瓶座的时间为1月21日至2月21日。

②此句意谓时近春分，黑夜越来越短，至春分，昼夜长短一致，恰好各占一天的一半。

③这里用比喻手法，把霜雪看成一对姊妹，而“寒霜”是在用画笔“描摹”白雪的形象，但太阳一出，霜即融化，因而其“笔锋”不能“延续久长”。

④此处的“草料”系根据上下文译出的，原文为 roba，有笼统的“东西”、“物件”之意，故有的注释家除作草料、饲料解之外，也认为“可能是指农夫及其家人所需的食物”（萨佩纽）。

⑤这里指第一首但丁与维吉尔在山脚下初次相遇的情景，但第一首并无如此细腻的描述，波斯科-雷吉奥注释本认为，这可能是采用电影语言，即所谓的 flash back（倒叙）。

⑥这里是以第六个恶囊与第七个恶囊之间的堤岸与第五个恶囊与第六个恶囊之间的堤岸作比较：因整个恶囊呈漏斗形，向下倾斜，层层渐小，因而后一道堤岸的坡度比前一道堤岸的坡度要短些。

⑦“堤岸的尖顶”是指塌毁的石桥形成的乱石堆最高处，而从那里，堆中的最后一块岩石又脱离“堤岸”，倾斜下去。

⑧此句可能是但丁在撰写时忆起罗马诗人贺拉斯在《书简》两卷本第二卷第三章第 412—413 句的一段话：“凡是要努力达到所追求的目标的人，就该从少年时起忍受许多辛苦，要做许多工作，要流汗和劳其筋骨。”

⑨此处“泡沫”与“烟云”的比喻概取自《圣经》，如《旧约·诗篇》第三十七章第二十句：“上帝的仇敌终必……消散为烟。”

⑩“更长的阶梯”一说，萨佩纽本与波斯科-雷吉奥本解释不一：前者认为是指“从地心向上攀登，直到能重见星辰”，并指出《炼狱篇》第二首第 65—66 句就有近似说法：即地狱中的这条道路是如此艰巨难登，以后二人再攀登炼狱的高山就宛如儿戏了；后者则认为，此处即是指炼狱中的高峰，因而萨佩纽本引用《炼狱篇》的有关诗句是“欠妥”的。

⑪此句的“那些人”，上述两注释本的诠释也有不同：萨佩纽本认为是指“伪善者”，因而光离开他们“还不够”，还需离开“地狱中所有罪恶”；波斯科-雷吉奥本则认为，“那些人”是指地狱中的所有罪人。

⑫“前一座”是指二诗人一直走到惩罚贪官污吏的恶囊的那一座，因各层恶囊之上的天然石桥随地形愈来愈向地狱底部倾斜，变得愈来愈陡峭难行。

⑬“另一道堤岸”指第七个恶囊与第八个恶囊之间的那道堤岸。这里的“陡壁”（muro，本意为“墙”）是指桥顶，从那里直通下道堤岸。也有人认为，“陡壁”是指恶囊内的斜坡，但诗中并未交待但丁与维吉尔下到恶囊里面。

⑭指横跨第七个恶囊的石桥的一端与第八个恶囊的堤岸交叉、相连。

⑮据说利比亚及其沙漠蛇类甚多，但与地狱这层恶囊中的蛇类相比，则是小巫见大巫了。这些蛇类在古代诗歌中常被说成是复仇女神梅杜萨被珀修斯杀死后流出的血变成的（关于梅杜萨的情况请参阅第九首注⑨），但丁所述情节主要是根据卢卡努斯的《法尔萨利亚》第九章第 708—721 句，其中的蛇名也取自该著作。

⑯但丁引用卢卡努斯列举的蛇名如下：放烟蛇（chelidri），该类蛇爬行时放出一道烟雾；带翼蛇（iaculi），有双翅的蛇；画尾蛇（faree），该类蛇用尾部画出爬行痕迹；直行蛇（cencri），直线爬行的蛇；双头蛇（anfisibena），顾名思义，即两端各生一头的蛇。

⑰“位于红海之滨的那个地区”指阿拉伯沙漠。“红海之滨”直译为“红海上方”。中世纪地图方位标法与今天不同:即北在左,西在下,因而阿拉伯沙漠位于红海“上方”,但也有“附近”之意。

⑱“鸡血石”(elitropia),据中世纪宝石志(labidari)记载,有治愈蛇咬伤之功效,甚至还有“隐身”作用,薄伽丘《十日谈》第八天第三个故事即卡兰德里诺(Calandrino)的故事就曾谈到这一点。

⑲“前身”指腹部,即许多蛇的头尾从腰部穿来穿去,最后在腹部“系成结子”。

⑳“脖颈与肩膀相连之处”指后颈。

㉑字母 o 和 i 都可一笔写出,意谓时间之快。

㉒“伟大的哲人”(gran savi),此处指伟大的诗人,特别是哲人。

㉓凤凰涅槃之说在罗马诗人、普罗旺斯抒情诗人直至著名诗人彼特拉克(Petrarca,1304—1374)笔下屡见不鲜,在一些自然史和百科全书中亦有述及,但丁则主要是从普林尼的《自然史》(*Naturalis Historia*)和布鲁内托·拉蒂尼的《宝藏》(参见第十五首注⑤)中得到启示的,奥维德的《变形记》的有关叙述则更是诗中的直接依据,其中说:“只有一种鸟类能自行创造和脱胎换骨:亚述人把它们叫做凤凰;这类鸟不食五谷和草类,只食乳香(incenso)和豆蔻(amomo)的汁液。当它活到五百年时,便用爪和干净的喙在树枝丛中或棕榈树梢筑巢,在巢中,把桂皮(cannella)、薰衣草(nardo)、肉桂(cinnamo)和金黄色的没药(mirro)堆积起来,自行倒卧其上,在香料中结束生命。”显然,诗中几乎逐字逐句借用了奥维德的上述说法。

㉔“最后的裹身布”(ultime fasce),即“裹尸布”;fasce 即裹婴儿的布,亦即“襁褓”。也有人诠释为凤凰在其中死去的“巢”(萨佩纽)。

㉕“残暴的食管”此处比喻惩罚罪人的沟渠。

㉖意文“骡”(mul 或 mulo),语意双关:既为“公骡”,又有“私生子”之意,这对说话的那个亡魂是再恰当不过了。

㉗瓦尼·福齐(Vanni Fucci)为皮斯托亚福乔·德·拉扎里(Fuccio de' Lazzari)之私生子,性情狂暴,喜寻衅斗殴,为归尔弗派黑党分子,在皮斯托亚自 1288 年起发生的归尔弗派和吉伯林派的斗争中起过不小的作用,曾屡次抢掠洗劫政敌家产。因其凶暴残忍,“禽兽”一词可能是他的绰号。1292 年,曾为佛罗伦萨效劳,反对比萨,可能正是在这一时期,但丁结识了他。1295 年 2 月,因杀人抢劫罪被缺席判决,同年 8 月,继续犯罪,抢劫并焚烧了皮斯托亚白党分子宅第。诗中把他列入盗贼之中,是因为他曾偷盗皮市主教堂圣雅科波礼拜堂(San Iacopo)圣器室的珍品。此事发生在 1293 年初,当时与他一起作案的有公证人瓦尼·德拉·莫纳(Vanni della Monna)和瓦尼·米罗内(Vanni Mironne),但史书记载内容不一。事发后,曾逮捕许多嫌疑犯,其中一人名兰皮诺·弗雷西(Rampino Foresi),或名维尔杰列西(Vergellesi),蒙冤险被处死(第 139 句)。1295 年或 1296 年,同谋犯之一瓦尼·德拉·莫纳被捕并被处绞刑。此时,瓦尼·福齐已潜逃。据推测,他可能死于十三世纪末,其所犯盗窃罪只是在 1300

年3月前不久才被证实。

㉘瓦尼·福齐是怎样死去的,不详,从诗句看(即“被迫离开了人世”),似是被人杀害。此处是说,他在恶囊中被但丁认出,比他丧失性命更令他感到痛苦。

㉙参见注㉗。

㉚“黑暗的地带”指地狱。

㉛这里是指1301年5月皮斯托亚白党在佛罗伦萨白党的帮助下获胜,首席执政官安德烈亚·基拉尔迪诺(Andrea Ghirardino)将黑党分子逐出皮市。

㉜此事是指1301年末至1302年初,佛罗伦萨黑党在查理·迪·瓦洛瓦支持下,夺得政权,将白党分子逐出佛市(参见第六首第67—69句和注⑧)。

㉝马尔斯(Marte)为战神。马格拉河谷(Val di Magra)指卢尼加纳(Lunigiana)地区,即介于马格拉河谷(马格拉河长六十六公里)和瓦拉河谷(Vara)之间、直至塞尔基奥河(参见第二十一首注⑩)的一带地方。这里用自然界“火气”(雷电)与“水气”(云雾)之争斗隐喻皮斯托亚黑白两党大战皮切诺场(Campo Piceno)的情况。十三世纪修士里斯托罗·德·阿雷佐(Ristoro d'Arezzo)著有《世界的构成》(*La Composizione del Mondo*,1282年)一书,其中描述水气(vapori acquei)与火气(vapore igneo)之间的斗争,最后火气“从水气的最薄弱环节冲破了水气”,取得胜利。这里,瓦尼·福齐用以预言皮、佛二市的白党必将败于黑党之手;“火气”是指卢尼加纳僭主、侯爵莫罗埃洛·马拉斯皮纳(Moroello Malaspina),“云雾”则是指皮、佛两市的白党。马拉斯皮纳率领佛市黑党的盟友卢卡军队进攻白党控制的皮市,先后于1302年5月和1306年4月攻占了塞拉瓦莱堡(Serravalle)和围攻并夺取了皮斯托亚。皮市白党的惨败导致了佛市白党的垮台,因皮市是佛市“唯一的防御基石”。也有人认为,由于当时流亡在外的但丁已与被驱逐的佛市白党分子分手,故诗中的比喻可能只是指马拉斯皮纳攻占塞拉瓦莱堡一事。

㉞皮切诺场指蒙泰卡蒂尼(Montecatini)与塞拉瓦莱之间的瓦尔迪尼埃沃莱平原地带(Valdinievole),位于皮斯托亚附近;罗马反对执政官西塞罗、阴谋建立独裁政权的贵族党首领卡提利纳就战死于此地。

第二十五首[1]

瓦尼·福齐的侮辱行为和但丁对皮斯托亚的诅咒(1—15)

肯陶罗斯卡库斯(16—33)

五个佛罗伦萨盗贼:第二种变形(34—78)

第三种变形(79—151)

瓦尼·福齐的侮辱行为和但丁对皮斯托亚的诅咒

这个盗贼说罢此语,
便抬起双手,用手指做出淫秽的嘲弄手势[2],
喊道:“接过去吧,上帝,让我用它来教训你!”
从这时起,有几条蛇对我可算友好[3],
因为其中一条此刻把他的脖颈缠绕,
仿佛在说:“我不要你再唠叨。”
另一条蛇缠在他的双臂上,重新把他捆紧[4],
同时把自身牢固地系在他的前身[5],
这使他的双臂丝毫不能活动。
啊,皮斯托亚,皮斯托亚!为何你不能决心使自己化为灰烬?
这样你就不致继续长存,
既然你为非作歹,胜过你的祖宗[6]!
我经过暗无天日的各层地狱,

不曾见过有鬼魂竟敢对上帝如此傲慢狂妄，
即使从特拜城墙上跌下身亡的那一个也不敢如此猖狂[7]。

肯陶罗斯卡库斯

那人连忙逃走，一句话也不再多说，
我这时看见一个肯陶罗斯满面怒容[8]，
他跑过来，叫道："那狂徒在哪里，在哪里呢？"
我相信，纵然马雷马的蛇[9]
也不会与这个肯陶罗斯马背上的蛇一样多，
正是从这里开始长出人的模样[10]。
在他的后颈之后，双肩之上，
蜷伏着一条张开双翼的龙[11]，
那龙见人就把烈火朝对方身上喷。
我的老师说道："这是卡库斯[12]，
他住在阿文汀山的石窟里，
经常把鲜血泼洒遍地。
他与他的兄弟们走的不是一条路径[13]，
因为他曾把诡计玩弄，
偷窃了他附近的大批牛群[14]；
因此，他在海格立斯的棍棒之下
结束了他那可鄙的活动，
也许海格立斯打了他一百下，而他则连十下也不曾觉察[15]。"

五个佛罗伦萨盗贼：第二种变形

正当他这样说的时候，那肯陶罗斯则已跑了过去，
这时，在我们下面来了三个鬼魂，
我和我的导师都不曾发觉他们，
只是在他们喊叫"你们是谁？"时，我们才看见这三个魂灵：
因此，我们中断了我们的谈话，
我们的注意力也便只放在他们身上。

我并不认识他们，但他们却像
往往在偶然情况下那样，
一个人不得不把另一个人的名字呼叫，
说道：“钱法，你待在哪里？”
因此，我伸出手指，放到从下巴到鼻子的地方[16]，
让老师对此注意。
读者啊，现在你若不愿相信
我将说出的事情，那也不足为奇，
因为我虽是亲眼得见，却也勉强相信此事不虚。
我把目光投在他们身上，
只见一条六足蛇在其中一人的面前窜出[17]，
把那人全身紧紧缠住。
它用中间的双脚绕住那人的肚皮，
又用一对前脚抓住他的两只胳臂；
接着用牙齿啃啮他的左右面颊；
它的一对后脚爬上他的大腿，
把尾巴盘在大腿中间，
又顺着臀部从后面伸展。
即使常春藤也不会像这条可怕的爬虫
这样紧绕一棵树，
它竟然把自己的肢体与另一人的肢体交缠在一处。
双方的肢体像是用热蜡胶粘在一起，
他们的颜色也融合到一块，
不论哪一个都已显不出原来的色彩，
正如把一张纸莎草纸放在火焰之前，
一种棕褐色就在纸上蔓延，
那颜色不再是黑色，而白色却也悄然不见。
其他二人注视着这情景，各自不禁叫嚷：
“哎呀！阿涅洛，你怎么变成这个模样[18]！
你看你既不是两个，也不是一个[19]。”

“哎呀！阿涅洛，你怎么变成这个模样！你看你既不是两个，也不是一个。”（第二十五首第68、69行）

这时,那两个头已变成一个头,
两个混在一起的身体却只有一张脸,
他们双双都消失在这里面。
那人的双臂与蛇的一对前足合成两条膀臂,
大腿连带小腿,以及胸膛和肚皮
都汇成了世人从未见过的肢体。
先前的一切外貌均遭破坏:
那怪异的形象既像原来的两个,却又一个也不像,
那怪物就这样迈着缓慢的步子走开。

第三种变形

犹如绿蜥蜴在伏暑白昼的骄阳辐射下,
从一个篱笆转到另一个篱笆,
它穿过道路,疾如闪电,
一条凶如烈火的大蛇似乎也正是这般[20],
朝着另外二人的腹部冲刺过去,
那大蛇皮色青黑,宛如胡椒的颗粒,
它刺穿了其中一个的部分身体:
这部分正是我们作为胎儿吸取养分之地[21];
它随即在那人面前直挺挺地倒下去。
那被刺穿的人盯视着它,却一言不发;
甚至还并拢双脚,不住地打着呵欠[22];
就像是困倦和发烧在袭击他。
他注视着蛇,蛇也注视着他;
一个是从伤口,另一个是从嘴巴,
冒出阵阵浓烟,而两股烟又相撞到一处。
卢卡努斯今后在描述可怜的萨贝洛和纳西迪奥的篇章中,
应当默不作声,
应当等待倾听别人来大发才情。
奥维德也不要再说什么卡德莫斯和阿雷图萨,

因为他在诗中让后者化为泉水，让前者化为爬虫，
99 而我对他并无艳羡之心；
因为他从不曾使两种性质的东西
面对面地相互变更，
102 使两种形态如此迅速地改变各自原形[23]。
这两个东西的变化都符合这种规矩[24]：
那蛇把尾巴分成叉状，
105 那被刺伤的人则把双脚缩到一起[25]，
大小腿相互间粘连得如此紧密，
霎时间看不出
108 有任何显示联接的痕迹。
那分叉的尾巴渐渐成为人形，
而另一方的人形却逐步丧尽，
111 前者的皮逐渐变软，后者的皮则逐渐变硬[26]。
我眼见那人的双臂渐渐朝腋下缩进，
那爬虫的双足原来很短，这时则在伸长：
114 那双臂缩成多短，这双足就延伸多长。
接着，蛇的两只后足绕在一处，
变成那人遮掩的男性生殖器，
117 而那人的可怜生殖器却分化为蛇的双足。
这时，双方喷吐的烟雾也有了新的颜色，
它使一方的身上长出人皮，
120 却使另一方的人皮竟然脱去，
一个立起，另一个倒卧[27]，
但双方都不把对视的恶意眼光偏移，
123 正是在这眼光下，双方改变各自的嘴脸。
那个立起的人把嘴脸扯向鬓角，
这就留出了过多的材料，
126 竟然使本无双耳的面颊上长出一对耳朵：
那多余材料中未曾向后收缩的部分，

则依然留在原处，
它给脸面安上鼻子，并使双唇有了应有的厚度。
那个躺倒的东西把嘴脸向前延伸，
把双耳缩入头部，
正如蜗牛把双角缩入硬壳之中；
还有那舌头，原是完整的一条，随时能讲话，
这时却分裂开来，像是一把叉[28]，
而另一个身上的分叉舌却自行合拢，也不再把烟雾喷[29]。
变为爬虫的那个鬼魂
窸窸窣窣地爬着，逃往深谷[30]，
在它后面的另一个鬼魂则边说话，边把痰吐[31]。
接着，那鬼魂把新变出的肩膀背向那蛇，转过身去，
对另一个鬼魂说："我真希望布奥索[32]
能像我方才那样，匍匐地沿着这条路径跑去。"
这便是我看到的第七层恶囊中的破烂货变来变去的情况；
这里，我请求原谅我对这件奇事的宣讲，
倘若我的笔法略显杂乱无章。
尽管我的双眼有些模糊不清，
精神也恍惚不定，
但那二人却无法悄悄逃遁
而让我看不清那瘸子普乔[33]，
他是最先前来的三个伙伴当中
唯一的一个不曾变形；
另一个则是你——加维莱啊——因他而哭泣的那个人[34]。

注释

①本首可算是前首的续篇，但丁和维吉尔尚未离开第七个恶囊。

②此盗贼仍是瓦尼·福齐。他所做的亵渎上帝的淫秽手势是指：把手攥成拳头，再把大拇指放在食指和中指之间。

③这里的"友好"（amico）一词，是指这些蛇对待瓦尼·福齐恰好符合但丁希望惩罚瓦尼·福齐

污辱上帝的行为的心愿。

④“重新捆紧”是指蛇把瓦尼·福齐变成灰烬之前曾捆过他，如今他又恢复原形，就再次把他“捆紧”。

⑤这里是指蛇把头尾绕到鬼魂的前身，系成牢固的结子，使他无法活动双臂。

⑥这句诅咒皮斯托亚的话是指：据说皮斯托亚是卡提利纳（参见第二十四首注㉞）的军队残部留存下来建成的，他们都是一些盗匪恶棍，因而，诗中希望该城彻底毁灭，以绝后患。维拉尼在《编年史》第一章中曾指出：“如果说皮斯托亚人过去和现在都是一些好战、狂暴、残忍的人，不论在他们相互之间还是对待别人，他们都是如此，那就不足为奇了，因为他们是卡提利纳血统的后裔。”

⑦这里是指卡帕纽斯（参见第十四首注⑧）。

⑧这个肯陶罗斯不是地狱看守者，而是同样在地狱中受惩的罪人，尽管他仍是半人半马的怪物。此句正如近代但丁学家托拉卡所说，瓦尼·福齐亵渎上帝的行为甚至引起受苦鬼魂的愤怒。

⑨马雷马（Maremma）在托斯卡纳地区；在但丁时代，该地区是一片丛林沼泽地，以多蛇闻名。十四世纪注释家布蒂曾说，该地区的瓦达（Vada）一地有一座非常美丽的修道院，正因多蛇而无人敢住。

⑩肯陶罗斯是半人半马的怪物，它的人形正是从“马背”前部开始长出的。

⑪中世纪《动物寓言集》（*Bestiari*）中把龙想象为肋生双翅、头有冠状物的怪兽，但丁则进一步发挥其想象力，为它增添了“口中喷火”的异彩，类似中世纪墓穴和教堂壁画中死神的坐骑。

⑫卡库斯（Caco）是这个肯陶罗斯的名字。他是火神伏尔甘之子，维吉尔的《埃涅阿斯记》第八章把他写成口吐烈火的可怕巨人。他住在罗马阿文汀山（Monte Aventino）的一个山洞里，洞里满是鲜血和人的头骨。据说，他是专事偷窃牲口的人，曾把海格立斯从西班牙王格吕翁（参见第十七首注①）那里抢来的牛群中最漂亮的四头公牛和四头母牛盗走，被海格立斯发现后，海用双臂把他扼死。在维吉尔等罗马诗人的著作中，他是作为“火妖”（spirantem ignibus），被描绘成“半人半兽”（semihomo，semifer）（《埃涅阿斯记》第八章），但丁则创立新意，把他写成半人半马的肯陶罗斯，而他口吐烈火的形象也改为由其背上的飞龙喷吐火焰；海格立斯用双臂扼死他被写成用棍棒打死他，这一点可能是但丁借鉴于奥维德的著作《历书》（Fasti）的有关段落。

⑬这里的“兄弟们”指看守弗列格通河的那些施暴者亡魂的肯陶罗斯（参见第十二首第56—57句及注⑭）。

⑭海格立斯在杀死格吕翁、抢走他的牛群之后，曾在阿文汀山上停留，正在卡库斯的山洞附近。

⑮这里指卡库斯在海格立斯用棍棒打第十下之前就已毙命了。

⑯这个手势表示请维吉尔不要言语，因为但丁听到鬼魂叫出“钱法”（Cianfa）的名字。

钱法是佛罗伦萨黑党首领多纳蒂家族（Donati）的成员，死于1283—1289年间。据一位注释家称,他是个偷盗牲口、溜门撬锁的惯窃;也有人认为,他可能是1282年曾任护民官参谋的钱法·多纳蒂(Cianfa Donati),1283年尚存有关于他的最后资料,1289年一份资料中则是把他作为“死者”记载的。古代注释家对他知之不多,也可能只是从但丁的诗句中才得知他的,但可以肯定的是:多纳蒂家族名声很坏,有“马莱法米”(Malefami)即“臭名声”的绰号。

⑰这条六足蛇就是钱法变的。

⑱阿涅洛(Agnel或Agnello),也作“阿纽洛”(Agnolo)。古代注释家认为,此人即是阿涅洛(或阿纽洛)·布鲁内列斯基Agnello(Agnolo)Brunelleschi,是吉伯林派家族的后裔,该家族在1300年后加入了归尔弗派黑党。据一位无名氏注释家说,他自幼便喜偷窃,常偷父母的钱袋,还偷盗店铺,长大后,常假扮穷老头或乞丐,溜入人家行窃。

⑲这里描述阿涅洛正在做第二种变形,令人想起希腊神话关于埃尔马佛罗迪托斯(Ermafrodito)与萨尔玛斯(Salmace)或萨尔玛提德斯(Salmatide)合为一体的故事以及奥维德《变形记》第四章的有关诗句:美男子埃尔马佛罗迪托斯是商业之神墨丘利(Mercurio)与爱神维纳斯(Venere)之子,他在林泽仙女萨尔玛斯的泉水中沐浴,被萨看见,萨爱上了他,他想逃走,却被萨一把拖住;在仙女的请求下,天神使他们二人合为一体,正如奥维德的诗句所说:“他们不再是两个人,却又有两个外貌,既不是男性,又不是女性,既像男人,又像女人,尽管不是二人当中的任何一个。”

⑳“凶如烈火”原词是acceso,对此注释家有不同解释:有人认为,是指蛇的双目冒出愤怒的火光或口吐火焰,但由于该词也有怒火中烧之意,近代注释家即认为可形容蛇在窜出进犯时“凶如烈火”。

㉑“胎儿吸取养分之地”指身体的肚脐部分。

㉒“并拢双脚”、“打着呵欠”等等是指该鬼魂像是中邪似的,一动不动,打着呵欠。

㉓自第94句至第102句,意在说明:但丁自负地认为,在描写“变形”方面,他远远胜过卢卡努斯和奥维德:前者在《法尔萨利亚》第九章第761—851句中,曾描述卡托军队的许多士兵在利比亚沙漠中被蛇咬死和咬伤,其中一名即萨贝洛(Sabello)遭蛇咬,立即化为灰烬,另一名即纳西迪奥(Nasidio)被蛇咬后,身体逐渐膨胀,甚至把身上的铠甲也迸裂了,最后整个身体爆破,化成一堆不成形的东西;后者则在《变形记》第四章第572—641句中描述卡德莫斯(Cadmo)由人变蛇,阿雷图萨(Aretusa)由仙女变泉水。卡是腓尼基半传奇式人物,是特拜城的创建者,后变为蛇;阿雷图萨为林泽仙女,月神狄亚娜的同伴,海神奥西阿诺斯(Oceano)之子阿尔菲俄斯(Alfeo)爱上她,对她热烈追求,她不得已化为泉水,称阿雷图萨泉,在今意大利锡腊库萨(Siracusa)的奥尔蒂吉亚岛(Ortigia)上,阿尔菲俄斯也化作同名泉水。但丁认为,卢卡努斯和奥维德笔下的“变形”都只是单纯的人变物,而不像但丁“才情大发”,创造性地描绘双方互变,因此,卢应“默不作声”,奥也不值得但丁来“艳羡”。

㉔“规矩”即指双方互变的规律。

㉕蛇尾分叉即指蛇尾分成人的双腿,“双脚缩到一起”则指双脚并为蛇尾。

㉖“变软”的皮即人皮，“变硬”的皮则指蛇皮。

㉗“立起”的是人，“倒卧”的是蛇。

㉘蛇的舌头是分叉的。

㉙“不再把烟雾喷”指已完成变形的全过程。

㉚“深谷”指恶囊。

㉛说话和吐痰都是人的动作，但托拉卡认为，吐痰是一种避邪、驱邪的动作，因为民间传说，吐痰可以驱蛇；也有人认为，这动作是此人对变为蛇的同伴的一种蔑视。

㉜布奥索（Buoso）：据但丁之子彼特罗和十四世纪注释家拉纳说，此人是吉伯林派阿巴蒂家族（Abati，也有人说该家族为归尔弗派）成员，但佛罗伦萨无名氏、《最佳评注》、本维努托、布蒂等古代注释家则认为，他是多纳蒂家族成员，他的全名可能是布奥索·迪·佛雷塞·迪·文齐古埃尔拉·多纳蒂（Buoso di Forese di Vinciguerra Donati），曾在1280年枢机主教拉蒂诺调解归吉两派纠纷的和约上签字，死于1285年。

㉝瘸子普乔（Puccio Sciancato）：吉伯林派加利盖伊家族（Galigai）成员，1268年曾被逐出佛罗伦萨，1280年曾在佛市归吉两派和约上签字。据本维努托称，“此人与别人一起去偷盗时，逃跑不是很快，因为他是个跛子”。

㉞这个由蛇重新变为人的人是佛兰切斯科·德伊·卡瓦尔坎蒂（Francesco dei Cavalcanti），绰号“斜眼”（Guercio），曾被位于佛罗伦萨郊区阿尔诺河谷的加维莱城（Gaville）居民所杀（原因不详），时在1300年以后。据佛罗伦萨无名氏说，他被害后，其族人为他复仇，杀死许多加维莱市民，为此，该市一直在“哭泣”。

第二十六首

对佛罗伦萨的诅咒(1—12)
阴谋献计者的恶囊(13—48)
尤利西斯与狄奥墨德斯(49—84)
尤利西斯的最后一次航行(85—142)

对佛罗伦萨的诅咒

佛罗伦萨,你且享受一番吧!既然你是如此伟大[1],
你展开双翼,翱翔在天涯海角,
而你的名字也传遍地府阴曹。
在那群盗贼当中,你竟发现有五名是你的市民,
为此我感到羞耻,无地自容,
而你也不会因而提高身价,大受尊敬。
但倘若临近清晨时做的梦总是属真[2],
那么,你不久之后就会亲身体验
普拉托乃至其他城市都渴望你遭受的那种厄运[3]。
而倘若这厄运业已发生,那也不算过早:
既然它总要发生,那就索性让它早日来到!
因为不然的话,这会使我更加痛苦,正如我会变得更加衰老[4]。

阴谋献计者的恶囊

我们离开那里,我的导师拉着我,
重又走上那层层石阶,
而先前我们沿着这些石阶下去,曾累得面色发白[5];
我们继续走着那荒凉的路径,
在那石桥的坎坷嶙峋的乱石丛中,
若不是用手相助,单靠脚则寸步难行。
当时我非常悲痛,至今
每逢我追忆起我所目睹的情景,
我仍十分伤心,并且比通常更加抑制住我的才情,
使它不至任意驰骋而不受美德指引,
既然吉利的星宿或更加美好的事物赐予我这样的天分,
我自己就不该把它滥用罄尽[6]。
在普照世界之物
向我们隐藏它的面庞更少一些的时辰[7],
这时,苍蝇也让位于蚊虫[8],
在高地上歇息的农夫
看到山谷之下有多少萤火虫在飞舞,
也许,那地方正是他收割葡萄和耕耘土地之处;
这第八个恶囊就是这样到处闪烁着火光
我们刚刚来到那石桥顶上,
就立即看出那恶囊的最低地方。
犹如那个人借助两头熊来进行报复[9],
他眼见以利亚的车子离开尘世[10],
这时,拉车的马匹竖起身子,向天空飞驰,
他无法目送以利亚与车马,
却只见烈焰一团,
宛如云朵,浮上九天;
团团火焰正是这样在沟壑的狭窄低地中游动,
因为任何火焰都不曾显示它所掩藏之物,

"这些火球里都有亡魂;每个亡魂都被烈焰包拢,火焚全身。"(第二十六首第47、48行)

每团烈焰都隐匿着一个罪人。
我站在桥上,踮起脚尖观看,
倘若我不曾攀住一块巉岩,
即使无人推我,我也会向下跌落。
导师见我如此聚精会神,便说:
"这些火球里都有亡魂;
每个亡魂都被烈焰包拢,火焚全身。"

尤利西斯与狄奥墨德斯

我答道:"我的老师,听你一说,
我更加肯定;不过,我早已察觉,
情况就是这样,而且我还想对你说:
在那个火球里的究竟是谁?
那火焰上方分成两部,仿佛
是从把埃特奥克勒斯及其兄弟的尸体放到一起的火堆里蹿出[11]。"
他回答我说:"在那里面受苦刑的是
尤利西斯和狄奥墨德斯[12],
他们就是这样一起受到报复,正如一起曾遭天怒;
在他们的火焰里面,
那匹藏有伏兵的木马也在呻吟,
而这也正是那罗马人的高贵种子破土而出的原因[13]。
他们在那里为施展计谋而哭个不停,
这计谋曾使戴伊达密娅死后仍为阿奇琉斯而伤恸[14],
他们还为窃走巴拉迪奥像而备受苦刑[15]。"
我说:"他们若能从熊熊燃烧的火焰中讲话,
老师,我要一而再、再而三地向你恳请,
但愿这恳请顶得上一千次的求情,
请你不要不准我等待,
等待那有双角的火焰到此来临[16]:
你可以看出:我因渴求与他们相会,竟朝火焰弯下了身[17]。"

他于是对我说:“你的请求值得大为称赞,
因此,我接受你的请求;
但是,你该注意约束你的舌头[18]。
你且让我来开口,我也领会你想了解的情由;
因为他们是希腊人,
也许会不屑与你攀谈答问[19]。”
由于那火焰已来到这里,
我的导师认为时间地点都很相宜,
我听到他用这样的方式说出话语:
“哦,待在同一个火焰里的你们二位啊,
如果说我生前对你们有过功绩,
如果说我曾写过高雅诗句,
也算是于你们有过功劳,且不论这功劳是多是少,
那么,就请你们不要走开;但请你们其中的一位说一说,
他是去到何处迷失路途,并且一命呜呼。”

尤利西斯的最后一次航行

古老火焰中那个更大的角[20],
开始摇晃,发出沙沙的响声,
正像火焰被风吹得不住晃动;
那火焰的尖端摆来摆去,
如同一条舌头在言语,
它传出了人声,说道:“刻尔吉[21]
曾把我留在加埃塔附近的地方一载有余,
这发生在埃涅阿斯给这座城市如此命名之前;
在我离开她的时际[22],
不论是对儿子的亲情,还是对老父的孝心,
也不论是那应有的恋情,
它想必曾使潘奈洛佩感到欢欣[23],
所有这些都不能把我心中的热情战胜,

我热切希望成为周游世界的行家，
洞悉世人的弊端与美德的能人；
但是，我航行在这辽阔无垠的大海上，
只驾着一叶扁舟，只有一小伙人作伴，
而我也不曾被这些人抛下不管。
我看见了地中海的此岸与彼岸[24]，
最后，我还看见了西班牙乃至摩洛哥，
以及被这四周的海水浸润着的撒丁岛和其他岛屿[25]。
当时，我和同伴们都已年老力衰，
我们仍来到了那狭窄的入海口，
那里正是海格立斯划出他的界标之所在[26]，
界标警告世人不能再越雷池一步：
在右边，我离开了塞维利亚，
在另一边，我先已离开了休达[27]。
我说：‘哦，弟兄们，经过千难万险，
你们终于到达了西方境界[28]，
在我们所剩无几的知觉
所处的这个如此短暂的苏醒状态[29]，
你们千万不可放弃那亲身体验：
尾随着太阳，去探索那无人的世界[30]。
你们要考虑你们的起源：
你们并非生来就像禽兽般活着，一无所成，
而是要追求知识与德行。’
我这短短的一番话打动了我的同伴们的心，
他们如此急切地渴望继续前进，
我后来几乎难以阻止他们的航程；
我们把船尾掉向清晨[31]，
我们把双桨变为狂飞的双翅，
一直向左方疾驰[32]。
黑夜已望见另一极的群星点点，

而我们这一极则如此低落，
甚至无法露出海面[33]。
月亮把光芒射向下方，
在我们投入这艰辛的航行之后，
这光芒曾五次熄灭，五次照亮[34]，
这时，出现了一座大山[35]，
由于距离太远，它显得模糊不清，
我觉得我从未见过任何大山像它那样高耸入云。
我们异常兴奋，但很快便转为悲啼；
因为从那新的大地上一阵旋风倏起，
击打前部舟楫[36]，
它使船只随着周围的海水旋转了三次：
到第四次，则把船尾向上掀起，
正如迎合另一位的欢心，使船头向下冲去[37]，
最后，我们都被淹没到海里[38]。”

注释

①本首开头几句相当于前一首叙述佛罗伦萨几个盗贼一段的结束语：诗人对自己的故乡佛罗伦萨的感情是复杂的：既恨又爱。

②中世纪人们一般认为，凌晨所做的梦都是真实的，这在更早些的奥维德、贺拉斯等罗马诗人的作品中也都有所提及；中世纪文学家修士帕萨万蒂（fra Passavanti，1298—1357）在其名著《真正悔罪的镜子》（*Specchio della vera penitenza*）中就曾说道：“在一天的黎明时分所做的梦，据说是人们所做的再真实不过的梦。”但丁在《炼狱篇》第九首第 13—18 句中也有在太阳升起前做梦，“幻觉几乎像预卜先知一般”这样的说法。

③普拉托（Prato）为距佛罗伦萨十英里的一小城市，当时佛市势力浩大，称霸托斯卡纳地区，普市等其他城市备受欺凌，都希望佛市遭“厄运”，以求早日摆脱佛市的霸权；有人也认为，诗中主要是指 1304 年普市枢机主教尼可洛·达·普拉托（Niccolò da Prato）曾试图斡旋，使佛市与其他城市和解，未果，尼可洛因而对佛市发出诅咒。但也有人把诗中的诅咒诠释为：1309 年 4 月，普市黑党发动反对佛市的动乱，最后，被逐出普市，现代但丁学家帕罗迪接受此说法。

④此句意谓：佛罗伦萨遭到应有的报应愈迟，但丁因年迈而感到的痛苦也将愈大。

⑤此句原文是 per le scale che n' avean fatto i borni a scendere pria，注释家对其中 borni 一词理解

不一,因而全句的诠释就迥然不同:万戴利等大部分近代注释家均认为,此词来自法文的borne,即“石头”,全句就被解释为“我们先前曾沿着岩石堆成的这些石阶走下去”,但该词在意大利古文用法中却无此先例;拉纳、本维努托、佛罗伦萨无名氏等古代注释家则认为,此词为形容词(i borni),意谓疲乏、晕眩或摸索前进。近代注释家帕利亚罗、佩特罗基(Petrocchi,1852—1902)认为,i borni 即 e burnei,意谓“象牙色、乳白色”,全句应释义为“先前沿着这些石阶下去时曾累得面色发白”;从下文看,他们的说法似有一定道理。但也有人认为,i borni 的字源为 ebrius,意谓“酒醉走路摇晃”。

⑥这里,但丁触景生情,写下这用以自勉的诗句。近代但丁学家德·奥维德(D' Ovidio,1849—1925)曾对此作了有见地的分析:“但丁在放逐期间,成为一个宫廷中人和政治谈判者,出谋划策,坑害别人,对他来说,就可能会成为一种职业性罪孽,一种行业弊端。”萨佩纽也就此进一步解释说:第八个恶囊中受惩的罪人生前所犯的正是这种罪恶:即为求得个人、党派或国家的胜利而采取欺诈手段,滥用自己的才智,不惜违犯道德和宗教原则。诗中的“美德”(virtù)指发挥个人才智应遵循正直道德标准;“吉利的星宿”(stella bona)指但丁自己的星宿,亦即双子星座;“更美好的事物”(miglior cosa)指上帝的恩泽。

⑦“普照世界之物”指太阳。“(太阳)隐藏它的面庞更少一些的时辰”指夏季:因夜短日长,太阳露出自己的“面庞”的时间更长了。

⑧此句指夏季黄昏时分:苍蝇开始隐去,继之出现的是蚊虫。

⑨此典源于《旧约·列王记下》第二章第二十三、二十四句关于以利亚(Elia)升天后以利沙(Eliseo)途中遇一伙青年跟他捣乱的故事:“以利沙从那里往伯特利去。途中有一群青年从城里出来讥笑他说:‘秃头的,上去吧!……’以利沙回头看见他们,就奉主的名咒诅他们。林中随即走出两头母熊攻击他们,咬死了其中四十二个青年。”诗中的“那个人”即以利沙。

⑩此处如注⑨,典故亦出自《旧约·列王记下》第二章,其中第十一、十二句叙述以利亚升天的情节:以利亚和以利沙“边走边谈,忽有火车火马把他们二人隔开,以利亚乘着旋风升上天去……以利沙见以利亚消失在天空里……”

⑪埃特奥克勒斯(Eteocle)及其兄弟波吕涅克斯(Polinice)为争王位而手足相残的故事,请参阅第二十首注⑫。据说,特拜城的这两个兄弟死后,遗体被放置在同一个火葬堆上焚化,当时,火焰分出两个火苗,仿佛表明二人的仇恨至死不泯;斯塔提乌斯的《特拜战记》第七章第429—432 句和卢卡努斯的《法尔萨利亚》第一章第 551—552 句都提及这一点。

⑫尤利西斯(Ulisse)和狄奥墨德斯(Diomede)是希腊神话中的两个著名英雄人物,因为他们在特洛伊战争期间曾多次一起行动,诗中把他们放在同一个火焰里。

尤利西斯是伊塔卡(Itaca)国王,曾为逃避参加特洛伊战争而装疯,被欧贝阿斯(Eubea)国王帕拉墨德斯(Palamede)识破,才不得已前往参战。他足智多谋,曾与狄奥墨德斯一起,用伏兵将色雷斯(Tracia)国王雷索斯(Reso)杀死,掠夺其大批白马;与狄一起,挖掘地道,盗走了特洛伊城的守护神像巴拉迪奥(Palladio,即相当于战神雅典娜的巴拉德 Pallade 的神像,据说,该像若不存在,特洛伊城必被攻破);特别是他策划著名的木马计,并亲率士卒,藏入马腹,最后里应外合,攻陷了特洛伊城。战争结束后,他在返国途中,曾三次在海上遇难:第一次是漂流到女巫刻尔吉所住的小岛(详见注㉑);第二次是漂流到林泽仙女卡丽普索斯(Calipso)的奥里吉亚岛(Origia,即今马耳他附近的果佐岛 Cozo),他与仙女相互爱恋,滞留该岛达七年之久;第三次是漂流到独眼巨人(参见第十四首注⑩)所住岛屿,被其中最凶恶的巨人波利菲莫斯所俘,后他利用波熟睡时,挖掉其额上独眼而得以逃脱。后他战胜了海上女妖希伦(Sirene)的诱惑;被风神埃奥洛斯(Eolo)救起,风神赠他风囊若干,但途中,其同伴出于好奇,打开风囊,顿时狂风大作,其同伴均葬身海底,只他一人漂流到斯凯里亚岛(Scheria,即今科孚岛 Corfù),在岛上居民菲阿齐人(Feaci)的帮助下,终于返回伊塔卡;荷马史诗《奥德赛》(Odissea)正是叙述了尤利西斯在特洛伊战争后期以及返国途中多次遇险的故事。

狄奥墨德斯是埃托利阿斯(Etolia)国王蒂德奥斯(Tideo)之子,智谋略逊于尤利西斯,但他骁勇善战,在特洛伊战争中,其英名仅次于阿奇琉斯(参见第五首注⑭)。

⑬特洛伊城陷落并被焚毁后,埃涅阿斯携妻儿及老父逃出城来,辗转流浪,最后来到拉齐奥地区,成为罗马的最早奠基人,因而诗中说"那罗马人的高贵种子破土而出",而特洛伊人中木马计是导致特洛伊城陷、埃涅阿斯流亡的"原因"。这里的"原因"一词原文是 fé la porta,有人就诠释为特洛伊人在城墙上打开一个缺口,以便把巨大的木马拉进城来,或说是埃涅阿斯正是从这个缺口中逃出的;萨佩纽注释本和波斯科-雷吉奥注释本都不同意这种说法。

⑭戴伊达密娅(Deidamia)是斯库洛斯(Sciro)国王利科麦德斯(Licomede)之女,与男扮女装、混入宫中的阿奇琉斯相爱,生下一子,即皮罗斯(Pirro)。阿奇琉斯男扮女装,是为了逃避参加特洛伊战争。尤利西斯和狄奥墨德斯前往特洛伊,来到斯库洛斯,想动员阿奇琉斯随他们一起前去参战;尤利西斯施用计谋,陈设兵器,引起阿奇琉斯喜爱武器之心,伪装被尤揭穿,只得与尤、狄二人一起离去,抛弃了热恋他的戴伊达密娅,为此,戴竟悲痛至死。

⑮参见注⑫。尤利西斯和狄奥墨德斯因用智谋残害别人(从用伏兵杀害雷索斯,窃走巴拉迪奥神像、从而犯下亵渎神灵的行为,到用计揭穿阿奇琉斯男扮女装、破坏戴伊达密娅与阿的爱情,直到用木马计攻陷特洛伊城),触动天怒,使他们堕入第八个恶囊中受苦;作为尤利西斯本人的"罪恶",可能还要加上他在特洛伊战争中曾经诬陷帕拉墨德斯(参见注⑫)为"叛徒",令人用石头将帕击毙于特洛伊城下(维吉尔《埃涅阿斯记》第二章第 81 句起)的这一罪行,帕拉墨德斯在临死时曾有一句名言,即:"真理啊!你先我而死!"

⑯"有双角"原文是 cornuto,指有两个火苗的火焰。

⑰"朝火焰弯下了身"指但丁想弯下身去,把火焰中的人看得更清楚些。

⑱"约束你的舌头"意谓不可随便讲话。

⑲中世纪时,人们认为,希腊人是异常高傲的,热那亚无名氏(Anonimo genovese)就曾注释说:"一般说来,几乎每个希腊人都是傲气十足的。"但丁在《韵律集》第七卷第七十二章第六句也说:"他像一个希腊人似的答复我",亦指"傲慢"之意。但诗中也有但丁对尤利西斯等十

分尊敬，认为维吉尔更有资格与他们谈话的含义。

⑳“更大的角”指“更大的火苗”，亦即指尤利西斯，因为尤利西斯比狄奥墨德斯更有智谋。“古老火焰”同样首先是指尤利西斯，其次则指狄奥墨德斯，因为二人在地狱中已千百年。

㉑刻尔吉（Circe）是女巫，日神（Sole）之女，住在拉齐奥地区拉蒂纳省（Latina）泰拉齐纳市（Terracina）以西的刻尔卡海岬（promontorio Circeo 或 Circello）的同名山巅。尤利西斯在特洛伊战争结束后返国，途中在海上遇险，曾漂流到此处（参见注⑫），刻尔吉接纳了他，但曾施魔法，将其伙伴们化为猪，经他请求，才使他们恢复原形。她与尤利西斯相恋，生一子，名泰莱戈诺（Telegono）。

㉒这里的情节主要取自维吉尔的《埃涅阿斯记》第七章第 1—4 句和奥维德的《变形记》第十四章第 154 句起一些段落：如诗中说尤利西斯在刻尔吉处居住一年有余、加埃塔（Gaeta）地名来源等都分别见于《变形记》第十四章第 308 句和 157 句；特别是写尤利西斯要离开刻尔吉前去航海等细节是依照其中第 436 句起的有关段落：尤利西斯的伙伴之一马卡劳斯（Macarao）对突然来到的埃涅阿斯讲述了他与尤利西斯等来到刻尔吉住地达一年之久的状况，后尤劝他和同伴们再次随尤出海，但这时，这些同伴已年老，不惯航海，特别是马卡劳斯，听到刻尔吉预测此次航行将凶多吉少，不敢随尤前往，最后只他一人留下。

加埃塔为拉蒂纳省一小城市；据维吉尔《埃涅阿斯记》第七章第 1—2 句说，该地名原是埃涅阿斯的乳母卡耶塔（Caieta 或卡列塔 Caleta）的名字，乳母死在那里，并葬在该地，故埃涅阿斯以她的名字命名该地，由此可见，尤利西斯等是在埃涅阿斯到来之前抵达该地附近的。

㉓这里的“儿子”和“老父”分别指尤利西斯的儿子泰莱马科斯（Telemaco）和父亲拉埃尔特斯（Laerte）。潘奈洛佩（Penelope）是尤利西斯忠实的妻子，也是泰莱马科斯之母。尤利西斯赴特洛伊作战后，伊塔卡岛的土豪普罗齐人（Proci）前来向潘逼婚，潘借口要织完手中的布才能下嫁，实际上，她白日织布，夜里则将织好的布拆毁，次日重织，因此，得以将婚期一再拖延，后“潘奈洛佩的布”（la tela di Penelope）成为指“没完没了的工作”的成语。尤利西斯返国后，在儿子泰莱马科斯的帮助下，杀死了普罗齐人。

㉔“此岸”和“彼岸”指地中海的欧洲一岸和非洲一岸。

㉕“其他岛屿”指西西里、科西嘉和巴利阿里群岛（Baleari）。

㉖“狭窄的入海口”指直布罗陀海峡，当时称“加迪塔诺海峡”（freto Gaditano）。海峡由两座山峰构成：欧洲一边为西班牙的卡尔佩（Calpe），非洲一边为北非的阿比拉（Abila）。传说两座山峰原为一座大山，海格立斯来到此处，将它一分为二，属海格立斯的十二项英雄业绩的最后一项（当时，海曾降服看守地狱的怪兽刻尔勃路斯），称为“海格立斯的石柱”（Colonne d'Ercole）：南边的阿比拉山为第一根石柱，北边的卡尔佩山为第二根石柱，石柱上写道：“勿再前进”（non plus ultra），因中世纪传说：此处为区分阴阳两界的极限，跨越此限，就不再是人世了。

㉗塞维利亚（Sibilia）即西班牙的塞维利亚（Siviglia）；休达（Setta，即 Ceuta）为位于摩洛哥北部

海岸线上的西班牙省市,面对直布罗陀海峡。尤利西斯向西航行,故先到位于塞维利亚以东的休达,而后抵塞维利亚,诗中是用动词“离开”(lasciare)的过去完成时和远愈过去时两个时态来表示离开休、塞两地的先后次序。

㉘这里是指人世的西方边境。

㉙“所剩无几的知觉”所处的“短暂的苏醒状态”,意谓残余的生命即将结束的时候。

㉚“尾随着太阳”原文为 di retro del sole(在太阳之后),意谓沿着太阳运行的轨道;“无人的世界”是指:根据但丁的设想,地球的南半球全部为海水覆盖,无人居住。但丁在《筵席》第三卷第五节第八句段中也说:地球分为南北两极,“其中一极是我们所发现的整个大地几乎都能看见的,即北极;另一极则是我们所发现的整个大地几乎都看不到的,即南极”。

㉛“清晨”指东方。

㉜“左方”指西南方。

㉝“另一极”指南极,“我们这一极”则指北极。这里是说,尤利西斯等已越过赤道线,因此,他们在黑夜中已可看到南极的星辰,而北极的星辰是如此低落,甚至不能露出海面构成的水平线上。

㉞月亮的“光芒曾五次熄灭,五次照亮”指月亮圆缺各五次 ,因而相当于五个月左右。

㉟注释家认为,“大山”是指地上乐园(Paradiso terrestro)的高山。地上乐园是耶稣基督安置在炼狱之内的。近代注释家斯卡尔塔齐尼-万戴利(Scartazzini-Vandelli)二位认为,尤利西斯是向西航行的,随后又向南行驶,这就使他们前往北半球的对跖地,也恰好便是地上乐园的高山所在地。佛罗伦萨的古代注释家、史学家纳尔迪(1476—1563)曾说,“中世纪地理学家对地上乐园所在位置是有争论的,但他们一致认为,世人无法涉足其内”。

㊱“前部舟楫”即船头。

㊲“另一位”指上帝,意谓使尤利西斯的船舶沉入海底是上帝的意旨。

㊳这个结局看来主要是根据奥维德的《变形记》所叙尤利西斯最后一次航行而构思的。按希腊神话所说,尤利西斯的结局是应验了神谕所示:即他将被其子所杀。他与女巫刻尔吉所生的儿子泰莱戈诺(参见注㉑)在不明尤即是他生身之父的情况下,杀死了他,并娶了非亲生母潘奈洛佩为妻,生一子,名伊塔洛(Italo)。

第二十七首

圭多·达·蒙泰菲尔特罗(1—30)
罗马涅的现状(31—57)
圭多的罪孽与受惩(58—136)

圭多·达·蒙泰菲尔特罗

那火焰这时已经竖直，
它停止跳动，不再言语，
经温和的诗人的许诺，已经离我们而去[1]。
正在此刻，追随其后的另一团火焰
却使我们把视线转向它的顶端，
因为从那里发出丝丝的声咽。
犹如那西西里的公牛，
它最初便是随着那人的哭泣哞哞而叫[2]，
这也是正当合理的：因为正是他用自己的锉刀把它制造，
那公牛随着受刑者的呼号，
不住嗥叫，虽然它全部都是用铜铸造，
却仿佛只有它本身在痛苦号啕；
这样，由于从一开始便从烈火之中找不到
透气散热的孔洞和通道，

惨痛的话语就变成烈火的呼啸。
但是,既然这话语从火焰的尖端找到了通气的途径,
这就使那尖端产生
舌头在发出话语时所做的同样颤动,
我们听到那火焰在说:“哦,请你听着:我在向你说话,
而你现在讲的是一口伦巴第语[3],
你在说:‘如今,你走吧,我不再想让你留下。’
尽管我也许来得过晚,
但愿你不要因为要停下来与我谈话而生厌烦,
你瞧,我就不感厌烦,况且我还在焚燃!
既然你恰好是现在从那温馨的拉丁大地[4]
堕入这暗无天日的世界[5],
而我又是从那片大地上带来我的一切罪孽,
那就请你告诉我:罗马涅人是在和平还是在战争;
因为我就生长在那里,
在乌尔比诺与台伯河一涌而下的那个山崖之间的崇山峻岭[6]。”

罗马涅的现状

我仍在向下探身,注意倾听,
这时,我的导师在我身边碰了碰我,
说道:“你说话吧;这是个拉丁人[7]。”
我早已准备好作出回答,
于是我毫不迟延地开始讲话:
“哦,隐藏在下面火焰中的魂灵,
你的罗马涅不论是过去还是如今,
都是如此:它在它的暴君心中从来就不是没有战争[8];
但是,在我离开那里时,它却没有任何明显的战争迹象[9]。
拉维纳仍像多年以前那样:
达·波连塔这只山鹰把它置于自己的卵翼之下,
甚至用自己的翅膀把切尔维亚也加以掩藏[10]。

这片土地早已经受长期考验[11]，
并且在绿色狮爪之下，
45 对法兰西人进行了血腥屠杀[12]。
达·维鲁基奥那老小两头恶犬，
在那惯常用钻头般的牙齿把人咬得稀烂之地，
48 使蒙塔尼亚饱受摧残[13]。
那头小狮子从白色的巢穴，
统领着莱蒙河与桑泰尔诺河的两座城市，
51 它自夏至冬不断改变自己的派系[14]。
那座被萨维奥河浸润一侧的城市[15]，
正像它位于平原与山岭之间，
54 处在暴君统治与自由国家并立的条件[16]。
现在，你是谁，我请求你告诉我们：
你万不可比别人更不肯谈论[17]，
57 但愿你的名字能因此而在世间长存。”

圭多的罪孽与受惩

由于那火团兀自呼呼作响，
那尖尖的顶端也就来回摆动，
60 随即送出这样的人声：
“倘若我认为，我的回答是给予
一个终究会返回尘世的人，
63 这团火焰就会不再摇动[18]；
不过，既然过去从这底层
从未有人生还，如果我听到的果是实情，
66 我就回答你而不怕累及声名[19]。
我曾是个武人，后来又做过腰系绳索的人，
因为我以为，我系上这条腰带就能赎清罪愆[20]，
69 我的信念本来会完全实现，
若不是那个大司铎——让他不得好死！——[21]

又让我把原先的罪孽重犯；
我愿意让你知道他是怎样又为何这样干。
自从我的母亲给了我血肉之躯，
我所从事的活动
就不是狮子的勇猛，而是狐狸的奸计。
我精通种种狡诈伎俩和阴谋诡计，
我如此神妙地运用机谋，
声名甚至远扬到世界的尽头[22]。
待到我眼见自己来至我的年纪的这个阶段[23]：
每个人到了这个年龄，
都会不得不降下风帆，盘起缆绳，
原先令我喜欢的东西这时就会令我厌弃[24]，
我悔恨，我忏悔，我遁入空门；
唉，我这可怜的不幸者啊！这可能会于我有益。
新法利赛人的王公
在拉特兰附近发动战争[25]，
他既不是对付撒拉逊人，又不是对付犹太人[26]，
因为他的每个敌人都是基督教徒，
没有一个人曾战胜过阿克里[27]，
也没有一个人曾经商到苏丹的国土[28]；
他既不顾及自己的最高权位和神圣职能[29]，
又不顾及我身上的那条圣索，
那圣索通常用来使系带者消瘦腰身[30]。
但是，正如君士坦丁要求希拉蒂山洞中的西尔维斯特罗
来为他治愈麻风病[31]，
此人也同样要求我来充当医生，
为他治愈他那妄自尊大的热症：
他征求我的意见，我则缄口不谈，
因为他的话语像是梦呓胡言。
接着，他进一步说道：‘你的心不要恐惧；

我从现在起就赦免你，
你须教给我如何才能把巴列斯特里纳打翻在地[32]。
正如你所知道的，我能把天国开启和关闭[33]；
但是，这两把钥匙
却是我的前任所不曾珍惜[34]。’
这时，那严厉的谈话把我威逼到这步田地：
我从中认识到：沉默对我更加不利，
于是，我说：‘父亲，既然你洗刷我的罪恶，
而如今我又不得不重蹈覆辙，
只要多许诺而少守约，
你就将旗开得胜，稳坐那崇高的宝座[35]。’
我死之后，圣方济各前来接我[36]；
但是，黑天使当中的一个[37]，
却对他说：‘不要把他带走：不要妨碍我。
他应当来到下面，来到我的奴仆中间，
因为他曾为人出谋划策，瞒哄欺诈，
从那时以来，我就时刻准备揪住他；
凡不悔罪的人就不能获得赦免，
不能既悔罪又把旧罪重犯，
因为这是不能容许的自相矛盾的事端[38]。’
啊，我是多么痛苦！那黑天使抓住我并对我说：
‘也许你不曾想到：我是个讲究逻辑学的人[39]！’
我这时才恍然觉醒。
他把我带到弥诺斯面前；
弥诺斯把尾巴在那坚硬的脊背上绕了八圈；
他咬着自己的尾巴，怒气冲天[40]，
说道：‘此人该属贼火中的罪犯[41]；’
因此，你如今看到我正是在那里遭受劫难，
我身着这样的衣衫，一边行走，一边苦不堪言[42]。”
他就这样把他的话讲完，

那火焰一边痛哭,一边去远,
它把那尖尖的角弯下去,不住抖颤。
我们——我和我的导师——也便再往前行,
顺着那石桥一直走到另一座桥拱[43],
那桥拱横亘另一条沟壑:
在沟壑中,那些因为挑拨离间而犯罪的人正在得到应有的报应。

注释

①“温和的诗人”指维吉尔。“许诺”(licenza)在这里也含有道别之意。

②“西西里的公牛”:公元前六世纪雅典著名工匠佩利路斯(Perillo)为西西里阿格里琴托(Agrigento)暴君法拉利斯(Falaride,公元前549年被造反的平民所杀)制作铜牛一座,用以酷毒地折磨和处决触犯暴君的犯人,即把犯人关入铜牛之内,从下面用火焚烧,犯人在牛腹中被火烘烤,痛苦至极,不断呻吟,犹如活牛“哞哞而叫”。为“奖励”这位能工巧匠,法拉里斯竟令他充当试验其亲手制造的刑具的第一个牺牲品。

③指维吉尔说的是伦巴第地区的语言,因为维吉尔的故乡曼图亚属伦巴第地区。

④此处的“拉丁”即指意大利。

⑤“暗无天日的世界”指地狱。

⑥说话的鬼魂是圭多·达·蒙泰菲尔特罗(Guido da Montefeltro),1220年,他生在罗马涅地区(Romagna)的山岭地带,即介于乌尔比诺与台伯河发源地、亚平宁山脉的科罗纳洛山(Coronaro)的山崖之间的山区,并为当地的僭主,作为政治家和军事统帅,在当时颇有名气。维拉尼在《编年史》第七章中就称他为“当时意大利最机智、最精明的军事家”。他属吉伯林派,1268年曾任科拉迪诺(Corradino)的总督,战功显赫,曾作为被放逐的波洛尼亚人的领袖,于1275年击败波洛尼亚归尔弗派联军统帅马拉泰斯塔·达·维鲁基奥(Malatesta da Verrucchio)。他还做过福尔里的护民官,抗拒教皇染指罗马涅的野心,因而引起教皇的不满;他曾战败围攻福尔里的教皇与法国安茹大军统帅乔瓦尼·德·阿皮亚(Giovanni d'Appia)。后为形势所迫,他不得已归顺教皇,被革除教门,先后被流放到基奥加(Chioggia)和阿斯蒂(Asti)。但1289年,他又逃出流放地,经皮埃蒙特地区,来到比萨,任该市最高行政官,曾与托斯卡纳地区和佛罗伦萨的归尔弗派作战。1292年,与佛罗伦萨和解后,他曾任乌尔比诺僭主,曾多次抗击切塞纳(Cesena)最高行政官小马拉泰斯塔·达·维鲁基奥(Malatestino da Verrucchio)的进攻。1296年,再度归顺教皇,做了方济各会教士,1298年死于阿西西(Assisi)的低级教士修道院(Convento dei Minori)。但丁在《筵席》第四卷第二十八章第八句段中曾称赞他归依宗教,为“我们极为高贵的拉丁人蒙泰菲尔特罗的圭多”,但后来可能从里科巴尔多·

达·斐拉拉(Riccobaldo da Ferrara)于1308年至1313年写成的《史书》(*Historiae*)中得知圭多归依宗教后又为教皇博尼法丘八世献计,夺取巴列斯特里纳(Palestrina),认为他违反改邪归正的信念,决意让他在地狱中受苦。

⑦“拉丁人”即意大利人。

⑧“暴君”一词在十四、十五世纪一般也指波河流域的僭主,他们作为贵族或党派的代表,利用内战,争夺大小城市,这种情况在罗马涅地区尤甚。因此,诗中说,“暴君心中从来就不是没有战争”。

⑨这里是指1300年春,罗马涅地区表面上似乎未曾发生战乱,因为在前一年岁末,经教皇博尼法丘八世的介入,该地区各城市曾达成全面和解协议。

⑩自1270年末起,拉维纳就为达·波连塔家族(da Polenta)所统治。1300年,管理该市的是佛兰切丝卡之父老圭多·达·波连塔(参见第五首注⑯),但他从1275年起就开始成为该市的首领,故诗中用了“多年以前”的说法,具体地说,是二十五年以前。达·波连塔家族的族徽是金底加一只红鹰。所以,诗中说,拉维纳、切尔维亚(Cervia)等城市都在这只山鹰的“卵翼之下”、被它的翅膀“掩藏”。切尔维亚位于拉维纳以南,为亚得里亚海沿岸一座富饶的小城镇,以产海盐闻名。

⑪“这片土地”指福尔里,当时属吉伯林派势力范围。1281—1283年,教皇马尔蒂诺四世(Martino IV)派遣由法国人乔瓦尼·德·阿皮亚率领的归尔弗派意法联军(参见注⑥)长期围攻福尔里不下:1282年5月1日,圭多·达·蒙泰菲尔特罗巧妙用计,突围出城,挫败敌军主力,随后又返回城池,大举歼灭已闯入城中的法国骑兵。

⑫“绿色狮爪”为福尔里僭主奥尔德拉菲家族(Ordelaffi)的族徽;“血腥屠杀”法兰西人即指前注大举歼灭法国骑兵。

⑬“达·维鲁基奥老小两头恶犬”指里米尼僭主、佛兰切丝卡的丈夫贾恩乔托·马拉泰斯塔和情夫保罗·马拉泰斯塔(参见第五首注⑯)兄弟二人之父亲老马拉泰斯塔·达·维鲁基奥及其长子马拉泰斯蒂诺·达·维鲁基奥(参见注⑥):前者于1295年将吉伯林派逐出里米尼后成为该市僭主,后者则于1312年在他死后,继承他的权位,因只有一只眼睛,绰号“独眼龙”(dell' Occhio)。这老小马拉泰斯塔生性十分残暴,特别表现在对待政敌方面,故诗中把他们比作“恶犬”(mastino),并形象地描绘他们“惯常用钻头般的牙齿把人咬得稀烂”(sogliono fan d'i denti succhio)。

蒙塔尼亚的全名为蒙塔尼亚·德伊·巴尔齐塔蒂(Montagna dei Parcitati),为里米尼贵族,吉伯林派领袖。1295年,老马拉泰斯塔战胜吉伯林派分子的抵抗,取得里米尼大权,将他和其他人等俘虏,投入监狱,让小马拉泰斯塔派人看管,最后小马拉泰斯塔背信弃义地把蒙塔尼亚等全部杀害。

⑭“小狮子”指吉伯林派的马基纳尔多·巴加尼·达·苏西纳那(Maghinardo Pagani da Susinana),他家的族徽是白底(即“白色的巢穴”)上有一头天蓝色狮子。他在卡森蒂诺(Casentino)和罗马涅两地之间有一座大城堡,随从者甚众。维拉尼在《编年史》第七章中曾说他在政治上左右摇摆,反复无常,对归尔弗派占优势的佛罗伦萨持归派立场,对吉伯林派占上风的罗马涅则又持吉派立场,但丁在《炼狱篇》第十四首第119句中称他为“魔鬼”(demonio)。

“两座城市”是指位于莱蒙河(Lamone)沿岸的法恩扎(Faenza)和距桑泰尔诺河(Santerno)不远的伊莫拉(Imola),当时两城市均由马基纳尔多统辖。莱蒙河在罗马涅地区,长一百公里,汇入雷诺河,但丁时期为波河支流;桑泰尔诺河在艾米利亚地区,雷诺河支流,长一百零四公里。

⑮此城市为切塞纳(参见注⑤)。萨维奥河(Savio)在罗马涅地区,流经切塞纳,并从切尔维亚(参见注⑩)和拉维纳之间入亚得里亚海,长一百公里。

⑯这里指当时切塞纳的政治状况是介乎暴君统治与平民政权二者之间,据说,这种政体在该市维持时间很短,而且当时罗马涅地区所有城市都是处于这种中间的政治条件,很容易被暴君统治所取代。1300年,切塞纳由最高行政官、护民官加拉索·达·蒙泰菲尔特罗(Galasso da Montefeltro)统治已达四年之久,他虽是地地道道的僭主,却还能使众人享有表面上的自由。

⑰这句话是但丁有意采取的一种礼貌、客气的说法,对“别人”一词,萨佩纽和雷吉奥都认为,但丁故意不直接用“我”,而用“别人”来代替,古代注释家也是这样解释,但近代注释家中有人则认为,“别人”是指其他的鬼魂。

⑱此句意谓:圭多·达·蒙泰菲尔特罗认为,只有保持沉默,不把自己生前所犯罪过向有可能返回人世的人透露,才能保全自己在尘世的名声。这表明他是个谨慎行事、善于思考的精明的鬼魂。火焰“不再摇动”即是指不再说话。

⑲此句是说:既然地狱中从来没有人能“生还”,圭多也就不必害怕讲出自己的罪过而累及自己的“声名”了。

⑳此处的方济各会修士原文为cordegliero(法文为cordelier),即腰系圣索的人,因为方济各会低级教士都系圣索。

㉑“大司铎”指教皇博尼法丘八世。

㉒此句说法源于《旧约·诗篇》第十九章第四、五句:“它们不着声息,也不用言传,却将信息广布全地,传遍世界尽头。”

㉓“我的年纪的这个阶段”指老年。

㉔这里的“东西”指阴谋诡计和欺诈手段。

㉕“王公”指教皇,“新法利赛人”指卑鄙的高级教士,因为他们类似耶稣所谴责的、使耶稣受难的伪善者,由此可以看出,但丁对以博尼法丘八世为首的教会上层人士的怨恨溢于言表。拉特兰(Laterano)为罗马四大主教堂之一:拉特兰圣约翰主教堂(Basilica di San Giovanni in Laterano),该教堂附近有著名的拉特兰宫(Palazzo Laterano),当时为教皇府第,故此处即影射位于基督教中心的罗马。诗中的“战争”指旧有宿怨的罗马两大家族——一为科洛纳家族(Colonna),一为教皇博尼法丘八世的卡埃塔尼家族(Caetani)——之间的斗争:1297年,出身

科洛纳家族的两位枢机主教皮埃特罗·科洛纳(Pietro Colonna)和雅科波·科洛纳(Iacopo Colonna)拒绝承认前任教皇切列斯蒂诺五世(参见第三首注⑪)逊位的有效性,因而也等于否认博尼法丘八世当选教皇是合法的。博尼法丘八世下令将科洛纳家族革除教门,并勒令他们于十天之内归顺。科洛纳家族逃入扎加罗洛(Zagarolo)和巴列斯特里纳(参见注⑥)两座城堡,在那里,他们坚持抗争达一年半之久。但丁用此例说明教皇竟迫害本教门的基督教徒。

㉖“撒拉逊人”(Saraceni)为中世纪时,欧洲对伊斯兰教徒的统称,他们和当时的“犹太人”(Giudei)一样,都不相信基督教。

㉗阿克里(Acri 或 Acca,Acco)是位于卡尔梅洛高地(Carmelo)上的巴勒斯坦滨海城市,全名为圣约翰·德·阿克里(San Giovanni d'Acri)。当时,它是基督教耶路撒冷王国的最后一个城市,是基督教徒在巴勒斯坦的最后一个堡垒。1291 年,该城市被撒拉逊苏丹奥斯曼一世(Sultano Osman I)攻占并摧毁。诗中的意思是:过去围攻阿克里的没有一个是博尼法丘八世所反对的基督教徒。

㉘这里是指:当时没有一个基督教徒曾违反教皇的禁令,前往伊斯兰国家经商。这项禁令曾由教皇尼可洛四世重申,禁止向苏丹统治下的各地输出武器、木材或其他商品。上述二例说明博尼法丘八世没有任何理由迫害、反对基督教徒。

㉙“最高权位”指教皇的尊严;“神圣职能”指教皇作为高级神职人员所肩负的职能。

㉚“圣索”系方济各会教士所系的腰带(参见注⑳);这里以此谴责并揭露教皇的腐败遍及整个教会;圣索一度是用来使苦行禁欲的教士腰身变得更瘦的,而如今这种情况已一去不复返了。

㉛希拉蒂(Siratti 或 Soratte),为意大利中部萨比纳(Sabina)地区的一座山峰。中世纪传说,君士坦丁皇帝曾患麻风病,一夜梦中受启示,须请因躲避异教徒迫害而匿于希拉蒂山的山洞中的修士、后成为第一任教皇的西尔维斯特罗一世为他治病(参见第十九首注㉚)。

㉜这里指博尼法丘八世于 1297 年围攻科洛纳家族的巴列斯特里纳城堡(参见注㉕)久攻不下,最后让圭多·达·蒙泰菲尔特罗献计,战胜科洛纳家族,将巴列斯特里纳夷为平地。

㉝关于天国钥匙一说,见《新约·马太福音》第十六章第十九句:耶稣对彼得说,“我还要把天国的钥匙交给你”(参见第十九首注㉔);这里意谓耶稣赋予圣彼得的继承人即教皇以对有罪之人赦免与否的权柄。

㉞“前任”指切列斯蒂诺五世,因为他曾自动逊位,从而放弃教皇应享有的权柄,让博尼法丘八世得以登上教皇宝座(参见第三首注⑪)。

㉟“崇高的宝座”指教皇的宝座;此句意谓:博尼法丘八世若接受圭多的计谋(“多许诺而少守约”),就能战胜科洛纳家族,其教皇地位也将得到巩固。

㊱圭多·达·蒙泰菲尔特罗因已成为方济各会教士,死后,圣方济各就前来接他的灵魂上天堂。

㊲“黑天使”原文为“黑基路伯”(cherubini neri):基路伯(cherubini)为第二级天使,司知识(基督

教神学将天使分为九级)。“黑天使”系指因反对上帝而被打入地狱的叛逆天使。

㊳这里又引用了亚里士多德《逻辑学》的一项学说,即“不自相矛盾”法则为逻辑学的原理之一。

㊴这里用嘲弄的笔法把魔鬼描绘成大谈哲学、善于争辩的人,而但丁在《筵席》第三卷第十三章第二十一句段中则是否认魔鬼有能力讲哲学的,他说:“那些被逐出天国的智慧是不能讲哲学的。”

㊵弥诺斯把尾巴绕上八圈就意味着应将圭多·达·蒙泰菲尔特罗打入第八层地狱(参见第五首注②、③)。

㊶“贼火”(foco furo)是指火焰像盗贼一样把鬼魂包藏起来,犹如隐蔽赃物。这里是说,圭多·达·蒙泰菲尔特罗生前为人出谋划策,坑害别人,应打入第八个恶囊,受火焰包拢焚烧之苦。

㊷“衣衫”即指火焰。

㊸“另一座桥拱”指横亘在第九个恶囊的沟壑之上的石桥;犯有挑拨离间罪的鬼魂即在该层地狱受苦。

第二十八首

挑拨离间者(1—21)
穆罕默德与阿里(22—63)
皮埃尔·达·梅迪齐纳(64—90)
库利奥(91—102)
莫斯卡·德伊·兰贝尔蒂(103—111)
贝尔特朗·德·鲍恩(112—142)

挑拨离间者

有谁能仅仅用不受约束的语言[1],
充分传达我眼下所见:
那鲜血淋淋、创伤累累的情景,哪怕把它说上几遍?
任何语言肯定都无法说明这全部情景,
因为我们的言辞和智力
都不足以令我们理解这许多情形。
倘若把所有那些曾在普利亚
那备受命运捉弄的必争之地[2]、
因特洛伊人和长期战争而流血牺牲的人[3]
——正如李维所言不虚地写出的[4],
那长期战争曾把掠夺的指环

高高地堆积如山；
与那些为抵御罗贝托·圭斯卡尔多的进犯[5]
而受重创的人,以及
那些尸骨仍积聚在切普拉诺的人放到一起
——在切普拉诺,每个普利亚人都在撒谎蒙骗[6],
而就在那里,老阿拉尔多
从塔利亚科佐附近大获全胜而未动干戈[7]；
不论这些人的肢体是怎样被刺穿还是被砍断,
他们都无法与第九个恶囊
的惨状相比相攀。

穆罕默德与阿里

一个酒桶即使失掉了中板或侧板[8],
也不如我所见的一个人那样破损不堪,
那人竟被劈成两半:从下巴一直劈到屁眼:
大小肠悬挂在两腿中间,
心肺肝脾全都暴露在外面,
还有那令人作呕的袋子——它把吞咽下的食物都变成粪便[9]。
我凝视他身上的一切,
他则望着我,用双手把自己的胸膛扯开,
说道:“现在,你看我是怎样把我自己撕成两块!
你看穆罕默德被割裂得多么厉害[10]!
在我前面,阿里正在边走边哭[11],
他的面部从下巴到蓄发的前额被砍成两片。
你在此处看到的所有其他人
生前都是不和与分裂的制造者,
因此,他们都被砍成这般光景。
这里,有一个魔鬼跟在后面,
他虐待我们是如此凶残,
每逢我们把这痛苦的道路转上一圈,

他就把犯有此类罪行的每一个人都剑劈两半；
因为在重新走到他跟前之前，
原有的伤口都已合拢愈痊。
可你又是何人？竟在这石桥上目不转睛地观看。
也许你是为了推迟前去受刑，
尽管上面早已根据你的认罪而将苦刑判定[12]。”
我的老师答道：“既不是死神将他勾魂摄魄，
也不是罪孽把他召来忍受折磨；
而是已故的我为了使他对阴曹地府有充分的体验，
必须带领他把地狱游遍，
带领他到这下面转上一圈又一圈：
这便是实情，正如我现在与你谈话一样属真。”
他们有一百余人听到我的老师讲话，
这时都在沟壑之内停下步来，把我凝视，
他们都惊奇万分，甚至忘记身受的酷刑。
“既然你或许不久就能重见天日，
那么你如今就可以告诉多里奇诺修士[13]：
倘若他不愿很快就追随我到这里，
他就该设法囤积粮食，
这样，即使被大雪围困，也不致把胜利奉送给那个诺瓦拉人[14]，
否则，那人也不会如此轻易取胜。”
穆罕默德对我说出这番话语，
他已抬起一只脚，准备掉转身躯；
说罢，他便把脚放落在地，起步离去。

皮埃尔·达·梅迪齐纳

另一个人的喉咙被刺穿，
他的鼻子也被切开，一直切到眼眉下面，
他只有一只孤零零的耳朵，
他一直与其他人一起，惊奇地望着，

他在其他人面前，敞开他的喉管，
那喉管一片赤红，鲜血四溅，
他说道：“哦，不曾判罪的你啊，
我曾在拉丁大地上见过你一面[15]，
倘若面貌的过分相似不致骗过我的双眼，
你该记住皮埃尔·达·梅迪齐纳[16]，
如果你一旦返回人间，
重见那从维尔切利向下绵延到马尔卡博城堡的温馨平原[17]。
你该告诉法诺的那两位名人，
即圭多大人，还有安乔列洛[18]：
让他们晓得：倘若预见并非徒劳，
他们在卡托利卡将被扔出他们的船舶[19]，
并被装进袋里淹死在海水，
这正是出于一个狠毒暴君的背叛行为[20]。
奈图努斯在塞浦路斯与马略卡之间[21]，
也从未见过这样滔天的罪行，
这既不是海盗的行径，也不是阿耳戈人的手段[22]。
那叛贼虽然只用一只眼睛观看[23]，
却控制着那片土地，而这里与我在一起的那个人，
则宁愿从未见过这座城镇[24]，
那叛贼将会把那两位名人召来与他谈判，
随后他会设法让他们
不必向那佛卡拉的巨风祷告许愿[25]。”

库利奥

我于是对他说：“你若愿意让我把你的消息带到世间，
那么就请你指出并说明，
那个见到里米尼就感到伤心的究竟是何人。”
这时，他把一只手放到他的一个伙伴的腮下，
并且打开那人的嘴巴，

96　喊道:“这便是你说的那个人,他不能说话[26],
他曾被驱逐,也曾打消凯撒心中的疑虑,
扬言什么一个人准备就绪,
99　总是会因迟疑不决而一败涂地。”
啊!库利奥喉咙里的舌头竟被切断,
在我看来,他那神情是多么惊愕慌乱!
102　而他当初进言时则又是如此大胆!

莫斯卡·德伊·兰贝尔蒂

有一个人,他的一只手和另一只手都被砍断,
他在那昏暗的空气中举起两个残肢,
105　这就使鲜血溅污了他的脸面。
他在叫喊:“你也该记得莫斯卡吧[27],
可怜的人哪!他曾说过:‘把他干掉算了。’
108　这就给托斯卡纳人播下了灾难的种子。”
而我又给他加上一句:“这也使你的家族遭到灭亡[28]。”
于是,此人痛上加痛,
111　便像一个人悲痛欲绝,精神失常,径自走向他方。

贝尔特朗·德·鲍恩

但是,我却仍留在原地,望着那群鬼魂,
我这时看见一个东西,光是把它讲出来,
114　我也会感到十分恐慌,因为没有别的证据来证明它的惨状;
只是良心才使我感到心安理得,
它是个良好的伴侣,使人得到保护,感到解脱,
117　因为它使人自觉清白无过。
我当时确实亲眼得见,如今也仿佛犹在眼前,
那是一个无头的上身在行走[29],
120　那行走的样子与那凄惨一群的其他人别无二致;
他抓住被砍掉的脑袋的头发,

他抓住被砍掉的脑袋的头发，像提着一盏灯笼似的摆动它；那脑袋盯住我们，说道："哎呀！"（第二十八首第121—123行）

像提着一盏灯笼似的摆动它；
那脑袋盯住我们，说道：“哎呀！”
它把自己当作自己的灯光，
它们是两位一体，又是一分为两：
只有那一位才知道如何才能这样[30]。
他径直来到桥头，
这时，他把那提着整个脑袋的手臂高高举起，
为的是把他的话语贴近我们的耳际，
他说道：“你这人依然在喘气，
你是前来观看那些死人，那么你就看看这残酷的刑罚吧，
看看是否有什么刑罚如这个刑罚一样严厉。
既然你要把我的消息带去，
你就该知道：我就是贝尔特朗·德·鲍恩，
就是那个向幼主进献恶毒谗言的人。
我曾使他们父子相互反目[31]：
亚希多弗也不曾用如此险恶的挑拨手段，
离间押沙龙与大卫的情感[32]。
正因为我把关系如此亲密的人分裂开来，
可怜的人啊！我这躯干上的头脑
才从其根部被两下分开。
这样，因果报应的法则从我身上也便可以观察出来。”

注释

①“不受约束的语言”指不受韵律严格限制的散文语言。

②“普利亚”（Puglia）系位于那不勒斯境内濒临亚得里亚海的亚平宁山脉一带地区，诗中泛指当时的那不勒斯王国。“备受命运捉弄”的原文为形容词 fortunata，对此，注释家有两种诠释：一是古代人认为那不勒斯所处的坎帕尼亚省（Campania）气候温和，土地肥沃，因而用 felix（即幸运、幸福）一词来形容它，亦即“幸福之地”；一是根据但丁对 fortuna 一词的惯用法，即除“幸福”、“幸运”之外，还作“暴风雨”（tempesta）解，如在《炼狱篇》第三十二首第 116 句中即有 navi in fortuna（暴风雨中的船只）的写法，转意即为“受命运捉弄、摆布”。波斯科-雷吉奥注释本和萨佩纽注释本都采用后一种解释，但萨本也并不排除前一种诠释，认为诗句可

能兼备这两种涵义,即因该地区自然条件好,所以成为经受磨难最多、被人争夺也最多的土地。

③“特洛伊人”意谓罗马人,因为他们是从埃涅阿斯等特洛伊人繁衍下来的;诗句用此影射公元前罗马人所进行的两次著名的大战:一是公元前343至前290年的萨姆尼战争(guerre sannitiche,该战争曾分三次相继进行)以及公元前280至前274(275?)年的塔连土姆战争(guerra tarentina)。萨姆尼(Sannio)位于亚得里亚海沿岸拉齐奥地区东部,其居民萨姆尼人(sanniti)在与罗马人三次交战(即公元前343至前341、前327至前305、前299至前290年)后,终于在公元前270年左右,被罗马人征服。塔连土姆(Tarentum)即今塔兰托(Taranto),为位于爱奥尼亚海东北岸、塔兰托湾的海港城市。公元前八世纪,希腊斯巴达人(spartani)移民至此,成立大希腊邦(Magna Grecia)。公元前272年,被马其顿厄皮鲁斯(Epiro)国王皮鲁斯(Pirro)征服;公元前280至前274(275?)年,罗马人与皮鲁斯为争夺塔兰托而鏖战,皮鲁斯战败,不得不返回马其顿。“长期战争”指历时十六年之久的第二次布匿战争(seconda guerra punica,公元前219至前202年),这次战争最酷烈的时期是公元前216年8月2日,迦太基名将汉尼拔(Annibale)大败罗马人于普利亚地区的康奈(Canne),诗中所述正是这个时期。

④李维(Livio,公元前59年—公元17年),名蒂托(Tito),为奥古斯都皇帝时期的著名史学家和散文家,其名著《罗马史》(*Storia romana*),分十卷,一百四十二册,现仅存头四卷及第五卷半卷,共三十五册。该书第二十三册第七、十二句中曾描述了康奈之战,称罗马将士大批阵亡,迦太基人从这些死人手上摘下的戒指可积成重达三摩狄乌斯(3 moggia,约合九千零九十二公升)的一大堆,可见死亡人数。但丁在《筵席》第四卷第五节第十九句段中也提及这一情节。

⑤罗贝托·圭斯卡尔多(Ruberto或Roberto Guiscardo,1015—1085),也有说“圭斯卡尔多”不是姓,而是形容他奸诈狡猾,称他为“狡诈鬼罗贝托”(Roberto il Guiscardo)。他是诺曼人(normanno),萨莱诺王公,十一世纪最著名的将领之一,曾将希腊人和撒拉逊人赶出意大利南部。“那些受重创的人”指普利亚人,他们在1059年至1084年曾抵抗罗贝托的入侵;1083年,罗贝托曾将康奈(见注③)摧毁。

⑥切普拉诺(Ceprano)位于教皇属地与南部王国的边境地带,是西西里王国的战略要地。诗句所指的战争是指1266年至1268年法国安茹家族与教皇勾结一起,对西西里国王、施瓦本家族的曼弗雷迪发动的战争。切普拉诺有一桥跨越利里河(Liri,加里利亚诺河Garigliano的古名,长一百五十八公里),直通那不勒斯王国,因此,切市被视为那不勒斯王国的“大门”。据说,1266年,守卫此要塞的普利亚诸子爵,特别是德·阿奎诺(D' Aquino)诸公爵(一说是伯爵),因与曼弗雷迪有私怨,背信弃义,为安茹的查理一世率领的大军敞开通道,使之节节胜利,迫使曼弗雷迪败退到贝内文托,进行最后一战,曼弗雷迪战败并被杀;因此,诗中说“普利亚人”在“撒谎蒙骗”,即是指他们对曼弗雷迪的背叛。

⑦“老阿拉尔多”指安茹的查理手下的将领和参谋阿拉尔多·迪·瓦勒里(Alardo di Valery)。

这里是指1266年曼弗雷迪在贝内文托战役中战败和被杀后，1268年，其侄科拉迪诺（Corradino，1252—1269）继续率军与安茹家族大军对抗，最初曾一度得手，在紧追敌军时，不料被安茹的查理按阿拉尔多·迪·瓦勒里建议埋伏的后备军所击败。科拉迪诺在塔利亚科佐（Tagliacozzo）被俘，后被斩首，施瓦本家族亦随之灭绝。诗中说“未动干戈”，意谓此次战役的真正胜利者是“老阿拉尔多”，是他的计谋取得的胜利。

⑧酒桶的底部由一块中板（mezzul）和两块月牙形的侧板（lulla）拼成，中板接输酒的吸管。

⑨这里的“袋子”指胃囊。

⑩穆罕默德（Maometto）：伊斯兰教的始祖，公元560（570?）年生于麦加（Mecca），633（632?）年殁于麦地那（Medina）。诗中未把他列为异教徒，而是作为挑拨离间分子，可能是由于但丁有意借用中世纪有关穆罕默德的传说，即：据说穆罕默德原是基督教的枢机主教，因选举教皇时落选而一怒另立新的教派，从而造成基督教的分裂。这种说法见于西班牙当代著名阿拉伯语学者阿辛·巴拉修斯（Asin Palaccios）于1961年发表的有争议的作品《〈神曲〉的穆斯林末世学》（*Escatologia musulmana en Divina Comedia*）；意大利著名文学史学家德·安科纳（A. d'Ancona，1835—1914）在其《意大利文学历史日志》（*Giorn. stor. della lett. italiana*）第十三章中对此也有记述。

⑪阿里的全名为阿里·伊本·阿比·塔利布（Ali ibn Abi Talib），生年不详，卒于公元661年，为穆罕默德的表亲和女婿（娶穆之女法蒂玛 Fatima 为妻），也是他最早的信徒之一，对传布伊斯兰教有很大贡献，为穆罕默德后第四代哈里发，是什叶派的创始者，诗中可能据此而把他作为犯有分裂罪的亡魂打入第九个恶囊受苦。但雷吉奥认为，关于阿里的分裂伊斯兰教罪名是在他死后才加给他的，但丁是否了解这一细节，“很值得怀疑”。

⑫这里的“上面”是指弥诺斯。

⑬多里奇诺修士（fra Dolcin），全名为多里奇诺·托尔尼埃利（Dolcino Tornielli），诺瓦拉人，为使徒兄弟会（Fratelli Apostolici）创始人、帕尔玛的杰拉尔多·塞加雷利（Gerardo Segarelli）的忠实弟子。该会为中世纪众多异端之一，主张教会返璞归真，财产乃至女人共有，教徒苦行修道。1296（1300?）年，塞加雷利被宗教裁判所处以火刑；塞死后，多里奇诺成为该会领袖，主要在意大利北部伦巴第、艾米利亚和特伦蒂诺（Trentino）等地区传教，招收信徒。1304年，教皇克莱蒙特五世（参见第十九首注㉑）发动对该会的十字军围剿，多里奇诺率信徒五千逃往塞西亚山谷（Val Sesia），1306年避至比埃列塞山（Biellese）。1307年3月，多里奇诺等固守山上，天寒断粮，被迫投降。同年6月2日，多里奇诺与其女伴玛格丽塔·迪·特仑托（Margherita di Trento）以及众多教徒被判火刑，活活烧死。多里奇诺忠于信仰，宁死不屈，其事迹留传后世，是《神曲》记载的唯一一个异端分子；雷吉奥认为，多里奇诺的死期也证明这首诗肯定是在其死后写出的。

⑭“那个诺瓦拉人”有两种解释：一般认为，他是指诺瓦拉一地的主教，因他曾率军队追赶和围剿多里奇诺。但波斯科-雷吉奥注释本则认为，此处可能是一集体名词，指当时由诺瓦拉和

维尔切利(Vercelli)两地士卒组成的军队,因据当时史料记载,率领军队的不是诺瓦拉的主教,而是维尔切利的主教。

⑮“拉丁大地”即指意大利。

⑯皮埃尔·达·梅迪齐纳(Pier da Medicina):生平不详,据古代注释家推测,可能是主宰梅迪齐纳一地的僭主卡塔尼家族(Cattani)的成员。布蒂说他“曾在波洛尼亚居民当中和在罗马涅暴君当中挑拨不和”;本维努托因生长在罗马涅地区,一般认为,他的说法“最为可信”,他补充说:此人曾依靠在圭多·达·波连塔与马拉泰斯塔·达·维鲁基奥之间挑动分歧而大发横财,因为二人都受其欺骗,认他为友,送他许多礼物。本维努托还说,但丁本人曾受过该家族的款待,并被问及对该家族的“宫廷”的印象,但丁答道:“若再有一些秩序,则我从未见过罗马涅地区有另一个更加美丽的宫廷”;本维努托由此断言,但丁可能正是在此机会认识皮埃尔·达·梅迪齐纳的。据说,在1271年至1277年的史料中,曾载有卡塔尼家族的“皮埃尔”(Piero)的名字,即:皮埃尔·迪·阿伊诺·达·梅迪齐纳(Pier di Aino da Medicina)。但丁学家利维(Livi,1855—1930)曾认为,这是另一个“皮埃尔”,雷吉奥认为,此说不确,因此人在1303年尚活着。皮埃尔·达·梅迪齐纳的名字也称“佩特罗”(Petro)或“彼特罗”(Pietro)。

⑰“温馨平原”指波河平原。马尔卡博城堡(Marcabò)系1260年威尼斯人在波河入海口建立的一座城堡,用以保护与拉维纳和斐拉拉进行贸易的商船,周边地区的僭主长期争夺该城堡;1309年,被拉维纳僭主达·波连塔所摧毁。

⑱“圭多”和“安乔列洛”分别指圭多·德尔·卡塞罗(Guido del Cassero)和安乔列洛·达·卡里尼亚诺(Angiolello da Carignano);“法诺”(Fano)为佩萨罗省(Pesaro)一内河航运城市。近代史学家罗西(Rossi,1865—1938)认为,达·梅迪齐纳所说此二人的不幸遭遇不见史载,可能是出于但丁的杜撰,说明皮埃尔尽管已死,却在地狱中继续挑拨离间;但由于诗句描绘的情节逼真,萨佩纽和雷吉奥都认为实有其事:这里所说的是上述二人与里米尼僭主小马拉泰斯塔(参见第二十七首注⑬)之间的不和。小马拉泰斯塔为夺得法诺,曾邀请二人叙话,二人乘船从海上前来,行至佛卡拉山(Focara)附近的海滩,船上的水手按小马拉泰斯塔的密谋,将二人推入水中溺死。十四世纪注释家本维努托也曾描述过上述经过。

⑲卡托利卡(Cattolica)为位于里米尼与法诺之间的亚得里亚海滨海市镇。十四世纪注释家布蒂对杀害二人的方法(即诗中所用的mazzerati一词)作过介绍,说此过去分词的动词原动式为mazzerare,意谓将人放入口袋,袋上系有大石头一块(或是将人手脚捆住,颈上系有大石头),扔入海中淹死。

⑳“狠毒的暴君”即指小马拉泰斯塔。

㉑这里指地中海,因塞浦路斯(Cipri或Cipro)和马略卡(Maiolica或Maiorca)二岛分别位于地中海的东西方。

奈图努斯(Nettuno)为海神。

㉒“阿耳戈人”原文为 Argolica，指希腊南部伯罗奔尼撒(Peloponneso)半岛上的城市阿耳戈(Argo)的居民，因而亦即泛指希腊人。维吉尔在《埃涅阿斯记》中亦有此说法，指阴险毒辣的人，据此，近代注释家隆科尼(Ronconi)指出，就希腊人围攻屠杀特洛伊城的情节而言，“希腊人”是“心狠手辣的人”的同义词。

㉓这里的“叛贼”指小马拉泰斯塔，因他只有一只眼睛，号称“独眼龙”。

㉔“那片土地”和“这座城镇”都指里米尼；早在 1312 年老马拉泰斯塔去世前，小马拉泰斯塔就曾与其父联合统治该地，其父死后，他则成为里米尼的僭主。诗句中提及的那个不愿看见里米尼的人将在下面诗句中交待，这里只作为一个“伏笔”，但同样也是犯有挑拨离间罪的人，而因他是在里米尼犯下罪愆的，所以宁可“从未见过”该地。

㉕“佛卡拉的巨风”是指位于卡托利卡与佩萨罗之间的山区小镇佛卡拉(参见注⑱和⑲)，风力极大，在这段海域行舟，须冒很大风险，故行船的人到此都要祈祷上帝保佑。这里是说，圭多和安乔列洛不必到此为免被巨风袭击而“祷告许愿”，因在这之前，他们二人就已被小马拉泰斯塔差人掷入海中溺死了。

㉖此人是卡约·库利奥(Caio Curione)，他是罗马平民护民官，据卢卡努斯在《法尔萨利亚》第一章中记载，他原支持庞培，后受贿，转而投靠凯撒，并煽动凯撒挑起内战。公元前 59 年，罗马执政三巨头凯撒、庞培、克拉索(Crasso)各据一方：凯撒控制阿尔卑斯山南高卢地区(Gallia Cisalpina，即今法国)，庞培占据罗马，克拉苏统治亚洲。克拉苏死后，形成凯、庞对峙局面。公元前 58—前 49 年，凯撒军力日益扩张，庞培心生疑忌，曾将亲凯撒的库利奥逐出罗马。公元前 49 年，库利奥来到拉维纳投靠凯撒，随即受凯撒派遣赴罗马，向元老院递交凯撒信件。掌握元老院大权的庞培当即下令，命凯撒立即遣散兵力，返回罗马，否则当以“人民公敌”论处。凯撒最初迟疑不决，经库利奥怂恿，决定率军进入罗马。当初，三巨头曾协议，以位于里米尼以北、将山南高卢与意大利分开的一条小河鲁比科内河(Rubicone)为界，禁止各军将领在未得元老院明令的条件下率军渡河，进入意大利。公元前 50 年，凯撒在库利奥挑唆下，率第十军团渡过此河，从而导致内战爆发。当时，凯撒曾有一句名言，即：alea jacta est(“骰子已经掷出”，即“木已成舟”之意)；库利奥挑动凯撒时亦有一句名言，即：semper nocuit differe paratis(“准备就绪者推迟决定必受损”)。诗中虽认为库利奥的献计导致凯撒与庞培的军事对抗，但丁在《书信集》第七章第四节第十六句段中则是对库利奥向凯撒建议先发制人一点表示赞许的，据注释家推测，但丁此用意可能在于以此来敦促他所指望的亨利七世尽快作出拯救被教皇败坏的意大利的决定。

㉗“莫斯卡”指莫斯卡·德伊·兰贝尔蒂(Mosca dei Lamberti)，他是《地狱篇》第六首中但丁询问鬼魂恰科的几个“名人”之一，据说他是导致佛罗伦萨归尔弗派与吉伯林派爆发内战的首要根源(参见第六首注⑫)。诗中述说他所犯罪行是发生在 1216 年初：彭代尔蒙蒂家族(Buondelmonti)的彭代尔蒙泰(Buondelmonte)原与佛罗伦萨另一贵族阿米德伊家族(Amidei)的女儿订婚，后违背婚约，娶了多纳蒂家族(Donati)的女儿为妻。兰贝尔蒂家族也属阿米德

伊家族,在阿米德伊家族开会决定对彭代尔蒙泰毁约的对策时,莫斯卡·德伊·兰贝尔蒂曾说了一句挑衅性的话:Cosa fatta capo ha(把他干掉算了)。果然,阿米德伊家族在他的挑动下,为家门“雪耻”而刺死了彭代尔蒙泰,从而导致了佛市家族分裂成为归、吉两大派,揭开两大派长期对立和流血斗争的历史,维拉尼在《编年史》第五章对此有记载。佛罗伦萨系托斯卡纳地区首府,故诗中以“托斯卡纳人”来代替,同时也隐喻归吉两派的斗争从佛市蔓延到托斯卡纳整个地区。

㉘此句意谓莫斯卡所犯挑拨离间的罪过也标志着其吉伯林派家族覆灭的开始:1258 年,兰贝尔蒂家族被当时得势的归尔弗派逐出佛罗伦萨,随后于 1268 年,又不分男女老幼,全部定为“叛逆分子”,与以法里纳塔为代表的乌贝尔蒂家族(参见第六首注⑪)一样,在佛市政治舞台上永远绝迹。

㉙这个“无头”的人即是贝尔特朗·德·鲍恩(Bertram dal Bornio 或 Bertran de Born)。他生于 1140 年,1215 年死于达龙(Dalon)修道院。他是十二三世纪著名的普罗旺斯抒情行吟诗人之一,是法国古代瓜斯科尼亚地区(Guascogna)佩里高尔省(Perigord)领主,奥特浮尔城堡(Hautefort 或 Altaforte)子爵。当时,他的领地由英国统辖;他善于写以政治为主题的诗歌,尤为擅长写战争诗。但丁在《论俗语》第二卷与《筵席》第四卷都曾赞扬过他,称他为“战事诗人”。英王亨利二世(1154—1189)任阿奎塔尼亚(即瓜斯科尼亚)公爵时,他曾任亨利二世的臣仆;据说,他曾挑唆亨利二世之子、号称“幼主”的亨利三世反叛其父。后幼主夭折,他曾写出其最优美的著名诗篇《哭幼主》(*Si tuit li dol*)。他晚年入达龙修道院当了修士。

㉚“那一位”指上帝。

㉛参见注㉙。

㉜押沙龙(Absalone)与大卫王(Davide)父子相残的事迹见于《旧约·撒母耳记下》第十五至十七章。亚希多弗(Achitofel)为基罗(Guilo)人,原是以色列王大卫的参谋,后背叛了大卫王,投靠其子押沙龙。押沙龙反叛其父,对亚希多弗言听计从:亚希多弗先后献策,唆使押沙龙扩大势力;曾让押沙龙当着所有以色列人的面,与父王的嫔妃亲近,表明父子势不两立;还建议押沙龙率领一万两千人追杀大卫,但只杀大卫一人,使大卫部下全部归降押沙龙;后因大卫差户筛(Huschai)打入押沙龙内部充当内应,亚希多弗失宠,无奈启程返乡,最后自缢身亡。后押沙龙因听从户筛之言而兵败被杀。

第二十九首

杰里·德尔·贝洛(1—39)
金属伪造者:格里弗利诺·德·阿雷佐与卡波基奥·达·锡耶纳(40—120)
锡耶纳人的虚荣心(121—139)

杰里·德尔·贝洛

许多受苦人和种种怪异创伤
使我泪珠盈眶,视线迷茫[1],
眼见这般光景,我不禁想哭泣一场;
但是,维吉尔对我说:"你还在看什么?
为什么你的视线仍一味地停留在那下面,
停留在那些被切割得残缺不全的悲惨鬼魂中间?
你在其他恶囊中并没有这种表现:
你若以为能把他们都一一观看,
那么你该想到:这深谷有二十二里方圆[2]。
此时,月亮已在我们的脚下[3]:
如今留给我们的时间已经不多,
而还有许多需要观看的景象是你不曾见过。"
我随即答道:"如果你想到
我之所以这样观瞧,

也许你会容许我再待下去。”
这时，导师业已向前走动，我也便在他后面随行，
我已回答了他的提问，
此刻又补充说道：“在我如此注意观瞧的沟壑之中，
我想，其中必有一个鬼魂是属于我的血统，
他在为自己的罪孽而痛哭受刑，
这罪孽使他在那下边付出代价如此惨重。”
老师于是说道：“你从现在起，
不必再在他身上放置你的思绪，
你该想到别的事情，且让他径自待在那里：
因为我在石桥的桥头就看到了他，
他在用手指向你指指点点，百般威吓，
我还听到有人呼叫他的名字：杰里·德尔·贝洛[4]。
当时，你正一心一意地关注
那曾拥有阿尔塔弗尔泰城堡的人[5]，
所以你不曾向那边张望，他也便动身离去。”
我说道：“啊，我的老师，
他因暴力而亡，有些人至今尚未为他报仇雪恨，
而这些人理应分担这奇耻大辱，
这才使他不屑与我相会，不肯与我交谈，
才如此扬长而去，我对此正是这样看：
也正因为这个原故，他令我对他更加惜怜。”
我们就这样谈论着，一直来到原先地点，
这地点从石桥上可以把另一个深谷展现[6]，
倘若光线更强，甚而可以把谷底的一切纵览。

金属伪造者：格里弗利诺·德·阿雷佐
与卡波基奥·达·锡耶纳

我们来到整个恶囊的最后一个苦行禁地[7]，
在我们的眼前，可以

一一展示出那里的僧侣，
种种怪异的叫苦声向我射来，
犹如铁制利箭，激起我的哀怜[8]，
我情不自禁地用双手盖住我的耳朵眼。
正像在七月和九月之间，
瓦尔迪基亚纳、马雷马和撒丁的那些医院，
把所有患者都一齐放到一道沟壑，令人目睹心酸[9]，
这里也正是如此情景，
从中散发的气味也同样臭不可闻，
那臭气犹如通常来自腐烂的肢体。
我们往下行走，来到漫长石桥最后一道堤岸[10]，
依然只是走向左面；
这时，我的视线更加清晰，
我观瞧下面的谷底，
在那里，崇高天主的使臣，那绝不错判无辜的正义女神[11]，
正在惩罚被记录在案的伪造者们[12]。
我不认为，在埃吉那岛会看到比这更加凄惨的情景[13]，
那时节，空气中充满了有毒的细菌，
岛上居民都一一丧生，
所有动物，甚至一只小小的蠕虫，
也全都中毒倒下，而后来那些古代居民，
根据诗人们的讲述说明，
又从蚂蚁的种族中得以死而复生；
尽管在那黑暗幽谷中所见的惨状同样令人伤情，
因为那里的鬼魂奇形怪状，三五成群，在有气无力地呻吟。
他们一个躺在另一个的身上，
有的压着他人的肚皮，有的趴在他人的肩膀，
有的顺着那凄凉的路径匍匐而行。
我们沉默不语，一步步地行进，
一边观看这些病人，一边倾听他们的哀声，

从中散发的气味也同样臭不可闻，那臭气犹如通常来自腐烂的肢体。（第二十九首第50、51行）

他们都无力抬起他们的躯身。
我看到两个人背靠背，席地而坐，
就如同放在灶火上的两个相互紧贴的扁锅，
他们从头到脚，长满肮脏的疮痂；
我过去从未见过一个马童，
因为主人在呼唤而如此拼命挥动马刷，
也不曾见过有哪一个马夫是如此不甘守夜刷马[14]，
这些鬼魂正如上述马童和马夫那样，因为刺痒难熬，
经常用手指甲在自己的身上乱搔乱抓，
他们找不到对付刺痒的其他办法。
他们用指甲把疥疮刮下，
就像用刀在鲤鱼的鳞片上剥刮，
或者是在剥刮别的鱼，而这些鱼的鳞片更大。
我的导师向其中一人开言道：
“哦，你在用手指剥掉你铠甲上的网眼[15]，
你有时竟把手指当作铁钳，
请告诉我们：待在此处的那些人当中，
是否有拉丁人[16]，
但愿你能永远单靠手指就足以从事这种劳动。”
那人边哭边答：“我们俩都是拉丁人，
你看，我们在此都被毁坏了面容，
可你又是谁，竟然问起我们？”
导师于是说道：“我是这样一个人：
我与这个活人下到此地，一层又一层，
我要向他指点地狱的情景。”
这时，那二人相互紧贴的身体立即分离，
他们俩与间接地听到此话的其他人一起，
都各自转身看我，一边浑身战栗。
善良的老师紧紧贴近我的身边，说道：
“你想知道什么，就对他们说吧。”

既然他愿意我这样做，我便开始讲话：
“但愿尘世对你们的记忆
不至从世人的脑海中消失，
而是能岁岁年年延续下去，
请告诉我你们是谁，是哪里人：
但愿你们那不堪入目、令人作呕的苦刑
不至妨碍你们向我说明。”
一个人答道：“我是阿雷佐人，
阿尔贝罗·达·锡耶纳曾令人把我处以火刑[17]，
但并不是我为之而丧命的罪过把我打入此境。
诚然，我曾开玩笑地对他讲：
‘我能使自己在空中飞翔。’
而那个好奇任性、头脑欠缺的人却非要我向他展示这个伎俩；
只是因为我不曾让他变为代达罗斯[18]，
他就叫那个认他为子的人[19]
将我活活烧死。
但是，弥诺斯则是因为我在人世曾从事炼金术，
才把我打入这十个恶囊中的最后一个，
而他在判罪上不可能犯错误。”

锡耶纳人的虚荣心

我于是对诗人说：“现在是否有人
像锡耶纳人那样虚荣心重？
肯定不是法国人，因为他们远没有那么崇慕虚荣[20]！”
这时，另一个麻风病人听到我的话[21]，
就回答我的话道：“你且把下面这些人不要算在名下：
其中有斯特里卡，他曾懂得有节制地把钱花，
还有尼可洛，他曾用丁香花蕊做调料[22]，
是他最先发现这种阔绰的习惯，
让这类种子生根在菜园[23]；

你该把那浪子队伍也不算在内[24],
其中卡恰·德·阿西安曾挥霍掉大片树林和葡萄园[25],
还有阿巴利亚托,他曾使他的明智得到表现[26]。
但是,为了让你知道是谁在支持你反对锡耶纳人,
你该把目光向我仔细对准,
这样,你便可以把我的面孔看清:
你便会看出:我就是卡波基奥的亡魂[27],
我曾用炼金术伪造金银:
你该记得我,既然我能很好地将你辨认,
正如伶俐的猿猴就是我的本性[28]。"

注释

①此句以动词 inebriare 与"眼睛"一词(luci,原意"光芒")联用,盖出自《旧约·以赛亚书》第十六章第九句的用法:"我要用眼泪来浇灌希实本和以利亚利";该动词原意为"酒醉",此用法亦见于《旧约·以西结书》第二十三章第三十三句:"你喝了后必酩酊大醉,满心忧愁";全句因而有泪水浸湿眼睛而使视线模糊之意。

②这里用"二十二里"来计算第九个恶囊的大小,而下一首即第三十首又以"十一里"衡量第十个恶囊的规模,都只是用虚构的数字来给读者以写实感,因此,雷吉奥提醒人们不该据此而"推算地狱深渊的大小"。本书中的"里"和"寸"都是意大利古代的长度单位:一里约等于现在的一英里,一寸约等于现在的一英寸。

③波斯科-雷吉奥注释本与萨佩纽注释本对此句的诠释大体一致:前者说,月亮在"脚下"即是指太阳在"头上",即在"天顶"(zenit);如是月圆时分,就在耶路撒冷的子午线上,同时亦即地狱的子午线,但月圆是两天前的事(见第二十首第 127 句),而月亮的运行每日要比太阳晚五十分钟,故此刻应是太阳大致已跨越子午线两小时的时分,即在下午一时至二时之间。后者说,此句意谓月亮已在炼狱(南极)的子午线上,即恰在耶路撒冷的对立面上,约是下午一时;并说,但丁与维吉尔是头一天晚上开始遨游地府的,因此,这时几乎已度过十八个小时,为时二十四小时的冥界之行所剩已不过五六个小时了。

④杰里·德尔·贝洛(Geri del Bello):为但丁之父阿利基埃罗(Alighiero)的堂兄,贝洛·迪·阿利基埃罗一世(Bello di Alighiero I)之子("杰里·迪·贝洛"即"贝洛之子杰里"之意),1269 年和 1276 年的史料中曾提及过他。他曾于 1280 年因打架斗殴罪被缺席审判。关于他死的原因,古代注释家说法不一:但丁的两个儿子:雅科波说他是因为挑拨离间而毙命的,而彼特罗则指出,他是被萨凯蒂家族的布罗达佑(Brodaio dei Sacchetti)所杀,事后,他的孙子们为他复仇,杀死了萨凯蒂家族的一名成员。十四世纪注释家本维努托证实了这一说法,并确

切地说明,复仇事件是在杰里死后三十年左右才发生的,大约是在 1310 年,恰好是《地狱篇》撰写的时间。据说,阿利基埃里家族与萨凯蒂家族世仇深远,直到 1342 年,才在雅典公爵撮合下,实行和解,但丁的兄弟佛兰切斯科(Francesco)曾代表阿利基埃里家族在和解书上签字。

⑤阿尔塔弗尔泰城堡(Altaforte)即奥特浮尔城堡(Hautefort);诗中所指的人即贝尔特朗·德·鲍恩(参见第二十八首注㉙)。

⑥“另一个深谷”指第十个恶囊。

⑦这里把恶囊比作“苦行禁地”,原文是 chiostra,意谓“封闭之地”,是修道院的一种举隅说法或同义词,为的是与下面的“僧侣”(conversi)相呼应。

⑧这种以“射箭”(saettare)来比喻激起同情怜悯之心的写法,也是十四世纪意大利大诗人彼特拉克所喜用的一种技巧;他在其《歌集》(*Canzoniere*,共三百六十六首)第二百四十一首第七句中就用过“怜悯的利箭”(saetta di pietate)的说法。

⑨这里,但丁又运用了第二十八首描述战争牺牲者的那种比喻笔法,形容第十个恶囊奇臭难闻,犹如在传染病流行季节,把散布在最不卫生的地区的各家医院的病人集中到一处。瓦尔迪基亚纳(Valdichiana)和马雷马均在托斯卡纳地区,两地与撒丁岛一样,都是沼泽地最多,疟疾病最肆虐的地带,而七月和九月又是传染病最流行的时期。瓦尔迪基亚纳,亦即基亚纳河谷,位于阿雷佐以南,以基亚纳河而得名,该河流入阿尔诺河,全长六十二公里。

⑩这里的“漫长石桥”是指把整个恶囊的各层恶囊连贯在一起的岩石堆成的“桥梁”;“最后一道堤岸”即指第十个恶囊与中心深井毗邻的最终堤岸(萨佩纽),或把地狱的第八环(即“恶囊”)与第九环分开的那道最后堤岸(雷吉奥)。

⑪这里的“使臣”(ministra),原文用阴性,因是“正义女神”的同位语。

⑫这里的“伪造者”包括金属伪造者(即炼金术士)、假扮他人者、伪造货币者乃至制造假话者,他们按不同罪行,结队成群,并受不同疾病折磨,如炼金术士患有麻风或疥癣,躺倒在地或匍匐而行。

⑬埃吉那岛(Egina 或 Enghina)位于爱琴海、雅典附近的萨罗尼克湾(Saronico,古称埃吉那湾)。该岛以住于该岛的林泽女神埃吉那而得名。宙斯爱上埃吉那,被尤诺发现,尤诺愤而把瘟疫撒遍该岛,一切生物均遭灭绝,只国王埃阿克斯(Eaco)幸免于难。后宙斯使该岛居民再生,其人数相当于宙斯所坐橡树之下的蚂蚁,比原有的还多。诗句主要取材奥维德的《变形记》第七章;但丁在《筵席》第四卷第二十七节第十七句段中也简略叙述了这个故事。

⑭这里用马童和马夫刷马的急切心情来形容鬼魂搔痒的惨状,这种比喻既写实真切又贴近生活。

⑮这里再次运用比喻笔法,描述鬼魂搔抓皮上的疥痂,犹如剥掉“铠甲上的网眼”(诗中用动词 dismagliere)。

⑯“拉丁人”仍指意大利人。

⑰说话的鬼魂是格里弗利诺·德·阿雷佐(Griffolino d'Arezzo)。他是著名的炼金术士,1259 年尚活在世上,1258 年波洛尼亚托斯基社团(Toschi)登记册上曾载有他的名字,1272 年以前死去。据说,他曾作为富有的贵族阿尔贝罗·达·锡耶纳(Albero 或 Alberto da Siena)的门客,一次,曾向阿尔贝罗开玩笑说:他能令人像鸟一样飞起来,愚蠢的阿尔贝罗信以为真,不惜一切代价,非让格里弗利诺教给他飞翔之术不可,格无法兑现诺言,阿以为格对他有仇恨,便指控格为异教徒,通过他与宗教裁判所法官锡耶纳主教的关系,将格活活烧死。但有人认为,格里弗利诺是在 1216—1252 年任锡耶纳主教的彭菲利奥(Bonfiglio)在任时期被烧死的;雷吉奥认为,此说不确,因他于 1258 年仍活着;再者,彭菲利奥以迫害异教徒最为严厉而知名,而格里弗利诺在诗中是作为"炼金术士"而不是作为"异教徒"而受苦刑的,并把他的死归于"一个傻瓜对他的报复"。萨佩纽说,直到 1294 年为止,阿尔贝罗一直存在,而 1286 年的一份史料还说明他与宗教裁判所法官巴尔托罗梅奥教士(Bartolomeo)有关系。

⑱关于雅典的能工巧匠代达罗斯的事迹,请参阅第十七首注㉖。

⑲此人即指锡耶纳主教(参见注⑰),他曾把阿尔贝罗·达·锡耶纳认作"干儿子"。

⑳自古以来,法国人崇慕虚荣浮华是众所周知的,本维努托曾说,"法国人自古以来就属于虚荣心强的种族,正如过去从朱利奥·凯撒身上可以看到的,即使今天,也可以看到";"当我们看到意大利人,特别是贵族们,拼命模仿他们时,我不禁感到惊讶,也感到怒不可遏"。诗中则是说,即使法国人的虚荣心也远不如锡耶纳人那么强烈。

㉑这个患麻风病的鬼魂一直说意义相反的话,用以讥讽"虚荣心重"的锡耶纳人。斯特里卡,全名是斯特里卡·迪·乔瓦尼·德伊·萨林贝尼(Stricca di Giovanni dei Salimbeni),曾于 1276 年和 1286 年两度任波洛尼亚首席执政官。据说,他曾挥霍荡尽其父的大笔遗产;有人则认为,此人是享乐修士斯特里卡·德伊·托洛梅伊(Stricca dei Tolomei),他于 1294 年仍活在锡耶纳。

㉒尼可洛(Niccolò),也属萨林贝尼家族,为斯特里卡之弟,1311 年尚在人世。但也有人认为,他属彭西尼奥里家族(Bonsignori)。据十四世纪注释家拉纳说,他"挥金如土",与其兄同属"浪子队伍"(参见第十三首注⑳)成员,是他"首先把丁香花蕊放入山雉和山鹑中一起烧烤的";本维努托曾指出,"这是花销极大、极为浮华、别出心裁的做法",因为当时,香料是由东方输入的,价格昂贵。用丁香花蕊来提味,因而被看作是一种"阔绰的习惯"。

㉓这里的"菜园"指锡耶纳,古代对此句的解释有两种:一是说,"这种习惯在锡耶纳为贪食者和饕餮者很好地植下了根"(《最佳评注》);一是说,尼可洛"使那些贪食者和饕餮者有了这种习惯"(拉纳)。

㉔"浪子队伍"是十三世纪下半叶由锡耶纳十二名富家子弟组成的,他们穷奢极欲,吃喝玩乐,挥霍无度。据本维努托说,不到两年,该队伍竟花掉二十一万六千弗洛林金币。波斯科-雷吉奥注释本认为,诗中似乎未把尼可洛和斯特里卡算在这个浪子队伍之中,因此,这里可能涉及两个浪子队伍,因为当时成立此类队伍之风极盛。

㉕卡恰·德·阿西安(Caccia d'Ascian)指当时在阿西亚诺(Asciano,"阿西安"系省略了最后元音 o)地方拥有许多葡萄园和大片树林(或土地)的财主,其全名是卡恰内米科·迪·特罗瓦托·德利·夏连基(Caccianemico di Trovato degli Scialenghi)。他在浪子队伍中把家产全部荡尽。"大片树林"(gran fronda)是根据萨佩纽注释本译出的;波斯科-雷吉奥注释本中则系"大片土地"(gran fonda)。

㉖阿巴利亚托(Abbagliato)是绰号,意谓"冤大头",易受人欺哄之意,其真名为巴尔托罗梅奥·德伊·佛尔卡基埃里(Bartolomeo dei Folcacchieri),为锡耶纳十三世纪时最早用意大利通俗语言写诗的名诗人佛尔卡基埃罗(Folcacchiero)之弟。尽管他放荡不羁,挥金如土,生前在锡耶纳政治生活中却起过很大作用:1288 年和 1300 年先后担任过蒙泰里乔尼(Monteriggioni)和蒙泰圭迪(Monteguidi)的首席执政官,并做过托斯卡纳地区的税务官;歿于 1300 年。

㉗卡波基奥(Capocchio):大多数古代注释家说他是佛罗伦萨人,而十四世纪注释家布蒂则认为他是锡耶纳人。然而,大家都一致认为,他心灵手巧,性格怪僻。据本维努托说,一天,但丁发现他非常熟练地在自己的十个手指甲上画出了耶稣受难图,他发觉自己被人看到,便用舌头把他长时间花费很大精力绘出的图画一下子全部舔掉。佛罗伦萨无名氏曾指出:他善于伪装他人,伪造金属;1293 年夏,他以"炼金术士"的罪名被处以火刑。

㉘这里说明卡波基奥像猴子一样善于模仿人类。

第三十首

假扮他人者:贾尼·斯吉基、米尔拉(1—45)

伪造货币者:亚当师傅(46—90)

说假话者:西农(91—99)

亚当师傅与西农的争吵(100—148)

假扮他人者:贾尼·斯吉基、米尔拉

尤诺因为塞墨勒的原故,
迁怒于特拜家族,
她曾先后两次表现了她的嫉妒,
就在此时,阿塔玛斯精神丧失常态,
一见妻子每只手
各抱一子走来,
便叫道:“让我们把网撒开,
我要把那由此经过的母狮和两头幼狮抓来。”
他随即伸出那无情的手爪,
把那名叫莱阿尔库斯的儿子揪住,
举起旋转了一下,就把儿子朝一块石头掷去;
而妻子则抱着另一个儿子投海自尽[1]。
幸运女神转动车轮[2],

使胆大包天的特洛伊人的时运[3]
从高转低，国王与王国一起玉石俱焚[4]，
这时，悲凄、可怜而又歹毒的赫枯巴[5]，
一见一命呜呼的波利塞娜，
又痛苦地发现
她的波利多鲁斯丧命在海边，
她疯狂地哀嗥，犹如吠犬；
巨大的悲痛使她精神错乱。
但是，从未见过有人
在伤害野兽和人类肢体方面竟然如此残忍，
即使那特拜人的狂怒和特洛伊女人也不及毫分[6]，
我所见的两个面无血色、赤身露体的鬼魂
正是这般光景，他们边跑边咬，
犹如猪圈一旦打开，猪猡便猛地冲出，乱咬狂奔。
一个鬼魂扑向卡波基奥[7]，
一口咬住他的后颈，
拖拽着他，让他的肚腹刮着坚硬的地层。
留在原地的那个阿雷佐人[8]，
浑身打战，对我说道："那恶魔是贾尼·斯吉基[9]，
他总是这样狂怒地虐待别人。"
"哦！"我对他说，"但愿你不致被人咬住脖颈，
有劳你费神说出。
那方才离开这里的是何人。"
他于是对我说："那是邪恶的米尔拉的古老亡魂[10]，
她不去追求正当的爱恋，
却假扮父亲的情人。
那女人与其父犯下罪孽，
把自己假扮成别人的身形，
正如那个走远的人一样[11]，
为了赚得畜群中的那匹牝马，

“那恶魔是贾尼·斯吉基,他总是这样狂怒地虐待别人。”(第三十首第32、33行)

他竟敢冒充布奥索·多纳蒂[12],
把合法的遗嘱口授立下。”

伪造货币者:亚当师傅

我一直盯视着那两个狂怒的人,
待到他们去远,
我才把视线转向其他生来不幸的鬼魂。
我看见一个人,形状像是诗琴[13],
倘若他的腹股沟
断离人体分叉的其余部分[14]。
那严重的水肿病,由于腹水难消,
竟把肢体变得怪状奇形,
面孔也与肚腹不相对称[15],
这使他一直把双唇大张,
恰似肺痨患者所做的那样:
他因为口渴难熬,下唇垂向下巴,上唇则翻卷向上。
此人对我们说道:“哦,你们这些不受任何苦刑的人,
我真不知你们
为何来到这苦难的世道,仔细观瞧[16]
亚当师傅的悲惨堪怜的处境[17]:
我生前拥有的东西比我想要的多得多,
而如今,可怜的人!我竟切盼滴水解渴[18]。
条条小溪从卡森蒂诺的翠绿山丘涓涓流下[19],
汇入阿尔诺河,
这些溪流的河床清凉而又湿软[20],
这情景一直在我的眼前呈现,而这并不徒然,
因为这些形象使我加倍舌燥口干[21],
远甚于那使我面容日益消瘦的病痛,
严峻的正义裁判使我备受苦情,
它从我犯罪的地方找到惩治的凭依,

这也便使我更加痛苦叹息。
那个地方就是罗梅纳，正是在那里[22]，
我伪造铸有洗礼者形象的金币[23]；
因此，我才在城堡上留下那被焚的尸体[24]。
但是，我若能在这里看见
圭多或亚历山德罗或他们的教士的可悲魂灵[25]，
我也不会把目光投向布兰达泉[26]。
这里面已经有了一个魂灵[27]，
如果那些疯疯癫癫、转来转去的鬼魂所言是真；
可这于我又有何作用，既然我的手脚已被捆紧[28]？
我若能变得更加身轻，
即使我在一百年里只能走上一寸[29]，
我也早就会登上那条小径，
从这畸形的人群中把他来寻，
尽管这恶囊方圆有十一里[30]，
横宽还不到半里。
我正是因为他们才来到这一伙人当中，
他们曾唆使我铸造弗洛林，
这些金币掺有三开伪劣的黄金[31]。”

说假话者：西农

我于是对他说：“那两个可怜的人又是谁呢？
他们相互靠紧，躺在你的右边，
浑身冒着热气，就像湿手在冬天[32]。”
他答道：“自从我落到这陡峭的沟壑之中[33]，
在这里见到他们，他们就一直不能转动，
我相信，他们永远也不能转动他们的躯身。
那一个是说假话的女人，她曾对约瑟发出指控[34]，
另一个是说假话的男人，特洛伊城的希腊人西农[35]：
他们俩都患上急性热病，倒卧在地，焦臭难闻[36]。”

亚当师傅与西农的争吵

其中那个男人恼羞成怒[37]，
也许是因为听到自己的名字受到如此玷污，
102 他立即用拳头捶打那说话的人的坚硬肚腹[38]。
那肚腹竟然如同鼙鼓；
亚当师傅则用他的臂膀猛击他的面部，
105 而这一击也似乎并不比那一拳轻，
一边对他说道：“尽管我的肢体沉重，
这使我无法活动，
108 但我的这条胳臂却灵便自如，能干这种事情。”
这时，那人说道：“当年你前去被火焚烧，
你的动作也没有如此迅猛：
111 但是，你铸造假币却正是这样迅疾，甚至更加疾速如风。”
那水肿病人说道：“你说此话确是实情：
但是，在特洛伊，别人要你讲出真话，
114 你却不曾提供真实的证明[39]。”
西农说道：“我固然说了假话，但你也铸造过假币，
我是因为一桩罪行而来到此地，
117 而你所犯罪行则要比任何其他魔鬼所犯的还要多！”
那个肚皮鼓胀的人答道：“发假誓的家伙，
你该记得那头木马；
120 你该感到疾首痛心，因为全世界都知道这桩罪行[40]！”
那希腊人则说道：“但愿口渴把你折腾，
使你的舌头干裂；还有那腐臭的腹水
123 使你的肚皮胀成一道篱笆，遮住你的眼睛！”
这时，那造币者又说：“由于你所犯罪行，
你的嘴巴就要像如今这样永远大张；
126 我虽口渴嘴干，腹水鼓胀，
你则是高烧如火，头痛难当；

为了舔一舔那西索斯的镜面[41]，
你不会让人多费唇舌求你这样干。”
我全神贯注地听他们吵闹，
这时，老师对我说：“现在你就自管看吧，
我险些要与你争吵[42]！”
我此刻才听到他在怒气冲冲地跟我讲话，
我十分羞愧地转过身去面向他，
至今这情景还萦绕在我的脑中。
正像一个人梦见自己遇上不幸，
他尽管已在梦中，却仍渴望做梦，
他希望那是梦境，却又好像那并不是梦[43]，
我此时也正是这种心情，我说不出话来，
我希望能道歉，然而也道了歉，
我却以为自己做不到这一点。
老师说：“哪怕是更少的羞愧之心，
也能把更大的过错洗净[44]，
况且这也不算是你的过错，因此，你尽可释去种种痛悔之情；
你该注意到：我时刻都在你的身旁，
一旦幸运女神再次把你
送到人们进行这类争执的地方；
因为愿意倾听这种相骂，是一种低劣的愿望。”

注释

①本首一开头就引用了希腊神话中的一段故事：宙斯爱上了特拜城奠基人、国王卡德莫斯(Cadmo)之女塞墨勒(Semelè)，与她生下一子狄奥尼索斯(Dioniso)，即酒神巴库斯(Bacco)。宙斯之妻尤诺为此妒火中烧，设法怂恿塞墨勒要求宙斯显现真容，宙斯起初唯恐这会伤害塞，加以拒绝，但塞坚持要看，宙斯不得已应允，结果其真容发出雷电，将塞击毙，使之化为灰烬。尤诺不满足于此，进一步加害塞墨勒之妹伊诺(Ino)，使伊诺之夫、俄尔科美努斯(Orcomeno，一说是比奥齐亚 Beozia)国王阿塔玛斯(Atamante)“精神失常”，见伊诺怀抱二子，以为是“母狮”和“幼狮”，命人张网擒获；他先将儿子莱阿尔库斯(Learco)摔死在石头上，伊诺在惊吓悲痛下，也抱另一子美里凯尔特斯(Melicerta)跳海身亡。

②"幸运女神"主宰世人的荣辱兴衰,参见第七首注⑪和⑭。

③"胆大包天的特洛伊人"指特洛伊最后一个国王普里阿莫斯(Priamo)之父拉俄墨东(Laomedonte)敢于向天神"食言":让海神波塞东和太阳神阿波罗分别"无偿地"为他盖城堡和牧牛;同时也指普里阿莫斯之子帕里斯敢于掠夺斯巴达王墨涅劳斯之妻海伦,从而挑起希腊人对特洛伊人的战争(参见第五首注⑬、⑭、⑮)。

④特洛伊人的"时运从高转低"、"国王与王国一起玉石俱焚",指希腊人用木马计攻陷特洛伊城,杀死国王普里阿莫斯,城池亦遭火焚。这里把特洛伊城陷落作为"骄傲"遭神怒而被惩罚的一个例子。"从高到低"指幸运女神将手中的轮子从"高"(走运)转到"低"(倒运)。"王国"指特洛伊城,"国王"指普里阿莫斯;诗中二者"一起玉石俱焚"的说法取自奥维德《变形记》第十三章第404句:"特洛伊像普里阿莫斯那样倒塌。"

⑤赫枯巴(Ecuba):特洛伊王普里阿莫斯之妻,生有帕里斯、赫克托尔等十八个儿子,他们都几乎相继战死。最英勇的赫克托尔死后,为了不使其骨灰受到玷污,她亲口将骨灰吞服。她被尤利西斯(参见第二十六首注⑫)收为奴隶,后被天神变为母狗。诗中所说情节是:特洛伊城陷落,赫枯巴被收为希腊人的奴隶后,她见阿奇琉斯之子皮罗斯将其女波利塞娜(Polissena)作为祭品杀死在阿奇琉斯墓前,又在色雷斯海边发现其幸免于战火的最小的儿子波利多鲁斯(Polidoro)被叔父兼姊夫波利奈斯托雷斯(Polinestore)图财害命,痛不欲生,像"吠犬"似的"哀嗥",这也是对她后来被变为"母狗"的一种暗示。

⑥这里的"特拜人"即指阿塔玛斯(见注①);"特洛伊女人"指赫枯巴,她发现儿子波利多鲁斯被波利奈斯托雷斯杀害,怒恨交加,竟用手把波利奈斯托雷斯的双目抠掉。

⑦卡波基奥,参见第二十九首注㉗。

⑧"阿雷佐人"指格里弗利诺·德·阿雷佐,参见第二十九首注⑰。

⑨贾尼·斯吉基,全名为贾尼·斯吉基·德·卡瓦尔坎蒂(Gianni Schicchi de Cavalcanti),佛罗伦萨人,1280年以前即死去。据但丁之子雅科波称,此人善于假扮他人;一次,经一名叫西莫内·德·多纳蒂(Simone de Donati)的骑士请求,假扮刚刚断气的西莫内叔父布奥索(Buoso),伪装病危,躺在病床上立"遗嘱",使侄儿西莫内分得比布奥索亲生子文齐古埃拉(Vinciguerra)更多的遗产;同时,贾尼·斯吉基还借此机会,在口授"遗嘱"中,将布奥索拥有的一匹价值二百弗洛林金币的牝马,留给了自己。

⑩米尔拉(Mirra):为塞浦路斯王科尼拉斯(Cinira)之女;她怀着乱伦的感情,爱上了自己的父亲,在乳娘帮助下,假扮其父的情人,与之交媾,生下一子,名阿多尼斯(Adone)。后科尼拉斯发现此事,勃然大怒,要将她处死,她在逃亡中化为同名树木,即"没药"。

⑪"走远的人"即指贾尼·斯吉基。

⑫指贾尼·斯吉基假扮布奥索·多纳蒂立"遗嘱",赚得珍贵的牝马一事。

⑬诗琴(liuto)系十四至十七世纪的一种弹拨乐器,类似我国的月琴或琵琶。

⑭"人体分叉的其余部分"即指生出双腿的人体部分;全句意谓:若无双腿,此人的形状即如"诗

琴”,亦即肚大而颈细。

⑮水肿病的症状是:由于淋巴腺的变异,人体吸收的水分在腹内难以吸收、消化,从而变成腐臭的汁液、腹水;病人越吃喝,腹水也便积累越多,以致腹部变得越来越大;病情越重,病人也便越感口渴。

⑯“苦难的世道”指地狱。“仔细观瞧”原文是 guardate e attendete,直译为“观看和注意”,这种用法源自《旧约·耶利米哀歌》第一章第十二句:“你们仔细观察:主在震怒时降祸于我,有谁比我更痛苦呢?”这种连用双动词的写法在中世纪很常见,但丁在《新生》第七章第三句段中也用过这种写法:“哦,你们经过爱情的道路,请仔细观瞧:他的痛苦是否与我的悲哀一样严重”;特别是涉及悲痛等事项,这种用法就更普遍了。

⑰亚当师傅(maestro Adamo):从 1273 年和 1277 年的两份史料中可以看出:亚当师傅为“英国人”(Adam Anglicus),曾为罗梅纳伯爵家中的门客(Magistro Adam de Anglia,familiare comitum de Romena),这就证明:本维努托、班巴利奥利、《无名氏评论》(*Chiose anonime*)等古代注释家曾分别说他是“布雷夏人”、“卡森蒂人”、“波洛尼亚人”,均不确。1270 年,他曾住过波洛尼亚,而在这之前,他又曾在布雷夏小住,因此,波斯科-雷吉奥注释本指出,古代注释家之所以认为他是上述两地人,可能正是以此为根据。佛罗伦萨无名氏对他曾有较详细的介绍:亚当师傅曾受聘来到卡森蒂诺(Casentino)的罗梅纳城堡(Romena),当时,罗梅纳圭多家族(Guidi)的三位伯爵与佛罗伦萨市不和,这三位伯爵是:阿基诺尔佛(Aghinolfo)、圭多二世(Guido II)和亚历山德罗(Alessandro)。亚当师傅与他们勾结在一起,伪造佛罗伦萨所用的弗洛林金币,成色低劣,含金量仅为二十一开(应为二十四开),其余则以铜或其他金属。一日,亚当师傅在佛市使用伪币,被识破,遂被抓获,最后处以火刑,时为 1281 年。

⑱这里所用“滴水解渴”的典故出自《新约·路加福音》第十六章第二十三、二十四句:财主的灵魂在阴间受苦,见拉撒路在亚伯拉罕的怀里,就叫嚷:“我的祖宗亚伯拉罕啊!求你可怜我,求你打发拉撒路用指尖蘸点水来润润我的舌头吧。”

⑲卡森蒂诺位于阿尔诺河上游。

⑳“清凉”和“湿软”两词系借用维吉尔的诗句:“泉水清凉,草地湿软。”

㉑诗中写亚当师傅所受的惩罚令人想起希腊神话中坦塔路斯(Tantalo)所受的刑罚:坦塔路斯为弗里吉亚(Frigia)国王,他为了证明天神是无所不知的,竟将两个儿子尼奥比斯(Niobe)和伯罗比斯(Pelope)杀死,用他们的肉来祭献天神。宙斯为此惩罚他,令他永受饥渴之苦:即将他缚在果树上,下身则浸入水中:他想扬首捕捉果子进食,果子就躲开他,令他捕捉不到;每逢他想俯身饮水,水也远离他,令他无法饮用。不少注释家认为,此段诗句可能是但丁受他所熟悉的十三世纪诗人泰里诺·达·卡斯泰尔菲奥连蒂诺(Terino da Castelfiorentino)的一首十四行诗的启发,诗中说:“因为最大的苦刑莫过于/眼见清澈的泉水就在身边/十分口渴却无法饮入口中。”

㉒罗梅纳城堡(参见注⑰)为圭多伯爵家族中的一支所拥有,故该家族亦以该城堡命名。

㉓佛罗伦萨所使用的弗洛林金币,始造于1252年,其一面为佛市城徽标记百合花,另一面为佛市保护神洗礼者圣约翰的形象。

㉔据巴塞尔曼考证,亚当师傅被焚之处是在罗梅纳城堡附近(当时,罗梅纳城堡归属佛罗伦萨地区),至今该地点仍被称为“奥莫尔托”(Ommorto),即“死人之地”;但也有人认为,该名称在意大利各地是很常见的。

㉕这里指罗梅纳家族的两位伯爵:圭多二世和亚历山德罗(参见注⑰);至于“教士”一词可能是指阿基诺尔佛(参见注⑰),因为这是他的诨名,他死于1348年以前;也有人认为是指伊尔德布兰迪诺(Ildebrandino),他与圭多二世、亚历山德罗、阿基诺尔佛为同胞兄弟,是罗梅纳家族圭多一世(Guido I)的第四子,因他曾任阿雷佐主教,并为罗马涅地区教会教长。据悉,他们四兄弟中,只有圭多二世是死于但丁冥界之行这一年以前。

㉖布兰达泉(Fonte Branda):古代注释家一致认为,此泉为锡耶纳的泉水,但近代注释家则依据巴塞尔曼的考证,认为是指罗梅纳城堡附近的一泓不甚知名的泉水,今已干涸,只见史料有载,因此,有人也怀疑,这后一说法,即指位于卡森蒂诺的同名泉水,是后人根据但丁的有关诗句加以命名的。

㉗这个魂灵指圭多二世,他死于1292年1月。波斯科-雷吉奥注释本说,但丁写本首时,亚历山德罗亦已死去(1304年),但丁冥界之行时,他则尚活着;但丁在《书信集》第二章中恰有一封信,是于1304年写给亚历山德罗的侄儿的,信中对亚的去世表示哀悼,其中不乏赞颂之词;据说,但丁流亡初期,曾得到圭多家族诸伯爵的帮助,由于诗中把他们所犯罪行公开于世,有人就怀疑上述信件是否属实,但迄今,注释家仍一致确认,该信是出自但丁手笔。因此,但丁可能是后来才闻知圭多等人对亚当师傅之死所负罪责,这也证明但丁的正义感:他尽管曾受恩于对方,但一旦发现对方的罪责,仍是不留情面,加以谴责的,类似的情况在《神曲》中应说是屡见不鲜。

㉘“疯疯癫癫、转来转去的鬼魂”指假扮他人者,因为在这层恶囊中,只有他们所患的顽症未使他们倒下,可以来回跑来跑去;“手脚捆紧”意谓患病躺倒,不能动弹。

㉙这里用“一寸”(oncia),相当于一尺(piede)的十二分之一。

㉚这里的“十一里”相当于前一首第9句所提第九个恶囊的一半。

㉛这里指亚当师傅为圭多伯爵等铸造假币,在应有的二十四开含金量中只用了二十一开黄金,三开则是“伪劣的黄金”,原文用的是mondiglia,直译为“质量坏的金属”或“下脚料”。

㉜这里用了一种自然现象来做比喻:在严寒的冬季,湿手接触冷空气,会“冒出热气”,犹如呵气一般。

㉝这里形容恶囊的地势,宛如由上至下呈陡峭斜坡状的山谷。

㉞这里引用了《旧约·创世记》第三十九章第六至二十三句的一个典故:以色列的儿子约瑟被以实玛利商人卖给埃及法老的内臣和护卫长波提乏为奴,因为约瑟长得非常英俊,波提乏的妻子就看中了他,多次引诱他与她通奸,约瑟都坚决拒绝了;一天,约瑟在办事,房中无人,波

提乏的妻子又进来调戏，硬要与约瑟同床，约瑟急忙逃出房外，外衣却落到她的手中，她就大哭大闹，把家人都召来，指控约瑟调戏她，并拿约瑟的外衣作为物证，波提乏闻知，怒不可遏，令人把约瑟囚禁起来，但约瑟得到上帝的保佑，反得到狱长的赏识。诗中所说的“女人”即指波提乏的妻子。

㉟西农(Sinon 或 Sinone)：为尤利西斯的参谋，尤利西斯令西农诈降特洛伊王普里阿莫斯，说服特洛伊人将希腊人有意留在海滩上的木马拉入城中，当夜，藏于木马腹内的希腊伏兵潜出，内外呼应，一举攻陷特洛伊城。

㊱此处形容二人所患“急性热病”，发出如烧焦的油物一般的奇臭。

㊲此“男人”即西农。

㊳“说话的人”即亚当师傅。

㊴指西农未向特洛伊国王普里阿莫斯如实交待木马的真相。

㊵因为木马计已写入荷马和维吉尔等的诗歌，举世皆知。

㊶那西索斯(Narciso 或 Narcisco)：为河神塞菲索斯(Cefiso)和林泽女神利丽奥皮斯(Liriope)之子，俊美异常，为许多女神所追求，但他仅欣赏自己，爱恋自身的容貌：一次，在泉水中映照，因对自身迷恋过甚，竟堕入水中溺毙，化为水仙花，故至今水仙亦以他命名。诗中所说的“镜面”即指水面，意谓那西索斯在水中映照自己，犹如“揽镜自照”。中世纪有关他的传说散布甚广，奥维德的《变形记》也讲述了他的故事。

㊷这里反映了维吉尔对但丁倾听两人对骂的不悦心情。

㊸这里运用以做梦为内容的曲折笔法，生动地描述了但丁见维吉尔责怪自己的惶恐复杂心理。

㊹此句是维吉尔安抚但丁的话，意谓：你的羞愧之心哪怕更少一些，也足以“洗净”你所犯的比这更大的“过错”。

第三十一首

巨人（1—45）
宁禄（46—81）
厄菲阿尔特斯与布里阿留斯（82—111）
安泰俄斯（112—145）

巨人

同一条舌头先是责备我，
弄得我两颊羞红，
然后，它又医好了我的病痛[1]。
我曾听过这样的叙述：
阿奇琉斯和他父亲的那把投枪，
就常使人先是感到忧伤，然后又得到良好的奖赏[2]。
我们背向那凄惨的深谷而行[3]，
沿着环绕深谷的堤岸迈进，
穿过堤岸，默不作声。
这里既不是白天，也不是夜晚[4]，
这令我无法向稍远处投射我的视线；
但是，我却听到一阵响亮的号角声在回旋，
那声音是如此震耳，甚至赛过一切雷鸣，

那响声传送的路径恰好与它发出的方向相反，
它使我朝那边盯住一个地方，目不转睛。
在那惨痛的溃败之后，
查理大帝丧失了神圣的战友[5]，
就是罗兰也不曾把号角吹得如此令人动魄心惊。
我把头稍微转向那边，
我似乎看见许多高塔矗立眼前，
于是我说："老师，请告诉我：这是什么城镇？"
他向我答道："由于你在黑暗之中，
从过远的地方一眼望去，
你可能会把形象辨认不清。
倘若你去到那里，你就会看明
那遥远的形象是怎样把视觉蒙混；
因此，你该赶紧走近。"
他随即亲切地握住我的手，
说道："在我们向前走动之前，
为了使你不至为此感到胆战心惊，
你该知道：这些不是高塔，而是巨人[6]，
他们全都是从肚脐以下，
待在那堤岸围绕的深井。"
犹如浓雾散去，视力逐渐看清
那雾气遮掩的情景，
正是雾气把空气变得那么浓重，
我此时也正是这样：透过那浓密而昏暗的气氛，
逐步向岸边靠拢，
错觉从我身上消失，恐惧在我心中加重；
因此，正像在蒙泰雷焦尼的团团围墙之上[7]，
座座塔楼拔地而起，
深井四周的边沿也与此别无两样，
那些可怕的巨人的半个身体，高塔般俯瞰着井边，

即使宙斯在威胁着他们，
从天上发出雷电[8]。

宁禄

我这时已经看出一个巨人的脸面[9]，
看见他的大部分肩膀、胸脯和肚腹，
还看见他的双臂顺着臀部垂在两边。
既然自然界业已放弃生产这类动物，
当然，它就做了大大的善事：
它使战神玛尔斯把这种战争执行者一概丧失[10]。
自然界固然对生产大象和鲸鱼并不悔恨，
但是，凡是明察秋毫的人都会承认，
它这样做是更加正确，更加谨慎；
因为一旦理智的力量
加在恶意伤人的意愿和威力之上，
人们就无力与之作任何对抗[11]。
我觉得，那巨人的脸又大又长，
宛如罗马圣彼得大教堂的那颗松果[12]，
其他骨骼也与这张脸比例相当；
这一来，那堤岸竟成为一块遮羞布[13]，
它把那下半身盖住，
却把那上半身充分暴露，
纵然三个弗里西亚人叠立在一起，也很难自吹能摸到他的发部[14]，
因此，我所见到的此人，从扣斗篷的地方以下算起[15]，
也足有三十拃之巨[16]。
“拉菲尔，马伊，阿麦凯，扎比，阿尔米[17]。”
那凶恶的嘴巴开始叫喊，
这样的嘴巴不适合吟诵甜美的诗篇。
我的导师向他说道：“愚蠢的灵魂，
你就只管吹号角吧，只要你怒火中烧[18]，

或是满怀其他激情，你就用它来发泄怨恨！
你从脖颈上寻找你的号角吧，
你会发现那皮带把它就系在你的脖颈，
哦，糊涂的魂灵，你该看到它像绶带般套在你那宽阔的前胸。”
接着，导师又对我说：“他在自我暴露；
此人就是宁禄，由于他居心不良，
竟使人不能只把一种语言用在世上[19]。
随他去吧，我们不必枉费唇舌；
因为各种语言对他都是无法听懂，
正如他的语言对别人一样，谁也无法弄通。”

厄菲阿尔特斯与布里阿留斯

随后，我们又走了更长一段路程，
向左转行；而在一箭之地，
我们又发现另一个身材更大、相貌更凶的巨人。
我说不出是哪一位铁匠师傅
用锁链把他缚住，
但是，他的左臂被捆在前边，
而右臂则被捆在后面，
那锁链从他的脖颈以下，把他缠了又缠，
在那暴露外面的上半身甚至绕了五圈。
我的导师说道：“这个狂傲的人竟想试用他的威力，
反对至高无上的宙斯，
因此，才得到这样的赏赐。
他名叫厄菲阿尔特斯，就在巨人们恐吓诸神之时[20]，
他曾作出胆大包天的尝试：
他曾胡乱挥舞他那双臂，而从此那双臂永无动弹之力。”
我于是对导师说：“可能的话，
我真希望使我的眼睛能见识一下
那庞大无比的布里阿留斯[21]。”

“这个狂傲的人竟想试用他的威力，反对至高无上的宙斯。”（第三十一首第91、92行）

导师就此答道:“你将看到安泰俄斯[22],
他离此不远,能言谈,又未被缚住,
他会把我们送到这罪恶深渊的底部[23]。
你想见到的东西在更远处多不胜数,
他们都像此人一样被捆住,形状也相同,
除了他们的面目显得更加狰狞。”
即使十分强烈的地震
也不会把一座塔楼如此猛烈地撼动,
就像厄菲阿尔特斯随时都会撼动他的全身[24]。
倘若我不曾看见那些锁链,
这时我会比过去任何时候都惧怕死神,
而单只那恐惧就足以令我丧命。

安泰俄斯

我们于是又继续向前,
我们来到安泰俄斯身边,
他从深井中露出,不算头部,整整有五阿拉[25],
“哦,你曾住在那幸运的河谷[26],
那河谷曾使斯基比奥获得无上光荣,
而汉尼拔与他的部下则败退逃奔,
你曾捕获狮子千头作为食品,
倘若你曾参加你兄弟们的那次激烈战争,
至今还会有人认为,
那些大地之子原会旗开得胜[27]。
请把我们送下去吧,切勿不屑理睬我们,
请把我们送到科奇土斯,那里,寒冰把湖水冷冻[28]。
请不要令我们去求助提替俄斯和提弗乌斯[29]:
此人可以奉献这里人们所渴求的物品[30],
因此,请俯下身来,不要扭曲你的面孔[31]。
因为他是活人,他还能使你在世间扬名,

但是，他却轻轻地把我们放到井底，正是那井底把卢齐菲罗和犹大吞食在一起。（第三十一首第 142、143 行）

等待他的还有漫长的人生旅程[32]，
只要天神的恩泽不提前把他唤到身边。”
老师说了上述一番话；那人于是
赶紧伸出双手，抱起我的导师，
而过去海格立斯感到自己正是被这双手有力紧握[33]。
维吉尔觉出自己已被抱住，便对我说：
“到这里来，让我把你抱起。”
他随即一手把我搂住，就像一块布包住他和我。
犹如从倾斜的下方，仰望加里森达斜塔[34]，
一旦一片云朵从它上面掠过，
就仿佛那斜塔倾下，迎向云朵；
在我看来，安泰俄斯也正是这样，
我注意观看他俯下身躯，而就在此刻，
我宁可有另一条道路可供选择。
但是，他却轻轻地把我们放到井底，
正是那井底把卢齐菲罗和犹大吞食在一起[35]；
因为他是深弯身躯，他未曾拖延下去，
他立即把身子挺直，犹如海船把桅杆竖起。

注释

①这里接续上一首的最后部分：即维吉尔责怪但丁注意亚当师傅与西农的低俗争吵，随后又原谅了他。

②此段用典取自希腊神话：阿奇琉斯的父亲珀琉斯（Peleo）为埃吉纳岛（参见第二十九首注⑬）国王，也是追随伊阿宋寻找金羊毛的阿耳戈英雄之一。他有一把投枪，该枪的铁锈能治愈被它刺破的伤口；该枪后来留给了阿奇琉斯。此典在中世纪颇常见，主要取材于奥维德的《变形记》等著作；在抒情诗中，此典又发展为描述爱情创伤，十三、十四世纪不少诗人都把此典比作所爱女人的亲吻和视线，大诗人彼特拉克的名著《歌集》中就有多处引用此典，描述爱情。

③“背向那凄惨的深谷而行”指离开第十个恶囊，走上把第八环与第九环亦即中心深井隔开的那道堤岸。

④指这里的光线类似黄昏时刻。

⑤这里把传来的号角声比作十一世纪下半叶法国史诗《罗兰之歌》(*Chanson de Roland*)中罗兰壮烈牺牲前所吹出的号角声:法兰克国王查理大帝(Carlo Magno,742—814)于公元800年加冕为罗马国王,从而创建了神圣罗马帝国(Sacro Romano Impero);公元778—779年,他曾率军征讨被阿拉伯人占领的西班牙,在比利牛斯山昂赛瓦山谷(Roncisvalle)遭到巴斯克人的挫败,其十二名武士(paladino)之一罗兰所率领的后卫军被叛军伏击,罗兰在阵亡前曾死命吹号角求援。《罗兰之歌》第1753—1767句曾对罗兰吹号角的情节作了细腻而生动的描绘:"罗兰把号角放到嘴边;紧紧地把它噙住,并用力把它吹响;山丘高耸,号声悠长;整整九十里的地方也能听到号声的回响;查理闻听此声,他的全部军队也都耳闻……罗兰伯爵精疲力竭,气喘吁吁,他忍着剧痛,吹出号角声;从他的嘴里,明亮的鲜血流如泉涌;他用力过猛,太阳穴也随之裂迸;号声响彻云霄,震得山摇地动;查理听到此声,听到它从山岭的峡谷传送;纳摩(Namo)听到此声,法兰克人都在伸耳倾听。"诗中所提"神圣的战友"即指查理大帝的十二名武士,他们都为自己的信仰而战死。

⑥"巨人"即指试图将奥萨山放在奥林普斯山上,又将佩利奥斯山放在奥萨山上,作为云梯,登天进攻诸神的巨人(参见第十四首注⑪)。《旧约·创世记》第六章第四句也曾认为,世间是有巨人的:"当时,地上住着一些巨人,他们后来也存在";因此,中世纪普遍认为,巨人是确实存在的。

⑦蒙泰雷焦尼(Montereggioni)系1213年锡耶纳人在埃尔萨河谷(Valdelelsa)建立的一座城堡,以抗拒佛罗伦萨人的入侵。今为一小镇,位于锡耶纳省西北十四公里处;埃尔萨河(Elsa)则为阿尔诺河一支流,水质多钙,全长六十四公里。该城堡在1260—1270年间又在城墙上增建了十四座高约二十米的瞭望塔;今天,这些塔楼大部分已塌毁,但仍很壮观。

⑧指企图登天反对诸神的巨人在弗雷格拉大战中被宙斯用雷电劈死(参见第十四首第58句和注⑪)。

⑨该巨人为宁禄(Nembrotto或Nembrot,Nembrod,Nembrotte)。他是含(Can)的后代,巴比伦第一个国王。《旧约·创世记》第十章第六至十句中说他是含的儿子古实(Cus)之子,是"世上勇士的始祖",还是个"孔武有力的猎人"。但丁在《论俗语》和《炼狱篇》中曾根据基督教早期领袖著作的传统说法,把他说成是建造位于示拿(Sennerr)的巴别(Babele)城和同名高塔的主要负责人:《旧约·创世记》第十一章第一至八句中曾指出,原来"全地的人只说一种语言",正因人类好大喜功,要建造一座城池和一座"耸入云霄的高塔",以求扬名天下,并避免人口四下流散,这座城池和高塔便叫做"巴别",但此举动激怒了上帝,上帝把他们分散到各地,并制造多种语言,"搅乱"了他们的"语言",使他们无法相互交谈和沟通。

⑩此句意谓:巨人具有摧毁人类的巨大威力,犹如战争,他们在自然界中消失,是一大"善事",正像战神玛尔斯(Marte)丧失其在人间的"战争执行者"一样。

⑪这里是说,大象和鲸鱼等动物有伤害人类的意志和威力,却缺乏理智,因而人类才能更容易地对抗它们。

⑫“松果”(pina 或 pigna)是青铜顶饰建筑物,据说原是罗马皇帝阿德里亚诺(Adriano,76—138)自行设计的陵墓的顶饰,也有说是罗马万神庙(Pantheon)的装饰物。公元498—514年任教皇的希马克(Simmaco)将它移至圣彼得大教堂前厅作为喷水池的装饰物;教皇朱利奥二世(Giulio II,1443—1513)在位时又将它拆除;现该松果存于梵蒂冈松果院(Cortile della Pigna)由文艺复兴时期著名建筑师布拉曼泰(Bramante,1444—1514)设计的贝尔维代雷大壁龛(Nicchione del Belvedere)内。但丁时期,该松果已相当残破,如今高度为四点二十三米。

⑬“遮羞布”原文为 perizoma,在希腊文中意谓掩盖下体部分的衣衫;但丁借用此词可能源于《旧约·创世记》第三章第七句,即指亚当与夏娃围在腰上的“编织成块”的“无花果树的叶子”。

⑭弗里西亚人(Frison 或 Frisoni):为荷兰位于北海之滨的弗里西亚(Frisi 或 Frisia)的居民,属日耳曼族,身材极高,超过世人,故以身高著称。诗中是说,即使把三个弗里西亚人像叠罗汉似的摞在一起,也摸不到宁禄的头部。

⑮“扣斗篷的地方以下”指锁骨部分。

⑯这里用“拃”(palmo)来计算宁禄的上半身(即从锁骨到腰部)的长度。古时每一拃约合零点零七四米,以此推算,宁禄的上半身约为三米,但这里只是用来形容宁禄身材的巨大,不宜以数学实际数值来计算。萨佩纽和波斯科-雷吉奥两注释本均未就此提出具体数字:前者只是提及,据近代注释家卡米利(Camilli)推算,宁禄身高约二十八米,而后者则估计有二十五米;也有人估算宁禄上半身长约七米。

⑰此句的原文为 Raphèl maí amècche zabí almi,古代注释家曾设法破译此句,结果徒劳;其实,但丁故意写出如此费解的词句,其目的可能是使读者对巴别塔造成的语言混乱有一个“具体概念”(德·奥维德)。但也有人认为,但丁是依据《圣经》和中世纪词汇中一些希伯来文的发声构思出来的;近代注释家(如莫米利亚诺 Momigliano)则认为,诗中有意让宁禄发出令人难懂的呼声,而其他巨人则均沉默不语,主要用以说明作为第九环看守者的巨人无力用言语自我表达。

⑱这里的号角指狩猎时使用的号角,因《旧约·创世记》曾把宁禄说成“孔武有力的猎人”(参见注⑨)。

⑲此处仍指宁禄建造巴别塔,从而导致人类语言的混乱。

⑳厄菲阿尔特斯(Fialte 或 Efialte):参加反对宙斯等天神的弗雷格拉大战的巨人之一,为海神奈图努斯(Nettuno)与伊菲美狄亚(Ifimedia)所生,为最胆大包天的巨人中的一个。

㉑布里阿留斯(Briareo):为乌拉诺斯(Urano)与大地女神泰拉(Terra)之子,为巨人中最凶恶的。据说,他有一百条胳臂,五十个头,五十张嘴中可喷吐烈火。维吉尔在《埃涅阿斯记》第十章第565—568句中曾对他作了上述描绘,但诗中并未沿袭这种写法,而是把他写成与其他巨人一样亦有人性。

㉒安泰俄斯(Anteo)亦为海神奈图努斯与大地女神泰拉所生。据说,他住在利比亚沙漠地带一

个大山洞内，以狮子为食（卢卡努斯的《法尔萨利亚》第四章和维吉尔的《埃涅阿斯记》第一章均描述了这一点）。他曾许愿要用人的头骨为其父海神的庙宇修建顶盖，因而他杀死一切过往行人。海格立斯为民除害，曾与之搏斗，把他三次打倒在地而不胜，因他一旦倒在地上，大地母亲就赋予他新的力量。最后，海格立斯把他举起，使他离开地面，将他扼死。诗中把他写成未参加弗雷格拉大战，因此未被锁链捆缚，并把他说成与宁禄不同，即他能操人类能懂的语言。

㉓“罪恶深渊的底部”即地狱的最底层。

㉔这里似乎是说：厄菲阿尔特斯闻听维吉尔称布里阿留斯比他凶猛，同时又感到自己受刑是一种屈辱，因而随时都会暴跳如雷。

㉕这里用“阿拉”（alla）来描述安泰俄斯的上半身长度：阿拉原为古代弗朗德勒（Fiandre）即今佛拉芒地区（Fiamminghe）所用的度量尺度，相当于古意大利部分地区所使用的“卡纳”（canna），一“卡纳”相当于二米或二点六米；也相当于佛罗伦萨当时所用的一“啰”（braccio），一“啰”相当于一点八二米。这里也是借以强调安泰俄斯的“巨大”，无须斤斤计较。萨佩纽注释本说，五阿拉与宁禄的身量差不许多，相当于三十拃，而波斯科-雷吉奥注释本则认为，五阿拉相当于两啰半，亦即七米左右。

㉖“幸运的河谷”指巴格拉达河（Bagrada）河谷，该河位于北非扎马（Zama）附近，安泰俄斯所住山洞即在此地；公元前202年，罗马名将斯基比奥（Scipione）曾在扎马大败迦太基名将汉尼拔，斯基比奥因而获得“阿非利加的斯基比奥”的光荣称号。据萨佩纽注释本称，此句有两种解释：一是该河谷因斯基比奥在此获胜而出名，从而成为“幸运的河谷”；一是该河谷使斯基比奥获得光荣的战功；波斯科-雷吉奥注释本则认为，该河谷之所以为“幸运”，是因为它既是安泰俄斯的住地，又是斯基比奥获胜的战场。

㉗据卢卡努斯在《法尔萨利亚》第六章第596—597句的说法，由于大地女神“怜惜上天”，安泰俄斯未被派去参加弗雷格拉大战。这里的“大地之子”指所有巨人。

㉘科奇土斯（Cocito）即位于地狱最底层的科奇土斯冰湖，是惩罚各类叛徒之所在。

㉙提替俄斯（Tizio）和提弗乌斯（Tifeo 或 Tifo）均是反对天神的巨人，前者曾诱惑月神狄亚娜和日神阿波罗之母拉托娜（Latona），被阿波罗用雷电击毙；后者在登天时被宙斯用雷电劈死，葬于埃特纳火山（Etna）。卢卡努斯在《法尔萨利亚》第四章第595句中曾把二人并提，并说他们不如安泰俄斯强而有力。

㉚“此人”指但丁；“物品”指地狱中的鬼魂都渴望自己能在人世间扬名。

㉛“扭曲面孔”指面部露出蔑视、厌恶的表情。

㉜这里是说但丁这时只是在人生旅程中的一半，若以七十岁作为人的平均寿命，不过三十五岁，尚有三十五年好活。

㉝指海格立斯与安泰俄斯搏斗时，曾被安用双手抓住。

㉞加里森达斜塔（Garisenda）是波洛尼亚两座著名斜塔之一（另一斜塔名阿西奈利 Asinelli），二

塔现成为波市的标记。加里森达塔为1110年加里森达家族两兄弟腓力浦(Filippo)与奥多(Oddo)所建,正如阿西奈利塔为1100年由阿西奈利家族两兄弟所建一样。阿西奈利塔高一百零七米,倾斜度为一米余,加里森达塔比它矮,但倾斜度则更甚。二塔均筑于波市拉维加纳门广场(Piazza di Porta Raviggiana),1286年,二塔四周许多民房被拆除,因而显得十分突出。加里森达塔现高四十七点五一米,因十四世纪下半叶时,曾被拆掉一部分。佛罗伦萨古代手抄本曾将加里森达的"加"(Ga)写成"卡"(Ca),一般则用"加"。波斯科-雷吉奥注释本循佩特罗基注释本,将加里森达则仍作"卡里森达"(Carisenda)。

㉟此句意谓:科奇土斯湖为地狱之王卢齐菲罗与叛徒犹大所在地。第九环又分四环,第四环即为"犹大环"(Giudecca),犹大的鬼魂即在此受苦。第四环之下有天然洞穴(burella),为卢齐菲罗栖息之所。

第三十二首

科奇土斯湖(1—30)
该隐环(31—69)
安特诺尔环(70—78)
博卡·德利·阿巴蒂(79—123)
乌哥利诺伯爵与鲁吉埃里大主教(124—139)

科奇土斯湖

倘若我有尖酸辛辣的诗句,
正如描绘这个凄惨的洞穴本该使用适当的词语[1],
而在这洞穴之上另有大片岩石块块矗立,
我原会更充分地绞尽脑汁来这样做;
但是,因为我对此类诗句并不掌握,
我只好惴惴不安地勉强述说;
因为要把整个宇宙的底层描写透彻[2],
这可不是应予轻率对待的一个举措,
也不是用呼妈唤爸的舌头就能加以叙说[3]:
不过,但愿众女神能帮助我完成我的诗作[4],
她们曾帮助安菲翁建筑特拜城的围墙[5],
但愿她们帮助我述说也不致有两样的结果。

哦,所有这些生来不幸的罪人啊,
你们待在此地,这使我谈起你们是多么困难[6],
你们倒不如曾作为绵羊或山羊活在人间!
我们这时已落入这黑暗的深井[7],
在那巨人的脚下,我们显得低矮更甚[8],
我还在凝眸观望那高耸的石壁,
耳听有人在对我说:“看看你是怎样走过来的;
走开,你不要把脚跟
踩在可怜而又悲惨的兄弟们的头顶[9]。”
于是,我转过身来,看到我的面前,
在我的脚下,有湖水一湾[10],
因为湖已冰冻,它不像是水,倒像是玻璃片。
奥地利的多瑙河在冬季,
它的水流也不会结成这样厚实的冰层,
顿河在那寒冷的天空下也不会这样结冰[11];
即使坦贝尔尼基山或是皮埃特拉帕纳山[12]
倒落到这冰湖上边,
冰湖也不会发出咯咯的震裂声,哪怕是在它的边缘。

该隐环

犹如青蛙把嘴脸浮出水面[13],
呱呱地叫个没完,
而这时节,农妇则常常梦见把麦穗拾捡[14];
那些埋入冰中的受苦幽魂
冻得青紫,一直埋到羞愧发红的面孔,
他们牙齿打战,发出鹳鹤的敲喙声。
每个鬼魂都把脸转到下面:
嘴上证明他们在挨冻受寒,
眼里则证明他们在痛苦心酸[15],
这时,我朝我的四周扫视了一下,

又把目光转到脚下观察，
我看见有两个人紧贴在一起，头发也相互混杂[16]。
我说："你们俩彼此贴胸抱紧，
请告诉我，你们是何人？"
他们仰起脖颈；随后又朝我抬起了面孔，
他们的眼睛先是含满了泪水，
此刻则把眼泪滴滴洒落在双唇，
寒冷把他们之间的泪水冻结成冰，把他们二人也紧紧密封[17]。
即使铁条也从不会把木板与木板钳得如此之紧；
因此，他们就像两头山羊似的一起撞顶，
冲天的怒气使他们无力抗争。
有一个人已经把双耳冻掉，
尽管他一直把脸面放到下边，
他说道："为什么你这样死死盯住我们？
你若是想知道这两个是何人，
毕森丘河倾泻而下的那片河谷[18]
就属于他们的父亲阿尔贝托，也属于他们[19]。
他们俩是从一个肉体中出生[20]，
你可以在整个该隐环中到处寻觅，
你找不到更值得埋入寒冰的鬼魂。
那个被亚瑟王一手刺死的人比不上他们，
亚瑟王刺穿了他的胸膛，也毁坏了他的身影[21]；
佛卡恰也比不上他们；
那个用脑袋挤着我、令我无法看得更远的人
同样比不上他们[22]，他名叫萨索尔·马斯凯罗尼[23]，
你若是托斯卡纳人，如今就该很清楚他是何许人。
为了使你不必让我多费辞令，
你可以知道：我就是卡米丘恩·德·帕齐[24]；
我正在等待卡尔林，他会使我的罪行显得更轻[25]。"

安特诺尔环

后来，我又看见上千个冻得青紫的面孔；
这使我不禁打起寒噤，
每逢我见到冰冻的水塘，我总会这样情不自禁。
我们朝那中心地区走去，
一切重量都汇集在那里[26]，
此刻在那永恒的冰天雪地，我不由得浑身战栗[27]。
我不知这是出自天意，还是命运使然；
但是，当我从这些人头中穿过时，
我的一只脚却重重地踢到一个人的脸面。

博卡·德利·阿巴蒂

他边哭边对我叫骂："你为什么踢我？
既然你不是来加重蒙塔佩尔蒂的报复[28]，
那你又为什么折磨我？"
我于是说："我的老师，现在请你在这里等我，
我要消除对此人的疑惑：
然后，你可以听凭你的意愿，催促我加快前行。"
导师停下步来，我于是对那人说道，
尽管那人仍在穷凶极恶地骂个不停：
"你究竟是什么人，竟然如此训斥别人？"
"那么你是什么人，竟然在安特诺尔环走动[29]？"
那人答道，"还脚踢别人的脸面，踢得那么重，
倘若我是活人，这一足也过分伤人[30]。"
我的回答是："我可是个活人，这可能会对你有价值，
倘若你想要扬名人世，
我可以在此行其他纪录中记下你的名字[31]。"
他于是对我说："我渴求的恰好相反；
你从这里滚开，不要再跟我捣乱，
在这个深渊里，你说这些讨好话实在是打错算盘[32]！"

于是，我把他后颈上的头发一把揪住，
说道："你必须说出你的姓名，
99 不然的话，你这里的头发会一根不剩。"
这时他对我说道："即使你揪掉我的头发，
我也不会告诉你我是什么人，
102 即使你倒在我头上一千回，我也不会让你看出我是谁。"
我此刻已经把他的头发攥在手里，
我从他头上拔掉不只一绺，
105 他不住地吠叫，眼睛拼命往下瞧[33]。
这时，另有一人叫道："你怎么了，博卡？
你若不吠叫，光用腮帮子打出声响难道还不够么[34]？
108 你究竟着了什么魔？"
我说道："我现在不想再让你多讲，
可恶的叛贼；我将来要介绍你的真情实况，
111 好叫你臭名远扬。"
他答道："滚开吧，你愿意怎样说就怎样说，
但是，你一旦从这里出去，
114 万不可不提那个家伙：他现在竟然如此油嘴滑舌[35]。
他在这里哭泣的是法国人给他的那笔钱财：
你将来可以说，'我曾见到那个多维拉家的人[36]，
117 就在那有罪之人挨冻受罪的地带。'
倘若有人问你：'还有其他人么？'
你就说，他的身旁还有贝凯里亚家的人[37]，
120 佛罗伦萨曾砍断他的脖颈。
我想，在更远处，那是贾尼·德·索尔达尼埃尔[38]，
同他一起的是加奈洛内和泰巴尔代洛[39]，
123 正是泰巴尔代洛在法恩扎人熟睡时大开了城门。"

乌哥利诺伯爵与鲁吉埃里大主教

我们已经离他远去，

上面的人正是这样把下面的人用牙紧咬，他所咬之处是脑壳与颈椎相连的地方。（第三十二首第128、129行）

这时我看见有两个人冰冻在一个窟窿里[40]，
一个头像顶帽子扣在另一个头上；
犹如一个人饥肠辘辘，在啃啮面包，
上面的人正是这样把下面的人用牙紧咬[41]，
他所咬之处是脑壳与颈椎相连的地方：
这与提德乌斯怒火万丈，
啃咬梅纳利普斯的太阳穴没有两样[42]，
那人也在狠狠地啃啮着另一人的头颅和其他部分[43]。
我说道："哦，你在你啃咬的那人身上，
表现出如此残暴的愤恨，
请告诉我，这是什么原因，
暂且以此为条件，倘若你对他发泄怨恨是在情理之中，
一旦我得知你们是谁和他所犯罪行，
我一定会在尘世为你昭雪冤情，
只要我用来说话的舌头不至干枯难动[44]。"

注释

①"凄惨的洞穴"指位于地狱中心的深井。

②"整个宇宙的底层"指地狱的底层，因而也是地球的中心；依照中世纪托勒密天文体系的说法，地球位于整个宇宙的中心，并且是不动的，因此，地狱的底层，亦可说是整个宇宙的中心。

③"呼妈唤爸的舌头"指儿童的语言，幼稚的才智；但丁在《论俗语》中曾指出："妈妈"和"爸爸"是"幼雅的语汇"（puerilia），是不能用于高雅的文风的，正因如此，近代注释家基门兹曾对此提出质疑，因为《神曲》并非用"悲剧"文体亦即高雅文风写成的；其实，这里只是强调，要用"适当的词语"来表达，要使语言与题材相适应。

④"众女神"指司文化艺术的九位"缪斯"（Muse），她们是化为牧人的宙斯与记忆女神穆尼摩西尼斯（Mnemosine）所生：克利奥斯（Clio）司历史，欧特尔皮斯（Euterpe）司音乐，塔丽亚（Talia）司喜剧，梅尔波麦尼斯（Melpomene）司悲剧，特尔西科雷斯（Tersicore）司舞蹈，爱拉托斯（Erato）司哑剧和歌唱诗，波丽妮亚（Polinnia）司抒情诗，乌拉妮亚（Urania）司天文学和数学，卡丽奥皮斯（Calliope）司史诗。

⑤安菲翁（Anfione）为宙斯与河神阿索波斯（Asopo）之女、特拜王后安提奥佩（Antiope）所生的私生子，善用竖琴吟诗作歌；据说，太阳神阿波罗送他一把金竖琴，在缪斯女神的启示下，他用竖琴弹奏出甜美的乐声，竟使西特罗尼斯山（Citerone）的岩石为之所动，纷纷滚落下来，他

便与其弟泽托(Zeto)一起,用这些石头建起特拜城的围墙。此说见贺拉斯的《诗艺》(*Ars poetica*)第394—396句和斯塔提乌斯的《特拜战记》第十章。

⑥波斯科-雷吉奥注释本认为,此句意思含糊:为何“困难”?是由于第5、6句所说的困难,还是因为这些鬼魂在冰湖中受苦的情况难以描述?

⑦此深井是地狱的最后一环,犹如井底,由一大片冰湖构成,比巨人的脚要低(因巨人是踩在深井外缘的边沿斜坡上)。这冰湖根据鬼魂生前所犯的不同的罪状,分成四个区域(或称四环),呈斜坡状,直通地心,那里则是卢齐菲罗的所在地。波斯科-雷吉奥注释本特别指出:第九环四个区域之间的差别仅在于被插入冰湖中的罪人所处的位置和姿态。既然冰湖呈斜坡状,似仍有层次之分。

⑧萨佩纽和波斯科-雷吉奥两注释本都认为:由于巨人是踩在更高一层的石阶上或斜坡的顶端,但丁与维吉尔显得“低矮更甚”;也有人认为,安泰俄斯虽把但丁等放在他的脚下,但还有一定距离,而冰湖地势又呈斜坡状,故但丁显得更加低矮。

⑨这里的“兄弟们”不是指下面所说的两兄弟,而是泛指在冰湖中受苦的同伴。

⑩这里的“湖水”即科奇土斯湖。按希腊神话以及荷马、柏拉图、维吉尔等希腊罗马诗人所述,科奇土斯原是地狱中的一条河流,围绕塔尔塔罗亦即地狱所在地,河岸上游荡着死后未被掩埋的亡魂,而塔尔塔罗则是惩罚不能赎罪的鬼魂之所在。但丁把它虚构为冰湖,其湖水是受卢齐菲罗扇动翅膀,刮起寒风,冻结成冰的,这一点在第三十三首和第三十四首中有叙述。

⑪“寒冷的天空”指俄罗斯的天空。

⑫坦贝尔尼基山(Tambernicchi):古今注释家对此山有多种解释:佛罗伦萨无名氏认为,它是“斯基亚沃尼亚(Schiavonia)的一座大山,极高,全部为岩石,几乎无土,一眼望去,仿佛浑然一体”;斯基亚沃尼亚或斯拉沃尼亚(Slavonia)为现今坐落于萨瓦河(Sava)下游、德拉瓦河(Drava)下游与多瑙河之间的南斯拉夫北部地区。但其他古代注释家则几乎都认为是巴尔干半岛的一座山岭,或属匈牙利,只布蒂认为是指阿美尼亚(Armenia)的一座山峰。许多近代注释家(如巴塞尔曼)沿袭上述古代注释家的说法,认为该山是位于托瓦尔尼克(Tovarnik)附近的伏鲁斯卡峰(Fruska Gora)或离波斯图米亚(Postumia)不远的雅沃尔尼克峰(Iavornik)。但托拉卡根据下面提到的皮埃特拉帕纳山(Pietrapana),认为此山可能是与皮埃特拉帕纳山同属阿普阿纳阿尔卑斯山脉(Alpi Apuane)的坦布拉峰(Monte Tambura),古书上则称此山为“斯坦贝尔利凯山”(Stamberlicche)。波斯科-雷吉奥注释本认为,此说较可信,而且但丁可能把同一山脉的两座大山合在一处了。皮埃特拉帕纳山,或称“皮埃特拉·阿普阿纳山”(Pietra Apuana,意谓“阿普阿纳的石头”),即现今阿普阿纳阿尔卑斯山脉的帕尼亚·德拉·克罗切山(Pania della Croce),高一千八百五十九米,位于坦布拉峰东南塞尔基奥河(Serchio)与马格拉河(Magra)之间(二河可分别参阅第二十一首第49句和第二十四首第145句)。

⑬这里把叛卖者的鬼魂比作青蛙,这种类比与第九首第76—78句和第二十二首第25—27句的

写法同出一辙;注释家认为,这种类比源自奥维德的《变形记》第六章。

⑭指青蛙多叫的季节正值夏初收麦季节。

⑮此句意谓:鬼魂受冰冻之苦是从"嘴上"和"眼里"表现出来的:嘴上是"打战",眼里则是"流泪"。

⑯这里是该隐环(Caina),是第九环的第一层,是惩罚叛卖亲属者之所在,故以《旧约·创世记》第四章第一至八句所述杀死亲生弟弟亚伯的该隐(Caino)命名。这里所说"紧贴在一起"的两个人,即生前手足相残、死后也一直相互敌视的亲生兄弟,详见下文。

⑰注释家对此句诠释不一:萨佩纽注释本认为,近代注释家波雷纳的解释,即泪水流到双唇之间,被寒冷冻住,从而双唇也被"密封"了,是"不能令人信服"的,而卡西尼(Casini)的解释则更符合当时情况,即:通过泪水,两兄弟被冻到一起,"嘴对嘴地联接到一处";波斯科-雷吉奥注释本则对上述看法有保留,认为泪水不可能冻成厚厚的冰块,把两兄弟联接到一处;它认为,"最合逻辑、最简单的解释"是:眼泪流到嘴边,而眼中的余泪结冻成冰,从而把双眼"密封",使之看不见东西。但它未说明何以二人怒气冲天,互相顶撞,又如诗中所说的,何以二人比铁条钳木板还贴得更紧。

⑱毕森丘(Bisenzo 或 Bisenzio)为阿尔诺河右方支流;该河从毕森丘河谷(Valle Bisenza)"倾泻而下",流经普拉托(Prato),然后汇入阿尔诺河。

⑲阿尔贝托(Alberto)为佛罗伦萨贵族,世袭伯爵,全名为阿尔贝托·德利·阿尔贝蒂(Alberto degli Alberti),在毕森丘和西埃维(Sieve)两河谷地区拥有许多城堡,维尔纽(Vernio)、曼哥纳(Mangona)均为其采地。其妻瓜尔德拉达(Gualdrada),生三子:长子那波莱奥内(Napoleone),次子亚历山德罗(Alessandro),幼子古利埃尔摩(Guglielmo)。他死后,不知何故,将财产十分之九遗给次子和幼子,长子则仅得十分之一,这引起兄弟间争夺遗产的流血斗争。

⑳"从一个肉体中出生"即指一母所生,因而是同胞手足。此二人是那波莱奥内和亚历山德罗。据佛罗伦萨无名氏称,他们二人为争夺城堡,最后同归于尽;萨佩纽和波斯科-雷吉奥两注释本也指出,其中也有政治原因,但以利益冲突为主:那波莱奥内为吉伯林派,亚历山德罗则为归尔弗派;早在1259年,那波莱奥内就以暴力夺取了属于其弟之遗产,后来在佛罗伦萨市政府的调解下,不得不将所夺的曼哥纳城堡归还原主;1279年,枢机主教拉蒂纳出面斡旋,调解兄弟冲突未果,双方斗争愈演愈烈;1282年至1286年间,兄弟二人进行了殊死搏斗,手足相残,在这之后,亚历山德罗之子阿尔贝托又手刃了那波莱奥内之子奥尔索(Orso)。

㉑此人为摩尔德雷(Mordret 或 Mordrec):为亚瑟王之子(也有说是亚瑟王之侄或甥的),曾预谋弑父,篡夺王位,但被亚瑟王发现,用长矛将其刺死,事见法国骑士传奇《湖上的朗斯洛故事》(*Histoire de Lancelot du Lac*,参见第五首注㉓),其中描述:亚瑟王的长矛刺穿了他的前胸,长矛拔出后,阳光射入创口,从而把其身影也破坏了。佛罗伦萨无名氏、大诗人卡尔杜契也都曾对此作过描述。

㉒佛卡恰(Focaccia),为皮斯托亚名门望族瓦尼·德伊·坎切利埃里(Vanni dei Cancellieri)之

绰号，意谓“烤饼”，属该家族的白党。《皮斯托亚故事集》（*Storie pistoresi*）一书说他性喜寻衅闹事，其妻为维尔乔莱西家族（Vergiolesi）的塞尔维珈（Selveggia），十三世纪新体诗诗人、但丁之友齐诺·达·皮斯托亚（Cino da Pistoia）曾写诗歌颂过她。坎切利埃里家族内部黑白两党纷争，佛卡恰为维尔乔莱西家族一名被坎切利埃里家族黑党分子杀害的成员报仇，竟杀死其堂兄德托·迪·梅塞尔·西姆巴尔多·德伊·坎切利埃里（Detto di Messer Simbaldo dei Cancellieri），又在蒙泰穆尔洛城堡（Montemurlo）杀死德托·德伊·罗西（Detto dei Rossi）。但古代注释家说他被打入该隐环受苦是因为曾杀死其叔父，但丁之子彼特罗则说他有弑父之罪；近代注释家验证，此说不确。唯一可靠的说法仍是他曾杀死其堂兄，近代的巴尔比、皮亚托利（Piattoli）并说，他是在其堂兄进入一个曾用披肩取笑过他的人的店铺时杀死其堂兄的。

㉓萨索尔·马斯凯罗尼（Sassol Mascheroni），为佛罗伦萨显贵托斯基家族（Toschi）成员。古代注释家对其所犯罪行说法不一；据佛罗伦萨无名氏称，他为夺占叔父的产业，杀死其叔父的独生子，亦即其堂弟。他作案后曾离开佛市，后又返回，这时其叔父已死，他于是便侵吞遗产。后其罪行被揭露，他被捕，判处死刑：先被置入装有钉子的酒桶之内，在地上拉来滚去，然后被枭首示众。此事当时在托斯卡纳地区为人所尽知，故诗中说，“你若是托斯卡纳人，如今就该很清楚他是何许人”。

㉔卡米丘恩·德·帕齐（Camicion de Pazzi），全名为阿尔贝托·卡米丘内·德伊·帕齐·迪·瓦尔达尔诺（Alberto Camicione dei Pazzi di Valdarno），据佛罗伦萨无名氏说，他曾与同宗乌贝尔蒂诺·德伊·帕齐（Ubertino dei Pazzi）共同占有一些城堡，他为独吞此产业，曾骑马持刀，将乌贝尔蒂诺践踏在地，乱砍数刀，最后结果其性命。

㉕卡尔林（Carlin）即卡尔利诺·德伊·帕齐·迪·瓦尔达尔诺（Carlino dei Pazzi di Valdarno），为佛罗伦萨归尔弗派白党分子。据维拉尼在《编年史》第八章中说，他与被放逐的白党分子一起曾固守皮安特拉维尼埃城堡（Piantravigne）；1302 年 7 月 15 日，他背叛本党，竟把城堡拱手奉献给围攻城堡的黑党敌军，致使许多白党分子战死或被俘，而他则得以返回故土，并获得大笔赏钱。因此，卡尔利诺是背叛本党的政治叛卖者，所犯罪行比卡尔丘内更重，被打入第九环第二层即安特诺尔环（Antenora）受苦。与该隐环不同的是：那里的鬼魂虽也埋在冰中，头却是扬起的。

㉖“中心地区”指地球和宇宙的中心，是一切重量集中之所在。

㉗“永恒的冰天雪地”即指寒冷的地狱。

㉘蒙塔佩尔蒂（Montaperti 或 Monteaperti），为距锡耶纳不远的山口，1260 年 9 月 4 日，佛罗伦萨归尔弗派与吉伯林派在此进行了一场鏖战，吉派领袖法里纳塔·德利·乌贝尔蒂在西西里王曼弗雷迪的援助下，大败敌军（参见第六首注⑪和第十首第 22—102 句及有关注释）。这里所说的鬼魂是归派分子博卡·德利·阿巴蒂（Bocca degli Abati），他在战斗中背叛本党，用剑将持有佛罗伦萨市府旗帜的同党纳卡·德伊·帕齐（Nacca dei Pazzi）的手砍断，归派军队见本党旗帜倒地，博卡叛党，纷纷溃逃。维拉尼的《编年史》第六章和马拉斯皮尼的《佛罗伦

萨编年史》第 171 节对此均有记载。归派失利后,佛市由吉派掌权,在此期间,博卡参加了吉派;1266 年归派东山再起,重掌佛市大权,博卡被放逐。

㉙安特诺尔环是以特洛伊城的安特诺尔(Antenore)而得名。荷马史诗中把他说成睿智而善辩的王子。他曾规劝特洛伊人送还被帕里斯抢来的海伦,以求与希腊人和解,但特洛伊人未听从他的建议。据中世纪塞尔维奥(Servio)对维吉尔《埃涅阿斯记》的评注说,他曾背叛祖国,私自将特洛伊城守护神像帕拉迪奥(即雅典娜神像)献给敌人,并打开木马的小门,放出伏兵。此说在中世纪传布甚广,但丁未阅读过荷马史诗,可能就因袭了当时流行的说法,把安特诺尔作为卖国贼、叛党分子的代表,用以命名第九环第二层。

㉚此句有两种解释:一是即使你是活人,这一足也嫌过重;一是我若是活人,我绝不会受此侮辱,定要报复。萨佩纽和波斯科-雷吉奥两注释本都倾向于后一种说法。近代文学史家维托里奥・罗西(Vittorio Rossi,1865—1938)根据上下文,也断定是博卡说"倘若我是活人",因而下句但丁便说"我可是活人"。

㉛"其他纪录"指但丁游地府所见所闻的其他情况。

㉜由于博卡生怕世人对他的罪行一概尽知,对但丁许诺为他在世间宣传,根本不领情。

㉝波斯科-雷吉奥注释本认为,"眼睛拼命往下瞧"并非指他害怕被认出,低头试图掩饰自己,而是要拼命想从但丁手中挣脱,因为光是把眼睛"往下瞧"是不足以隐藏自己的面孔的。

㉞"用腮帮子打出声响"即指冻得牙齿打战。

㉟"那个家伙"即指插嘴揭露博卡姓名的鬼魂。

㊱此人是布奥索・迪・多维拉(Buoso di Dovera 或 Dovara)。他曾与乌贝尔托・帕拉维齐诺(Uberto Pallavicino)一起统治克雷莫纳(Cremona),而在这之前,他原为克市所属松齐诺(Soncino)僭主,属吉伯林派多维拉家族;1247 年起与乌贝尔诺联手,直至 1267 年止。1265 年,西西里王曼弗雷迪出钱,让他组织民兵,在伦巴第地区抗拒法国的安茹的查理大军,后他受法国人贿赂,使敌军兵不血刃,长驱直入(事见维拉尼《编年史》第七章)。1266 年,贝内文托战役中吉伯林派败于归尔弗派,他被逐出克市;1282 年,他重返克市,被当权的归派捕获。诗中把他作为受贿叛党者。

㊲此人名泰萨乌罗・德伊・贝卡里亚(Tesauro dei Beccaria),帕维亚(Pavia)人,为本笃会瓦隆布罗萨(Vallombrosa)修道院院长,曾任教皇亚历山德罗四世(Alessandro IV)在托斯卡纳地区的特使。他属归尔弗派,但于 1258 年吉伯林派被逐出佛罗伦萨后,他曾建议使吉派返回佛市,因而以背叛佛市归派的罪名,被捕入狱,后被斩首。维拉尼《编年史》第六章对此有记载。大卫德森(Davidsohn)的《佛罗伦萨史》(*Geschichte von Florenz*)第二章曾证明他有背叛行为;另但丁的老师布鲁内托・拉蒂尼(参见第十五首)在一封以佛市名义写给帕维亚市府的信中曾提及泰萨乌罗的供词。

㊳贾尼・德・索尔达尼埃尔(Gianni de' Soldanier),属佛罗伦萨吉伯林派名门望族,曾在 1266 年 11 月动乱中背叛其所属党派,参加了归尔弗派,维拉尼《编年史》第七章中也曾记载此事,

指责他为取得权势地位而出卖吉伯林派利益，但维拉尼在同书第十二章又对他备加赞扬，把他与贾诺·德拉·贝拉（Giano della Bella）、维埃里·德伊·切尔基（Vieri dei Cerchi）乃至但丁等人相提并论，认为他们都是于佛罗伦萨市有功、但却被佛市居民恩将仇报的人。

㊴加奈洛内（Ganellone，法文为 Guenelun）：原名“加诺·迪·马干扎”（Gano di Maganza），在记述公元八世纪法兰克王朝第二王朝即加洛林王朝的骑士传奇的诗歌（其中包括《罗兰之歌》）中，他曾作为典型的叛徒，是在昂赛瓦山谷伏击罗兰率领的查理大帝后卫军（参见第三十一首注⑤）的主要策划者，当时，他作为派驻西班牙的特使，与摩尔王马尔西利约（Marsilio）串通，在昂赛瓦山谷埋下伏兵。

泰巴尔代洛的全名为泰巴尔代洛·德·扎姆布拉西（Tebaldello de Zambrasi），属法恩扎吉伯林派。波洛尼亚吉伯林派兰贝尔塔齐家族（Lambertazzi）的成员被当权的归尔弗派逐出波市，逃往法恩扎，一度曾戏弄过他，他怀恨在心，为报复，他背叛本党，于 1280 年 11 月 13 日大开城门，把法恩扎献予了波洛尼亚归尔弗派杰雷梅伊家族（Geremei），因而在市镇割据的当时，是叛党叛国的双料货，十三世纪末和十四世纪初有关波洛尼亚党派之争的叙事诗中对此都有记述。两年多后，泰巴尔代洛在圭多·达·蒙泰菲尔特罗大败归尔弗派军队的战役（参见第二十七首第 43—44 句和注⑪）中战死。

㊵此二人即乌哥利诺伯爵（conte Ugolino）和鲁吉埃里大主教（arcivescovo Ruggieri），详见第三十三首。

㊶“上面的人”为乌哥利诺，“下面的人”为鲁吉埃里。

㊷提德乌斯（Tideo），为卡列多尼亚（Caledonia）国王，围攻特拜城的七王之一。据斯塔提乌斯在《特拜战记》第八章第 732—766 句中说，他被特拜人梅纳利普斯（Menalippo）刺中致命伤，但他也及时给以反击，将梅杀死；他在性命垂危时，令同伴将梅的首级枭下，他愤恨地拿在手中啃啮。

㊸“其他部分”指脑浆、皮肉等。

㊹对此句有三种解释：一是说，只要舌头不至干枯，陷于瘫痪；二是说，只要死神不提前阻止诗人讲话；三是说，只要我的语言，亦即我的诗歌，不至衰亡。最后一种诠释是近代注释家卡洛·格拉布埃尔（Carlo Grabher）提出的，他说：这是“宣布诗人对自己诗歌的不朽价值的坚定而清醒的信念，因而他将能使乌哥利诺的悲惨遭遇世代流传下去”。波斯科-雷吉奥注释本接受上述说法。

第三十三首[1]

乌哥利诺伯爵(1—78)

对比萨的谴责(79—90)

托勒密环(91—108)

阿尔贝里哥修士与布兰卡・多里亚(109—150)

对热那亚的谴责(151—157)

乌哥利诺伯爵

那个罪人从那可怕的食物上抬起嘴巴[2],
把嘴巴在头发上擦了擦,
那正是长在被他啃烂的后脑壳上的头发。
接着,他开言道:“你希望我把那绝望之痛重述一番,
而这痛苦是如此压抑着我的心田,
只要一想起,未经讲述,我就先肝肠痛断。
但是,我的话语若是一些种子,
能结出果实,揭露我所啃啮的那叛贼的丑事,
你就会看到我泪水滂沱,追述往事。
我不知你是谁,也不知你如何
来到这地下;但听到你讲话,我便觉得,
你似乎是地道的佛罗伦萨人。

你想必知道，我就是乌哥利诺伯爵，
此人则是鲁吉埃里大主教[3]：
现在我就要告诉你：我为何是他如此残暴的近邻。
正由于他用心险恶，
我又对他十分信任[4]，
我先是被擒，随后丧命，这一点不必多云。
但是，你无从知晓的是：
我死得多么悲惨，
你就将听到并了解他是否曾把我摧残。
那鹰塔有一个狭小的窗洞[5]，
而由于我的缘故，鹰塔才有饿塔之称[6]，
此后它还需要监禁别人，
那窗洞通过它的缝隙，向我显示：
多少月业已流逝，而这时，
我则做着噩梦，这噩梦撕破了遮盖我的前途的纱巾。
此人在梦中像是进行围猎的老爷和带头人[7]，
他猎取老狼和小狼在那崇山峻岭[8]，
那山岭使比萨人不能把卢卡看在眼中[9]。
他让瓜兰迪家族、西斯蒙迪家族及兰弗兰迪家族
带领着瘦骨嶙峋、却又动作敏捷、训练有素的猎犬[10]，
作为他的先驱，布置在最前线。
经过短暂的一阵奔跑，我感到
父亲和儿子们已经精疲力竭，无力再逃，
我似乎看到，锐利的犬齿撕裂父子们的臀腰。
清晨来临之前，我一觉苏醒，
我听到我的儿子们在梦中哭个不停[11]，
他们与我关押在一起，正要求有面包食用。
倘若你想到我的心灵所预测的下场而无动于衷，
那么你真是残酷无情；
倘若你不为此而哭泣，那么你通常究竟为何才泣啼？

这时，他们都已醒来，
而我们通常用饭的时间也在临近，
由于他们都做了梦，他们都害怕梦会成真；
我听到可怕塔楼的下层，
传来钉门的声音；
于是我盯住儿子们的面孔，默不作声，
我不曾啼哭，我的内心已如铁石般坚硬：
他们则在泣不成声；
我的安塞尔穆丘说道：‘你这样目不转睛，你怎么了？父亲[12]！’
因此，我既未流泪，也未回答，
那一天，整个白昼是如此，夜晚临近也无变化，
一直到次日的太阳又在世间升起。
这时，一点点光线
射入凄惨的监狱，
我从四张脸上看出我自己的模样，
我悲痛欲绝，把我的双手紧咬不放；
他们以为我这样做是想吃东西，
便立即纷纷起立，
说道：‘父亲，倘若你把我们吃掉，
这会使我们的痛苦大大减少：
你曾把这些可怜的血肉给我们穿上，现在就索性把它们剥掉。’
于是，我冷静下来，为的是不使他们更加悲哀，
当天和翌日，我们全都不把口开；
唉，狠心的大地啊，为何你不把自己打开？
后来，我们挨到第四天[13]，
加多扑倒在我的脚前[14]，
说道：‘我的父亲，你为何不帮助我啊？’
说罢，他就断了气；正像你如今见到我这个样子，
我眼见三个儿子一个接着一个倒下去，
这是在第五天和第六天之间；这时，我已双目失明[15]，

“于是，我冷静下来，为的是不使他们更加悲哀。”（第三十三首第64行）

我拼命地在他们身上摸来摸去，
在他们死去之后，我呼叫他们有两天之久[16]，
后来，饥饿终于比悲痛更有能力把我的性命夺走。”
他说完此话，便歪斜着眼睛[17]，
重又用牙齿把那可悲的头颅咬啃，
那牙齿一直啃到骨头，如同犬牙一般坚硬。

对比萨的谴责

啊，比萨，你是美丽国土的居民的耻辱[18]，
在那片国土上，可以听到说“西”[19]，
既然邻人迟迟不来惩罚你[20]，
那就让卡普拉和哥尔格纳移动过来[21]，
把阿尔诺河的河口阻挡，
让河水把每个人都淹死在你的土地上！
因为乌哥利诺伯爵固然
有叛卖你的城堡的声名[22]，
你却不该让他的儿子们惨遭牺牲。
他们青春年少，烂漫天真，
新的特拜城啊，他们就是乌圭乔内和旅长[23]，
还有上面诗句提及的另外两个人[24]。

托勒密环

我们又向前行，那里的寒冰[25]
把另一群人残酷地包拢，
他们不是转身朝下，而是全都仰卧冰中。
眼泪本身无法流淌，
痛苦的泪水在眼睛里遇到屏障，
只好流回心中，加剧悲伤[26]；
因为最先流出的眼泪冻成冰核，
竟如同一副面盔，由水晶制成，

这些泪水把睫毛下边的水盆填得严密无缝[27]。
尽管我的面孔
已冻得麻木不仁，
就像生有老茧的部分，
这时我却似乎感到有阵阵来风；
因此，我说："我的老师，这风是谁在吹动？
这下面不是一切蒸气都已消失尽[28]？"
他于是对我说："过一会儿你就会明白，
这风是从何处来，
因为你会看到这阵风吹落的原因所在[29]。"

阿尔贝里哥修士与布兰卡·多里亚

冰层受苦人当中有一个人
这时向我们喊道："哦，狠心的魂灵，
既然你们来到这最后一环地层，
就替我把脸上的坚硬面纱揭除，
让我在泪水冻成冰块之前，
能稍微发泄一下压抑我心灵的痛楚。"
因此，我对他说道："你若想要我助你一臂之力，
就告诉我你是谁，而我若不能把你解脱，
就该让我沉入这冰湖的湖底[30]。"
于是他答道："我是阿尔贝里哥修士[31]，
我就是那个献上罪恶果园中长出的水果的人，
而如今我则在这里，用无花果把海枣换得[32]。"
我对他说："啊！难道你现在就已死了么[33]？"
他于是对我说："我的肉体在世上究竟如何，
我对此一概不晓得。
这个托勒密环就有这个特权[34]，
在阿特洛波斯推动世人死亡之前[35]，
灵魂却往往先堕入地府深渊。

为了让你更加心甘情愿
把那冻成玻璃似的眼泪从我脸上剥去，
你可以知道，一旦灵魂背叛，
就像我所做的一般，
魔鬼就会把他的肉体夺走，然后把它控制在手，
尽管他活着的时间仍在全部流转。
灵魂一直堕落到这深井之中；
也许这阴灵的肉体却仍在尘世间留存，
而这阴灵却尾随着我，到这里苦度严冬[36]。
如果你只是现在才来到地下，你想必知道他：
他是布兰卡·多里亚先生[37]，
多年已经过去，自从他被封在冰中。”
我对他说：“我认为，你是在骗我；
因为布兰卡·多里亚尚未死掉，
他仍在吃吃，喝喝，穿衣，睡觉。”
他说道：“在上面马拉布兰卡们的沟壑里[38]，
烧滚着黏黑的沥青，
而米凯莱·赞凯尚未来到其中[39]；
此人曾让魔鬼钻进他的肉体，作为他的替身[40]，
他的一个亲戚也同样如是，
这亲戚曾同他一起犯下背叛的罪行[41]。
但现在，请把手伸过来；替我把眼睛打开。”
而我并未替他打开双目；
对他不讲信义，就等于以礼相待[42]。

对热那亚的谴责

啊，热那亚人啊，你们这些人
缺乏任何良风，却充满种种恶习，
你们为何不在人世绝迹？
因为我在你们当中发现有一个人[43]，

他与罗马涅的那个更加险恶的鬼魂待在一起[44]，
156 由于他的所作所为，他的灵魂早已浸在科奇士斯湖里，
而在上面的尘世，却仍可见到他那活生生的肉体。

注释

①本首中乌哥利诺伯爵向但丁倾诉他与儿孙们的悲惨遭遇一段，是《神曲》全诗最著名的精彩篇章之一。

②“那个罪人”即指乌哥利诺伯爵。他全名为乌哥利诺·迪·归尔弗·德拉·盖拉尔德斯卡（Ugolino di Guelfo della Gherardesca），是多诺拉蒂科（Donoratico）伯爵，十三世纪上半叶生于伦巴第地区的名门望族，其父为归尔弗一世（Guelfo I），在比萨境内的马雷马地区和撒丁岛有大片采地。乌哥利诺子孙众多，其中与他后来同死狱中的有二子，即加多（Gaddo）和乌古乔内（Uguccione）；二孙，即尼诺 Nino，绰号“旅长”（Brigata）和安塞尔穆丘（Anselmuccio），前者是其长子归尔弗二世（Guelfo II）之子，后者为其另一子洛托（Lotto）之子。其家族一向属吉伯林派，但 1275 年，他与其婿、归尔弗派头目乔瓦尼·维斯贡蒂（Giovanni Visconti）密谋使归尔弗派在比萨掌权，也许正因如此，诗中把他作为叛党者打入第九环的安特诺尔环。上述密谋未得成功，他被逐出比萨，但次年，他又在佛罗伦萨和归尔弗派的帮助下，重返比萨，恢复权势，并曾率领比萨舰队，与热那亚作战。1284 年，比萨在梅洛里亚（Meloria）战役中战败，但他保持作为比萨首席执政官的地位。这时，热那亚、佛罗伦萨、卢卡三市准备结盟，反对比萨；为分化敌人，他将比恩蒂纳（Bientina）、里帕夫拉塔（Ripafratta）和维亚雷焦（Viareggio）三座城堡送与卢卡，将福切基奥（Fucecchio）、山中圣玛利亚（S. Maria in Monte）、卡斯泰尔佛兰科（Castelfranco）、蒙泰卡尔沃利（Montecalvoli）、蓬泰德拉（Pontedera）等地送与佛罗伦萨，从而加强了比萨的地位，消除威胁。1285 年，他又将外孙乌哥利诺·维斯贡蒂（Ugolino Visconti，亦称“尼诺”〈Nino〉）吸收入政府，与他联合执政。但不久，其外孙与他不和，并夺走了他在撒丁的一些城堡。1288 年，梅洛里亚战役中被俘的一些将士返回比萨，吉伯林派大主教鲁吉埃里·德利·乌巴尔迪尼（Ruggieri degli Ubaldini）借机，与瓜兰迪（Gualandi）、西斯蒙迪（Sismondi）、兰弗兰基（Lanfranchi）等与他为敌的三大家族一起，于同年 6 月，发动平民起义，推翻其政府。当时，他不在市内，其外孙则被逐。他闻讯后，立即赶回，试图夺回政权，不料，鲁吉埃里大主教又发动人民暴动，将他与其二子、二孙捕获，囚入塔楼；囚禁九月之后，终于在 1289 年 2 月，五人均在塔楼中被活活饿死。

“可怕的食物”指被乌哥利诺伯爵啃啮的鲁吉埃里大主教的脑袋。

③鲁吉埃里大主教，为著名的枢机主教奥塔维亚诺·德利·乌巴尔迪尼（参见第十首注㉛）之侄，曾任波洛尼亚大主教，1271 年被拉维纳吉伯林派召去，任该市大主教，当时，归尔弗派也任命一名该市大主教，双方冲突，教皇不得不把二人均逐出该市。1278 年，任比萨大主教，这时，乌哥利诺伯爵与其外孙尼诺不和，他借机介入，试图恢复吉伯林派在该市的统治地位。

他左右逢源，假意与一方友好，反对另一方，最后将双方均击败。这可能是他作为政治叛卖者被打入安特诺尔环的原因。乌哥利诺及尼诺倒台后，他自立为比萨首席执政官。乌哥利诺死后，他无力与尼诺·维斯贡蒂对抗，被迫辞去首席执政官之职，比萨先后被瓜尔蒂埃里·迪·布隆弗尔泰（Gualtieri di Brunforte）和圭多·达·蒙泰菲尔特罗（参见第二十七首注⑥）所控制。1289年，教皇尼可洛四世（Niccolò IV）曾严厉谴责他对待乌哥利诺伯爵及归尔弗派的残忍行为。尼克洛四世死后，他才得以重新在本教区活动，后移居维泰勃（Viterbo），1295年死于该市。

④史料未说明鲁吉埃里大主教是如何取得乌哥利诺伯爵的"信任"又背叛了他。波斯科-雷吉奥注释本依据当时编年史家的说法，指出：鲁吉埃里大主教推翻乌哥利诺及其外孙联合领导的政府后，曾劝说当时不在市内的乌哥利诺伯爵返回比萨，假意允诺与他和解，乌相信了他，果然返回，却不料被捕并囚禁至死。

⑤"鹰塔"是囚禁乌哥利诺伯爵及其子孙四人之所在，原文是muda，意谓养鸟换毛的地方，对此，萨佩纽和波斯科-雷吉奥两注释本有两种说法和印法：前者把此词作为普通名词，小写，称：之所以用此词，是因为当时市府把喂养的老鹰放入其中脱毛、换毛，乌哥利诺被囚其内，犹如老鹰换毛，这也是布蒂等古代注释家的说法；后者则将此词作为专有名词，大写：即将muda印为Muda，是瓜兰迪家族的一座塔楼的名称，即"鹰塔"（Torre della Muda），位于比萨骑士广场（Piazza dei Cavalieri），至十八世纪为止，一直用作监狱，这也是近代佩特罗基注释本的说法。

⑥乌哥利诺等人是在其中活活饿死的，因此，后人称"鹰塔"为"饿塔"（Torre della Fame）。

⑦"此人"即指鲁吉埃里大主教。

⑧此处把以鲁吉埃里大主教为首的吉伯林派对乌哥利诺父子和祖孙的迫害比作"围猎"，把乌哥利诺本人比作"老狼"，把其子孙比作"小狼"。

⑨诗中的"崇山峻岭"是指比萨峰（Monte Pisano）或称圣朱利亚诺峰（Monte di San Giuliano），该峰高九十一米。布蒂曾说："在比萨与卢卡之间若无比萨峰，两市距离如此之近，一市则会看到另一市。"

⑩这里仍在叙述乌哥利诺在梦中所见，其中三个家族可参见注②。

⑪这里乌哥利诺把孙子也列入"儿子们"之中，因为他对孙子也怀有亲切的父辈感情，如下面第51句中，其孙子安塞尔穆丘也称他为"父亲"。与他监禁一起的加多和乌古乔内都是他与其妻玛格丽塔·德伊·帕诺基耶斯基（Margherita dei Pannocchieschi）所生，至于两个孙子尼诺与安塞尔穆丘，可参阅注②。

⑫安塞尔穆丘当时年龄最小，可能只有十五岁。关于与乌哥利诺囚禁在鹰塔之内的两个儿子和两个孙子的注释，据查颇有矛盾：萨佩纽和波斯科-雷吉奥注释本都一致地认为，两个儿子是加多和乌古乔内，两个孙子是尼诺和安塞尔穆丘，但后者在注释安塞尔穆丘的父亲时自相矛盾：在该注释本的有关安的两个注释中，前一注释说安是"洛托"之子（见注②），后一注释

则又说安是尼诺之父、乌哥利诺的长子归尔弗二世（见注②）的幼子。也有人把安塞尔穆丘说成“儿子”，把乌古乔内说成“孙子”。

⑬指“钉门”后的第四天。

⑭加多此时岁数不大，但业已成人。

⑮乌哥利诺此时“双目失明”是由于饥饿和临近死亡。

⑯“两天”指第七天和第八天。

⑰“歪斜着眼睛”表示对敌人的极端仇恨。

⑱“美丽国土”指意大利。

⑲“西”即意大利文的肯定词 si 即“是”，因此，意大利语亦称“si 的语言”（la lingua del si）。但丁在《论俗语》第一卷第八节第六句段中曾说：“确实，有些人为表示肯定，说 oc，另一些人说 oil，再有一些人则说 si，他们分别是西班牙人、法国人和拉丁人”。但波斯科-雷吉奥注释本未引但丁上述有关的话，却把上述第一种说法说成是“普罗旺斯”的口语；此说似有一定道理：oc 是法国南部口语，古代法国一省份“林瓜多卡”（Linguadoca，直译“说 oc 的语言”）即属古代普罗旺斯地区。

⑳“邻人”指佛罗伦萨人和卢卡人，他们是比萨人的宿敌。

㉑卡普拉亚（Capraia）和哥尔格纳（Gorgona）为托斯卡纳群岛的两座小岛，在厄尔巴岛（Elba）西北，面对第勒安海（Tirreno）海滩，距阿尔诺河河口不远。

㉒这里指乌哥利诺伯爵为分化反比萨联盟，将一些城堡和地方送给佛罗伦萨和卢卡（见注②）。萨佩纽和波斯科-雷吉奥两注释本都认为，乌哥利诺此举是情有可原的，他之所以入安特诺尔环，并非因为“背叛”城堡，而是由于他背叛其原属的吉伯林派，或对与其联合执政的外孙采取阴险的敌对手法。

㉓“新的特拜城”指比萨，因为特拜城奠基人卡德莫斯（Cadmo）本族就有骨肉相残的严重罪行。但也有人认为是指特拜国王坦塔路斯曾将其子伯罗比斯杀死，做成肉菜，奉献给诸神的（参见第三十首注㉑）。后宙斯使伯罗比斯起死回生，成为伯罗奔尼撒（Peloponneso）之王，“伯罗奔尼撒”之名即来自他的名字“伯罗比斯”（Pelope）。

乌圭乔内（Uguiccione）即乌古乔内，当时还很年轻；“旅长”即尼诺的绰号（见注②），当时比乌古乔内岁数大些。

㉔指加多和安塞尔穆丘。

㉕“又向前行”指朝第九环第三个区域即托勒密环（Tolomea）走去，那里是惩罚犯有背叛宾客罪的鬼魂之所在。

㉖此句意谓泪水成冰，把眼睛堵住，新的泪水流不出来，只好“流回心中”，悲伤无从发泄，于是更形加剧了。

㉗这里用“水盆”比作眼眶，用以接“泪水”。

㉘这里写出一种自然现象：地狱中没有太阳，就不会引起大气变化，不会产生“蒸气”，因此，不

该有风吹来。

㉙这里说明:风是从上面吹下来的。

㉚这里,但丁向鬼魂作了一种起誓般的允诺,其实,他是在蒙哄对方,为不想兑现诺言找借口,因为他明知自己必将降到科奇土斯湖底,而且不会永远留在那里。

㉛阿尔贝里哥修士(frate Alberigo),全名为阿尔贝里哥·迪·乌哥利诺·德伊·曼弗雷迪(Alberigo di Ugolino dei Manfredi),为享乐修士,法恩扎归尔弗派首领之一。他与本族即曼弗雷迪族的曼弗雷多(Manfredo)和阿尔贝盖托(Albeghetto)不和,佯作要与他们和解,邀请他们到他的切萨泰别墅(Cesate)赴宴,事先,他布置好手持武器的家人,准备在宴会结束时将宾客杀死。饭菜用毕后,他按照事先约定的信号,命人上水果,出其不意,将曼、阿二人杀害。此事发生在1285年5月2日。后成为一句谚语,“阿尔贝里哥修士的水果”,意谓“背信弃义的谋害”。

㉜此句来自谚语“因糕饼得面包”(ricevere pane per focaccia),意谓“恶有恶报”,但在诗中另有一层含义:即所受惩罚要比所犯罪行更加严重,并用水果代替糕饼和面包,因海枣的价格要比无花果昂贵。

㉝但丁之所以这样提问,是因为1300年,阿尔贝里哥尚活着。

㉞托勒密环的“特权”表现在:在其中受苦的只是灵魂,而其肉身仍活在世上,并有魔鬼附身,以下诗句对此有详细介绍。

托勒密环的名称有两种说法:一是指杰里柯(Gerico)的执政官托勒密(Tolomeo),他曾为夺取权力,背信弃义地设宴将其岳父、大祭司西门·玛喀比(Simone Maccabeo)及几个妻弟杀死,事见《玛喀比传》第一卷第十六章第十一至十六句;一是指埃及十三位托勒密国王中的第十二位,即托勒密十二世(名“迪奥尼索”Dioniso),公元前52—前48年在位,曾接纳兵败逃往埃及避难的庞培,后为求得与凯撒和解,将庞培杀害(公元前48年)。波斯科-雷吉奥注释本认为,后一种解释“不大可能”。

㉟阿特洛波斯(Atropos 或 Antropo),为罗马司生命的三女神巴尔凯(Parche)之一(相当于希腊的莫伊丽斯 Moire)。除阿特洛波斯之外,另两位女神是:克洛托(Cloto)和拉凯西斯(Lachesi);她们的分工是:克洛托司“诞生”,拉凯西斯司“生存”,阿特洛波斯司“死亡”,做法是纺织、卷绕、剪世人的生命线。

㊱这里是但丁的一大独特而大胆的创造:灵魂下地狱而人仍活在世上,当时曾在神学界立即引起非议,其子彼特罗曾不得不为他作些辩解。波斯科-雷吉奥注释本认为,这一创造可能源自《新约·约翰福音》第十三章第二十七句,即写犹大卖主的情况:犹大吃了耶稣递过来的饼,“撒旦就进入他的心里”;而魔鬼附身的说法在民间又是异常普遍的。近代注释家马佐尼(Mazzoni)曾就但丁在《筵席》第四卷第七节第十至十五句段中谈及人的生死问题,对此作过评注,说:“这使诗人有可能用富于想象力的景象来谴责依然活着的人的卑鄙行为,而无须使用预卜先知的语言。”

“苦度严冬”是指在地狱的这一冰雪地带受苦。

㊲布兰卡·多里亚(Branca Doria),为热那亚吉伯林派贵族,约生于1233年,撒丁岛洛哥多罗州总督米凯莱·赞凯(参见第二十二首注⑭)之婿。他在撒丁曾历任公职,反对撒丁僭主阿拉哥纳(Aragona)的统治,并觊觎其岳父的权位。他曾设宴款待其岳父,在宴会上将其岳父及所带随从全部剁死。此事可能发生于1290年或更早些,即1275年。他夺得管理洛哥多罗的权位之后,于1299年要求教皇博尼法丘八世予以承认。1325年,即但丁逝世之后,仍有他活在人世的消息。波斯科-雷吉奥注释本称,其岳父赞凯在第二十二首中一度出现,当时已被杀,但其灵魂尚未作为贪官污吏降入地狱第五环,而布兰卡·多里亚此刻则已被魔鬼附身,其灵魂则被打入科奇土斯湖中受惩。

㊳“马拉布兰卡们的沟壑”即惩罚贪官污吏的恶囊,参见第二十一首第1—57句。

㊴参见注㊲。

㊵“此人”为布兰卡·多里亚。

㊶此“亲戚”为布兰卡·多里亚之侄,他曾助其叔杀害米凯莱·赞凯。

㊷此句意谓:但丁不能为受到上帝制裁的鬼魂解脱苦刑,因而不该信守诺言,这也才是“以礼相待”。

㊸此人仍指布兰卡·多里亚,因为他是热那亚贵族(见注㊲)。

㊹“罗马涅的那个更加险恶的鬼魂”指阿尔贝里哥修士,因为他是法恩扎人,而法恩扎当时属罗马涅地区。

第三十四首

犹大环（1—15）
卢齐菲罗（16—60）
犹大、布鲁都与卡修斯（61—67）
脱离卢齐菲罗的身体（68—99）
维吉尔对宇宙的解释（100—126）
重登地面（127—139）

犹大环

“地狱之王的旗帜在向我们行进[1]；”
我的老师说道，“因此，你若能把它看清，
就该举目向前观定。”
犹如浮起一片浓雾，
或是黑夜把我们的半球笼罩住。
这时，远处似有一座风车在把阵风吹送，
我觉得此刻看到的正是这样一架庞大机器在转动；
由于阵风强劲，我蜷缩到我的导师后身；
因为这里没有其他洞窟可以避风。
那时我已身临其境，而如今把所见景象写入诗句也仍感肉跳心惊，

那里的所有鬼魂都被寒冰覆盖[2]，
他们像放在玻璃里的麦秆那样透明，
有人躺卧；有人直立，
这个脚朝下，那个倒栽葱[3]；
还有人弯腰似弓，把面孔弯向脚跟[4]。

卢齐菲罗

我们向前走了很远，
这时，我的导师很愿向我指明
那个曾有过美丽容貌的生灵[5]，
他走到我前面，让我停下，
说道："这便是狄斯，这也便是
你必须壮起胆量之地。"
读者啊，请不必询问：
我当时是怎样遍体冰凉，浑身无力[6]，
我现在也不把它写出，因为任何话语都会是词不达意。
当时我不曾死，也不算仍然活着：
你若有一些智慧，今天不妨自行捉摸，
想想我当时变成什么模样；既不是死，又不是活。
痛苦王国的那个皇帝[7]
从冰湖中露出前胸的一半；
拿我与一个巨人相比，
要胜过拿巨人们对比他的手臂[8]：
你现在可以想见那整个身体
该是多么巨大，它与这样一个部分又是多么对称[9]。
既然他过去是那样美，正如他今天是如此丑，
他竟敢竖起眼眉，对抗他的造物主，
人间的一切痛苦就理应从他身上产出[10]。
啊，我看到他头上竟有三张脸，
这对我来说是多么大的奇观[11]！

“这便是狄斯，这也便是你必须壮起胆量之地。”（第三十四首第20、21行）

一张脸在前面，而且是鲜红一片；
另有两张脸与这张脸相连，
生在每个肩膀中央的上边，
然后又延伸到长有冠毛的地方[12]：
右脸似乎又白又黄；
左脸看来与来自尼罗河的水浪
泻下之处的那些人的肤色一样[13]。
每张脸之下伸出两只大翅膀[14]，
其大小与同样体积的飞鸟恰好相当：
我从未见过像那翅膀这样大的海船船帆。
翅膀都没有羽毛，而是像蝙蝠的双翼一般；
这些翅膀不停地扇动，
从他身上扇出了三股风：
因此，整个科奇土斯湖才冷冻成冰。
六只眼睛都在流泪，顺着三个下巴，
滴滴流下，泪水中还有血红的唾液掺杂[15]。
每张嘴都在咀嚼着一个罪人，
像是打麻机在绞碎麻茎[16]，
这使那三个罪人痛不欲生。
对前面那个人来说，咬嚼算不上酷刑，
酷刑倒是用利爪抓搔，
有时，那罪人脊背上的皮竟被全部剥掉。

犹大、布鲁都与卡修斯

老师说："在上面的那个鬼魂受刑最重，
他就是加略人犹大[17]，
他的脑袋在嘴里，两腿则在嘴外，乱踢乱动。
另外两个人则是头朝下，
那个悬在嘴边、长着黑发的是布鲁都[18]：
你看他是在怎样扭曲身体，一言不发，

另一个是卡修斯，他看来仍是那么身强力大[19]。

脱离卢齐菲罗的身体

但是，夜又已降临，
现在必须离开此地，因为我们已看完所有情景。”
我迎合他的心意，把他的脖颈搂紧；
他也把时间和地点安排就绪，
等到翅膀张开到相当大的程度，
他就攀住那毛茸茸的肋部。
然后在那浓密的汗毛与寒冷的冰层之间，
抓住一根根汗毛向下攀援。
我们来到大腿转弯的地方，
恰好在臀部高高的突起之处，
这时导师已疲惫不堪，吁吁气喘，
他把头掉到他的双腿所在的一边[20]，
一把抓住汗毛，如同一个人向上攀援[21]，
这一来，我倒以为他是又朝地狱重返。
老师像一个精疲力竭的人那样喘着粗气，
说道：“好好搂住我，
因为必须顺着这个阶梯离开这万恶之地[22]。”
接着，他从一块岩石的孔洞中爬出[23]，
把我放下，让我坐到洞边；
他随即迈出敏捷的一步，来到我的跟前。
我抬起双眼，以为我看到的卢齐菲罗，
会像我离开他时一模一样；
而我这时看到的他，却是双腿向上[24]；
愚昧无知的人可以想一想
我当时是否惊得手足失措，
因为他们也不明白我是从什么地方经过。
老师说：“快站起来：

道路还很漫长，行程还很艰险[25]，
况且，太阳又已升到三时经的一半[26]。”
我们所到之处不是宽敞明亮的大厅[27]，
而是一个天然洞穴[28]，
地面凹凸不平，光线昏暗不明。

维吉尔对宇宙的解释

这时，我把身子站直，说道：
“我的老师，在我离开地狱之前，
请对我略加解释，澄清我的疑团：
那冰湖现在哪里？
这家伙怎会头下脚上地倒立？
怎么在如此短暂的时刻，太阳就从夜晚来到晨曦？”
他于是对我说：“你现在仍以为
你是在地球中心的那一边[29]，
我曾在那里抓住那穿透世界的罪恶蛆虫的汗毛攀援[30]。
在我向下攀援时，你恰好是在那一边[31]；
等到我把身子掉转，
你则穿过了把各方面的重量吸引到一处的那个地点[32]。
你如今已来到这个半球之下，
它正是在另一个为大片干地所覆盖的半球对面[33]，
而在另一个半球的顶端下边[34]，
未经原罪而生、生来也清白无罪的那位曾遭摧残[35]：
你现在脚踩的是小小的圆球，
它的另一面是犹大环[36]。
这里是清晨，那里则是夜晚[37]；
这家伙曾让我把他当作阶梯，
他如今仍然像原来那样竖立。
正是在这一边，他曾从天上堕下；
而陆地以前曾从这里冒出，

导师和我沿着这条幽暗的路径，又开始重返那光明的世界之中。（第三十四首第133、134行）

因为害怕他，才用大海把自身遮住，
并且来到我们这个半球；或许，
为了逃避他，显露在这一边的那片陆地
曾把空地留在这里，重又向上奔去[38]。”

重登地面

那下面有一个地方，与鬼王别西卜相距甚远[39]，
而坟墓的伸展也与这远近一样长短[40]，
因此，不是靠听觉，而是凭声音才把这个地方发现，
那声音来自一条小溪[41]，
它顺着一块岩石的孔洞泻下，流到这里，
那孔洞正是被小溪流经的蜿蜒曲折而又略微倾斜的水
　　道腐蚀而成，
导师和我沿着这条幽暗的路径，
又开始重返那光明的世界之中，
我们顾不上丝毫休整，
他在前，我殿后，我们一起攀登，
直到我透过一个圆洞[42]，
看见一些美丽的东西显现在苍穹[43]，
我们于是走出这里，重见满天繁星[44]。

注释

①此句除“向我们”（verso di noi）之外，其余原文均为拉丁文，即：Vexilla regis prodeunt inferni，前三字意谓“国王的旗帜在行进”，原是一首著名的赞美诗的开头，但丁在原句上加了 inferni，便变为“地狱之王的旗帜在行进”。这首赞美诗是公元六世纪法国波尔蒂埃（Portieri）主教、著名拉丁诗人维南丘·佛尔图纳托（Venanzio Fortunato）的创作，后来被收录为天主教会在圣星期五（Venerdi Santo，即耶稣受难日，复活节前的星期五）、十字架发现和颂扬节（Invenzione e Esaltazione della Croce）等宗教节日举行礼拜仪式经常歌唱的赞美诗之一。这里所说的“地狱之王的旗帜”指卢齐菲罗的六只翅膀（参见下面第 46—52 句）。但丁借用佛尔图纳托的诗句并加以大胆创新，主要是为了烘托卢齐菲罗的阴森可怖、但又庄严肃穆的形象和气氛。

②“那里”即指科奇土斯湖第四区即犹大环（见下面第 117 句）：这里受惩的都是叛卖恩人的鬼

魂，是罪恶最大、受刑最重者。这是古代注释家的一致看法，但近代注释家（如佩特罗基、波斯科）则认为，说这些鬼魂是“背叛教会与帝国”更为妥当（波斯科-雷吉奥注释本）。萨佩纽和雷吉奥都指出：“犹大环”（Giudecca）一词来自中世纪文献中的 Iudaica 一词，意谓犹太人集居地，当时在意大利许多城市都通用。

③这里描述“直立”的罪人受刑状态：有的正常（“脚朝下”），有的反常，即头朝下（“倒栽葱”）。

④这里描述的四种不同状态，表示罪人根据各自罪恶受到不同的惩罚。波斯科-雷吉奥注释本在解释“弯腰似弓……”一句时，还特意指出：这种把头弯到脚跟的状态，不仅是指向前弯，而且也指向后弯。

⑤这里是说：卢齐菲罗在被上帝打入地狱之前，是天使中相貌最美的。

⑥“浑身无力”一词的原文是 fioco，萨佩纽和波斯科-雷吉奥两注释本对此解释不同：前者认为是指“软弱无力，丧失一切气力”，“不涉及声音”；后者则认为是指“吓得说不出话来”。

⑦“痛苦王国的那位皇帝”即指地狱之王狄斯（见第 20 句，并参见第十一首第 65 句和注⑯、第十二首第 39 句和注⑧）。这里即指卢齐菲罗，这与第一首第 124 句称上帝为“坐镇天府的那位皇帝”是异曲同工、恰相对立的。

⑧意谓前一种对比比后一种对比更为明显，更能说明卢齐菲罗的体形之大。

⑨“这样一个部分”指卢齐菲罗的手臂。

⑩波斯科-雷吉奥注释本在解释这三句诗时，引述了公元五世纪和十三世纪两位圣徒有关卢齐菲罗的美和丑的说法：前者是圣阿哥斯蒂诺（S. Agostino，354—430，即圣奥古斯丁），后者是圣博纳文图拉（S. Bonaventura，1221—1274）。后者说，“之所以称为卢齐菲罗，是因为他是天使中最光彩照人的，而他对自身美貌的考虑则使他变得目空一切”；前者说，“世上的一切罪恶都来自他的恶毒”（萨佩纽注释本也引述了这句话）。

⑪但丁笔下的卢齐菲罗形象与中世纪绘画和雕刻中的魔鬼形象不同：既无角，又无尾。诗中所述卢齐菲罗有三张脸一点，在中世纪曾有先例：如西班牙莱昂主教堂（Cattedrale di León）正门就有这样的范例，可能是同时代的；另有一些纤细画也有过类似的描绘，但那是在但丁之后，也许是受但丁的影响。但这些绘画和雕刻都把卢齐菲罗描绘得很滑稽，而这在但丁的笔下则是没有的。萨佩纽和波斯科-雷吉奥两注释本都认为，卢齐菲罗的“一头三脸”是上帝“三位一体”（Unità e Trinità）的对立面：“三位一体”指神的“威力”、“智慧”和“慈爱”（见第三首第 5、6 句），而“一头三脸”则意味着“无能”、“愚昧”和“仇恨”；也有人把这三张脸解释为“无节制”、“奸诈”和“兽性的疯狂”。至于三张脸颜色的不同，上述两注释本都感到无法诠释，有人则把这三种颜色解释为当时人们所知的三大陆，甚或罗马、佛罗伦萨和法国，但都不足信。

⑫“长有冠毛的地方”即指某些动物长冠毛之处，亦即头的后部，枕骨部分。

⑬“来自尼罗河的水浪泻下之处的那些人的肤色”指住在埃塞俄比亚一带的人的肤色，即黑色，因为这一带正是尼罗河自上而下流入埃及平原的地方。

⑭每张脸有两只翅膀,三张脸共有六只;近代注释家多纳多尼(Donadoni,1871—1924)解释说,卢齐菲罗的六翼是他用来遮挡上帝宝座光芒四射的"屏障"。此外,中世纪绘画中的撒旦也都是有蝙蝠似的双翼,雷吉奥据此指出,与六翼天使撒拉弗(serafino)恰相对照的是:卢齐菲罗的六翼是灰黑色、黏糊糊的,作为上品天使的撒拉弗的六翼则是具有五彩缤纷的羽毛。

⑮"血红的唾液"指被卢齐菲罗咬在口中的三个罪人流出的鲜血。

⑯这里用打麻机比喻卢齐菲罗咬嚼罪人的惨状:打麻机用来绞碎麻茎,以从中提取纤维。

⑰"加略人犹大"(Giuda Scariotto 或 Iscariota),即耶稣的十二个门徒中以三十块银币出卖耶稣的叛徒犹大,事见《新约》中的《马太福音》第二十六章第十四至十六句、《马可福音》第十四章第十、十一句、《路加福音》第二十二章第三至六句。

⑱布鲁都(Bruto),即密谋杀害凯撒、试图恢复共和的策划者之一,全名为马可·朱尼奥·布鲁都(Marco Giunio Bruto)。他是雄辩的演说家,信奉学园派和斯多噶派哲学,为凯撒的养子,深受恩宠,曾被凯撒任命为高卢总督(公元前47年),但他仍与卡修斯(见下注)一起策划在元老院门前刺杀凯撒的阴谋(公元前44年3月15日)。凯撒死后,他的继任者屋大维(Ottaviano)和安东尼(Antonio)发兵征讨布鲁都与卡修斯;在马其顿的腓力比(Filippi)一战,大败布鲁都,布被迫自杀(公元前42或41年)。诗中说他"一言不发"是形容他顽固不化、愤恨不止的表情。

⑲卡修斯(Cassio),全名为卡佑·卡修斯·隆基诺(Caio Cassio Longino),曾为前三巨头之一克拉苏(Crasso)的参谋,后又投靠庞培;庞培在法尔萨利亚战败后,他投降凯撒,颇受凯撒厚待和重用,但他仍与布鲁都合谋将凯撒杀害。腓力比战役中战败后,他命手下一获得自由的奴隶将他杀死。布鲁都与卡修斯都是对各自的施恩者恩将仇报的人,故被打入犹大环受苦。

⑳萨佩纽和波斯科-雷吉奥两注释本都把此句解释为维吉尔爬到卢齐菲罗臀部的突出之处便掉转身躯,但二者不同之处在于对原句中的代词 elli(他)的理解:原句是 ov' elli avea le zanche,意谓把头掉到"他的双腿所在的地方";这里的"他"(elli)究竟指谁?萨佩纽认为,既是自身掉转,应指维吉尔,如说是指卢齐菲罗,则不妥,而雷吉奥的解释恰好与此相反。雷吉奥认为,维吉尔把头掉转到卢齐菲罗的双腿一边之后,便顺着他的双腿向上攀援,一直爬到另一半球即南半球,因为卢齐菲罗的上半身是在北半球,而下半身,即从臀部到双腿则是在南半球,故维吉尔下降到其臀部(即地球中心)之后,立即掉转身躯,顺着卢齐菲罗的双腿向上爬。

㉑此刻维吉尔的动作不是像刚才那样一直向下攀,而是改为向上攀,即朝南半球方向攀登。

㉒用"阶梯"作比的写法,在第十七首第82句和第二十四首第55句都有,这里是指卢齐菲罗的汗毛;"万恶之地"是指地狱。

㉓萨佩纽注释本说:"维吉尔是顺着卢齐菲罗与一块岩石之间的狭窄缝隙向上攀援的,到一定时候,便从一个孔洞爬出,因为原来的缝隙已扩大为一个洞穴。"

㉔此句意谓:但丁从所坐的地方(已属偏离北半球的中心地带)看到卢齐菲罗的双腿仍然竖在

上面:因为南半球在上,北半球在下,从靠近南半球的角度看立于北半球中心的卢齐菲罗,自然是头下脚上的。

㉕这里是说:从地球中心走到南半球的地面,路途仍然很长;因为还要经过炼狱,行程也仍然艰险。

㉖这里用天主教教士每日必须念诵的日课经来说明太阳运行的时间。日课经每日共分七次:第一次为早课(mattutino),约在黎明前;第二次为晨祷(prima),时为太阳升起时,即早晨六时;第三次为三时经(terza),时为上午九时;第四次为六时经(sesta),时为中午,故又称午经;第五次为九时经(nona),时为下午三时,相当于罗马的上午九时,故称"九时经";第六次为晚祷(vespro),时为黄昏时分;第七次为晚课(compieta),约为晚九时。三时经的一半应是介于晨祷与三时经之间的时刻,即七时半。这时,北半球已是"夜已降临"(见第68句),而南半球则是白昼开始。

㉗"大厅"的原文是camminata,意谓有壁炉的大厅,是僭主用以接待宾客的。"壁炉"一词为camino,"大厅"一词camminata即由此衍生。这种称呼在伦巴第地区最普遍。

㉘"天然洞穴"的"洞穴"一词,原文为burella,系指阴暗的地下室,用作地窖甚或监牢的。

㉙指但丁仍以为自己是在北半球。

㉚"蛆虫"即指卢齐菲罗,这种说法源自《圣经》。如《旧约·以赛亚书》第六十六章第二十四句:在叛逆上帝的人的"尸骸上面的虫是不死的";《新约·马可福音》第九章第四十八句:在地狱,"咬人的虫是不死的"。萨佩纽依据近代注释家波雷纳的说法,指出:这里把撒旦比作"藏在世界中心的蛆虫,犹如蛆虫深藏在水果的核心";雷吉奥不同意这种比喻,他赞成近代注释家基门兹驳斥波雷纳的有关说法,基门兹曾说:若认为但丁想到钻进水果的蛆虫,那就会"使圣经的形象因被作为世俗普通经验来对待而从各方面遭到贬低"。

㉛"那一边"指地球中心偏向北半球的一边。

㉜即指地球的中心,宇宙的中心(见第三十二首第73—74句),这种看法来自亚里士多德的《天论》(De coelo)第二章第十四节,其中提及地球的中心即万有引力中心。

㉝"这个半球"指南半球。"另一个为大片干地所覆盖的半球"即北半球。"干地"(gran secca)的说法取自《旧约·创世记》第一章第十句:"上帝称干地为陆地。"

㉞这里值得注意的是:诗中所指"半球"(emisperio,即今emisfero)都是指天体的半球(emisferi celesti),而不是指地球的半球(emisferi terrestri),因而第112句和第114句都用了"在……之下"的说法;"顶端"指北半球的子午线,其下面即耶路撒冷,因此,"在另一个半球的顶端下边"即指"在耶路撒冷"。中世纪时,人们认为,陆地都在北半球,南半球则皆为海洋,而耶路撒冷恰好位于陆地中央;此说可参见《旧约·以西结书》第五章第五句:"主上帝说:'这就是耶路撒冷!我把她安置在万邦的中央……'"

㉟"那位"指耶稣:因为他是不通过"原罪"(peccato orinale)而诞生的,他的一生也无"本罪"(peccato attuale)。

㊱“小小的圆球”指位于地球中心的小圆球，它的另一面（即属北半球的一面）即为犹大环。萨佩纽说，有人把圆球的“球”（sfera）说成是“圆形的平面”（superficie circolare piana），是不符合但丁本意的。

㊲“这里”和“那里”分别指南北半球。

㊳自第124句至第126句，概括地叙述了卢齐菲罗被上帝打入地狱后南半球陆地发生变迁的经过，即：卢齐菲罗从净火天（empireo，亦即天府、天国）堕下，落到南半球（从整个天体看，南半球在上，北半球在下），南半球海面露出的大片陆地，因为“害怕他”，便退入海底，并逃至北半球，形成“覆盖”北半球的“大片干地”，但卢齐菲罗一直堕落到地心，地心处的陆地，为了“逃避他”，便在地心处留下一片“空地”（亦即所谓“天然洞穴”）“重又向上奔去”，从而形成“显露在这一边的那片陆地”，即“伊甸山”（montagna di Iden），亦即“炼狱”（Purgatorio）。

但丁的这段描述曾引起近代注释家的争议：帕多安（Padoan）和马佐尼都认为，此说与但丁后来撰写的一部作品《水与陆地问题》（*Quaestio de aqua et terra*）的论述相左，因而怀疑此书是出自但丁手笔，至今，此问题仍为悬案。该书原名《论水与陆地的位置与形成》（*De situ et forma de aqua et terra*），系但丁的一部不甚重要的作品，再者，诗中所述纯属虚构，并非科学论证，因此，萨佩纽和波斯科-雷吉奥两注释本都不主张就此作无谓的纠缠。

㊴“鬼王别西卜”（Belzebù）出自《新约》的《马太福音》第十二章第二十四句和第二十七句、《马可福音》第三章第二十二句、《路加福音》第十一章第十五句和第十七句；这里是指卢齐菲罗。

㊵“坟墓”（tomba）何所指，注释家对此有多种解释。萨佩纽和波斯科-雷吉奥两注释本都赞成近代注释家巴尔比的看法，即并非指“地狱”，而是指“天然洞穴”，这时，但丁和维吉尔正在其中行走。洞穴的伸展与他们同卢齐菲罗的距离“一样长短”，实际上意谓：洞穴的一端为卢齐菲罗所在地，另一端则为其终点，而因为新发现的地方距此甚远，眼睛看不见，只能靠小溪的流水声辨出。

㊶“小溪”是指来自南半球的溪流；雷吉奥注释说，此溪流显然也是从地上乐园（Paradiso terrestre）的山上流下来的。

㊷“圆洞”指“幽暗路径”的尽头。

㊸“美丽的东西”指灿烂的繁星。

㊹“走出这里”指走出圆洞；“重见满天繁星”隐喻但丁已结束他的冥界之行。

应当特别指出的是：《神曲》三部曲，即《地狱篇》、《炼狱篇》和《天堂篇》最后一句都是以“繁星”（stelle）收尾，这不仅体现三部曲在文风上的统一和对称，而且更重要的是：隐喻贯穿全诗的主题思想，象征世人理应追求的人生目的，简言之，即抑恶扬善、改邪归正、弃暗投明。